Les journalistes

Collection « Des gens »
dirigée par **Guy-Patrick Azémar**

Dans la même collection :
– *Les cheminots : que reste-t-il de la grande famille ?* Maurice Lemoine,
Anna Malan, Georges Ribeill
– *Les infirmières, ni bonnes, ni nonnes.* Jacques Saliba, Brigitte Bon-Saliba,
Brigitte Ouvry-Vial
– *Les routiers, des hommes sans importance ?* Jean-Bernard Pouy, Patrick
Hamelin, Bruno Lefèbvre

Conception graphique : Didier Thimonier
Mise en page, réalisation : Béatrice Gauge
Recherche iconographique : Françoise Denoyelle

© Syros, 1994
9 bis, rue Abel-Hovelacque, 75013 Paris
Tél. : (1) 44 08 83 80
ISBN 286738999.2

Jean-François Lacan
Michael Palmer
Denis Ruellan

Les journalistes
stars, scribes et scribouillards

SYROS

Les auteurs

Jean-François Lacan est journaliste depuis 1974. Spécialiste des médias, il a dirigé la rubrique « communication » du *Monde* jusqu'en 1991 et assuré des cours à Paris-I, Paris-Dauphine et l'ENA. Après avoir participé au lancement du défunt quotidien *La Truffe*, il est actuellement rédacteur en chef du magazine *Bas les masques* sur France 2. Co-auteur avec Sophie Coignard de *La République bananière* (Belfond, 1989), il a également collaboré à l'ouvrage collectif *Le Droit de l'audiovisuel* (Lamy, 1990).

Michael Palmer est professeur en sciences de l'information et de la communication, université de la Sorbonne nouvelle, Paris-III, et directeur du Centre de recherche sur l'information et les médias en Europe (CRIME), université de la Sorbonne nouvelle. Il a été attaché de recherche au CNRS (St-Antony's College, Oxford) de 1973 à 1976, conseiller technique et rédacteur en chef à *FIEJ-Bulletin* de 1981 à 1984, et rédacteur en chef (international) à *Médias* en 1984. Michael Palmer a publié *Des petits journaux aux grandes agences : naissance du journalisme moderne* (Aubier, 1983). Il a été co-auteur avec O. Boyd-Barret, *Le Trafic des nouvelles : les agences mondiales d'information* (Alain Moreau, 1981), avec J. Tunstall, *Liberating communications : policy-making in France and Britain*, NCC (Blackwell, Oxford, 1990) et avec J. Tunstall, *Media moguls* (Routledge, London, 1991).

Denis Ruellan est maître de conférences, chercheur en sciences de l'information et de la communication et des professions des médias. Il a publié *Le Professionnalisme du flou. Identité et savoir-faire des journalistes français* (PUG, 1993), *Reporters, le voyage Afghanistan* (Syros, 1992).

Sommaire

IV. Les frontières d'une vocation

Bibliographie

Introduction

L'avènement des médias de masse et la mondialisation du marché de l'information ont modifié les conditions d'exercice du journalisme et l'image des «gens de presse». Ainsi sommes-nous revenus d'une vision romanesque du journaliste professionnel, aujourd'hui plutôt perçu comme la face visible, le visage humain des «usines à nouvelles» qui irriguent la communication moderne. Paradoxalement, alors même que la profession n'a jamais été aussi nombreuse et organisée, qu'elle n'a jamais disposé de moyens, d'outils aussi puissants, elle traverse une crise morale sans précédent. Plus souvent vilipendés qu'honorés, accusés d'oublier les principes et les valeurs qui auraient donné ses lettres de noblesse au métier, les journalistes sont sommés de redéfinir leur rôle et leur place, de reconquérir une légitimité mise à mal par les dérives ou les dérapages –bien réels– de l'info-spectacle. Mais le propre du journaliste, aujourd'hui comme hier, n'est-il pas de ne jamais avoir été tout à fait à sa place?

Avec son *Journal d'un chien*, Jean-François Lacan nous fait comprendre de l'intérieur la situation du journaliste, praticien de cette étrange métier à l'imaginaire flamboyant mais sans véritable statut social, écartelé entre des conditions de travail de plus en plus précaires et des responsabilités sociales de plus en plus aigues. Après son départ du *Monde* et l'échec du quotidien *La Truffe*, l'auteur a vu se désagréger rapidement le tissu de relations qui le faisait socialement exister comme «grand spécialiste des médias»: une expérience qui lui a permis d'analyser certaines de ses pratiques et de ses illusions professionnelles, pour nous restituer un écho subjectif des grands débats sur le rôle des journalistes et la déontologie de l'information.

Tournés vers l'actualité et vers l'avenir, les journalistes de l'an 2000 n'en sont pas moins dépositaires d'une histoire forgée sur plusieurs siècles. Des nouvellistes du Pont-Neuf aux « reporters » d'outre-Atlantique en passant par les *hacks* d'outre-Manche, Michael Palmer suit à travers le temps et l'espace les rapports des *Héritiers de Théophraste* avec les « pouvoirs », les techniques, l'information, l'argent et l'opinion. Où l'on verra que depuis le XVIIe siècle, au moins, les représentations du journalisme n'ont cessé d'osciller entre deux extrêmes : d'un côté, l'inlassable combat mené « plume à la main » pour les libertés d'opinion et d'expression, le pluralisme et le droit à l'information ; de l'autre, la mise en cause permanente des « excès » et des « compromissions » des journalistes, voire le mépris affiché pour des messagers tenus responsables des « mauvaises nouvelles » qu'ils apportent.

Le journalisme, qui peut se revendiquer du nombre des vieux métiers du monde, reste aujourd'hui à définir. Où sont ses frontières ? Où commence et où finit son domaine de compétence ? Impossible, souligne Denis Ruellan dans *Les frontières d'une vocation*, de spécifier le centre, le noyau dur de cette activité polymorphe. Le journaliste se fait tour à tour professeur, savant, littérateur, observateur, défenseur, procureur, partisan, publicitaire..., condamné à se défaire de ces peaux d'emprunt aussi vite qu'il les a revêtues pour des besoins de circonstance. D'où un sentiment d'imposture, souvent exprimé par les gens de presse eux-mêmes. Le journaliste touche-à-tout gêne d'autant plus qu'il est indispensable : par fonction, il dérange, et c'est sans doute pourquoi il n'a jamais eu très bonne presse...

———————

Journal
d'un chien

Jean-François Lacan, journaliste

Avertissement

J'ai quarante-cinq ans et vingt ans de journalisme. Essentiellement dans la presse écrite, même si je dirige aujourd'hui la rédaction d'un magazine télévisé. Si l'on excepte quelques poèmes d'adolescent, j'ai toujours écrit sur commande. Douze feuillets pour la fin de la semaine, un tiers de colonne pour 9 h 30 ou le manuscrit complet pour le mois de septembre. Je n'aurais jamais imaginé rédiger quelque chose qui ne soit pas attendu dans une maquette et de ce fait déclaré, par avance, d'une quelconque utilité marchande. Quelque chose de gratuit qui ne vienne que de moi.

Deux événements m'ont fait changer d'avis et commencer ce journal. Il y a deux ans, j'ai abandonné une situation confortable au *Monde* pour lancer, avec quelques amis, un nouveau quotidien, *La Truffe*. Trois mois plus tard, l'entreprise qui me paraissait la plus nécessaire et la plus sensée du moment s'achevait sur une déconfiture navrante.

Les journalistes n'aiment pas s'abandonner au confort précaire des allocations chômage. Ils redoutent qu'en quelques mois de silence leur signature ne soit oubliée et leur valeur marchande considérablement diminuée. Aussi, sans prendre le temps de digérer l'échec, j'entrepris de retrouver un poste. J'éprouvais pourtant une certaine gêne à solliciter les patrons de journaux ou responsables de rédaction qui avaient été mes interlocuteurs privilégiés lorsque je dirigeais la rubrique « Communication » du *Monde*. Je choisis donc comme premier interlocuteur quelqu'un que je connaissais à peine.

Un ancien responsable de *Libération*, alors au poste de commande d'un magazine, m'invita immédiatement à déjeuner. Je m'y rendis ému par ce témoignage spontané de solidarité. En deux heures, j'appris que j'étais un fossoyeur des espoirs de la presse française, que *La Truffe* avait gravement compromis l'image des journalistes dans l'opinion et ouvert la porte à une rapide dégénérescence de la déontologie. En conséquence, j'aurais bien du mal à faire oublier cette désastreuse aventure avant de retrouver du travail.

J'encaissai sans réagir, sans oser répondre que le magazine que dirigeait mon interlocuteur avait, lui aussi en son temps, suscité la réprobation du Tout-Paris médiatique en consacrant ses couvertures aux « traîtres », aux « cons » ou autres « salauds ». A cette nuance près que l'hebdomadaire avait réussi alors que *La Truffe* avait disparu, ce qui modifie sensiblement l'appréciation déontologique que l'on peut porter après coup...

Le responsable de cet heureux magazine me quitta en me recommandant de solliciter auprès de son service culturel quelques enquêtes suffisamment académiques pour dissiper jusqu'au souvenir de ma prétendue infamie. Sur le moment, j'en ai voulu à mon interlocuteur. Profondément ébranlé, j'ai pratiquement cessé de chercher du travail. Je me suis enfermé chez moi, persuadé d'être l'objet d'une réprobation générale. Je n'ai vraiment refait surface que six mois plus tard.

Durant ces six mois, tout ce qui constituait le squelette de mon univers habituel s'est rapidement désagrégé : plus de conférences de rédaction, plus d'heures de bouclage, plus d'appels téléphoniques, plus de déjeuners en ville, plus d'invitations aux quatre coins du monde. S'est évaporé aussi ce sentiment d'urgence, né de la succession continue des informations, qui scande la vie d'un journaliste de quotidien et lui permet sans doute de se lever chaque matin.

Privé de mes alibis familiers, je suis resté avec mes questions. Quelle était ma faute ? Quand avais-je démérité ? Pourquoi étais-je là, cloîtré, accablé par cette honte extravagante ? Comment pouvait-on passer brusquement d'une position aussi enviable et enviée à une situation aussi désagréable ? Pourquoi ceux qui m'avaient consulté, loué, réclamé pendant des années ne venaient-ils pas me chercher pour me tirer de ce mauvais pas ? Comment étais-je devenu si dépendant des autres, de leurs regards, de leurs jugements ?

Au fur et à mesure que j'explorais mon désarroi intérieur, surgissaient quantité d'autres questions sur mon travail de journaliste et sur la manière dont je l'accomplissais. Les pratiques les plus courantes, les épisodes les plus anodins me semblaient soudain étranges, incompréhensibles ou douloureux. Je ne parvenais plus à distinguer ce qui faisait la valeur d'une information, l'intérêt de la communiquer. Mais je commençais à éprouver un réel plaisir à cette abyssale remise en question.

Pourtant, je n'aurais jamais écrit sans, presque un an plus tard, une deuxième provocation : la petite phrase de François Mitterrand aux obsèques de Pierre Bérégovoy[1], les débats qu'elle avait déclenchés pendant quelques semaines et la réaction en chaîne qu'elle a provoquée en moi. J'ai compris à ce moment-là que la petite dépression traversée pendant mes six mois de chômage recelait la vérité d'un fonctionnement professionnel quotidien. J'ai compris que les écartèlements psychologiques que j'avais ressentis étaient la traduction fidèle des multiples contradictions de ce métier. J'ai compris qu'on ne pouvait être journaliste sans souffrir. Une souffrance structurelle, une « souffrance de position », comme dirait Pierre Bourdieu[2].

C'est pour cette raison que je livre quelques extraits de ce journal. Parce qu'ils me semblent être un écho – modeste et éminemment subjectif – aux graves débats qui agitent périodiquement la profession, les politiques et l'opinion sur le rôle des journalistes et la déontologie de l'information. Parce qu'on ne peut trancher ces problèmes à coups de lois, de codes ou de commissions sans comprendre comment ils se vivent concrètement dans la conscience des journalistes.

1. « Toutes les explications du monde ne justifieront pas qu'on ait pu livrer aux chiens l'honneur d'un homme et, finalement, sa vie, au prix d'un double manquement de ses accusateurs aux lois fondamentales de notre République, celles qui protègent la dignité et la liberté de chacun d'entre nous. ». Discours prononcé aux funérailles de P. Bérégovoy à Nevers le 4 mai 1993.
2. Pierre Bourdieu, *La Misère du monde*, Paris, Le Seuil, 1993.

Qu'on n'attende pas ici que je distingue la « bonne » presse de la « mauvaise », les « vrais » journalistes des autres. Je n'en suis pas capable. Je n'ai pas de solutions à proposer au grand problème de la responsabilité sociale des journalistes. J'essaie, plus prosaïquement, de percevoir en moi les effets concrets de ce débat, les ravages qu'il ne manque pas de provoquer dans ma pratique quotidienne, les masques, les fuites, les ruses qu'il suscite. Je suis, comme tous les journalistes, traversé par des contradictions que je ne peux individuellement résoudre. Ma seule ambition est de les baliser le plus soigneusement possible. Avec l'espoir que ce travail puisse faire avancer une éventuelle solution collective.

On me pardonnera, enfin, d'avoir pour cette publication changé quelques noms et maquillé légèrement certaines situations pour rendre leurs protagonistes méconnaissables. Mon propos n'est pas de régler des comptes.

Mardi 4 mai 1993

« Scandaleux ! Intolérable ! Et puis c'est indigne d'un président de la République ! »

Sur les écrans de la régie du studio 40, les images de la cérémonie continuent de défiler mais plus personne ne regarde la retransmission en direct des obsèques de Pierre Bérégovoy. Techniciens, journalistes, assistants de production piquent du nez, l'air contrit, comme des enfants punis. François Mitterrand vient de dénoncer les « chiens » qui ont acculé son ex-Premier ministre à la mort. Et la semonce paternelle fait courber toutes les têtes à France 2.

Je suis le seul à m'insurger. Le silence gêné de mes voisins m'exaspère et nourrit ma colère. Une fois de plus, les médias servent de boucs émissaires consentants aux crises du monde politique. Les journalistes n'ont pas inventé le financement occulte des partis, la corruption des élus, le trafic d'influence ou le clientélisme. Le seul reproche à leur faire serait au contraire d'avoir – par complaisance ou aveuglement – trop longtemps tardé à enquêter sur un mal qui ronge depuis des années la République.

Mais qu'un homme politique succombe, victime du pourrissement galopant du système, et voilà les médias prêts à endosser la responsabilité d'un meurtre imaginaire. Dès le lendemain du suicide de Pierre Bérégovoy, on ne comptait plus les élus – de Laurent Fabius à François Léotard – prêts à user du cadavre du député-maire de Nevers pour ce singulier transfert de culpabilité. L'ancien Premier ministre devenait la victime innocente du harcèlement médiatique et rachetait du même coup toute l'humanité politique souffrante. Sa mort ouvrait une nouvelle ère où les journalistes, enfin responsabilisés, cesseraient de s'intéresser aux turpitudes supposées des élus.

Le pire, pour moi, était de voir ces affligeantes litanies imprimées à la une du *Monde* et reprises – sans recul – sur toutes les antennes. Comme si le geste désespéré d'un homme avait le pouvoir de réveiller chez les journalistes la honte, aussi absurde qu'inconsciente, d'avoir fait simplement leur métier. Et voici que le président de la République, jouant sans vergogne sur la même corde sensible, ajoute l'insulte à la mauvaise foi. Et que l'affront ne suscite, dans ce studio de télévision, qu'une approbation consternée.

« Comment ose-t-il se servir ainsi d'un suicide pour faire de la basse politique ! Qui sont les chiens ? Qu'il le dise clairement. » Je hurle maintenant et je suis le premier surpris de cette violence qui balaye toutes mes habituelles prudences. Je sens pourtant que je commets une erreur tactique. Après tout, je suis entouré de gens de gauche. Socialistes déçus, refroidis ou critiques sans doute, mais pour lesquels s'attaquer à Mitterrand reste le plus sûr symptôme d'un comportement de droite. Un mois à peine après le triomphe du RPR et de l'UDF aux législatives, je vais donner l'impression de rallier à grande vitesse le camp des vainqueurs.

Comme s'il devinait mes scrupules, Jean-Michel Vaguelsy, l'ancien président des Restos du cœur avec qui je prépare une émission sur le chômage, monte au créneau. Il souligne l'émotion de François Mitterrand, excuse, par la douleur, l'emphase du propos, et conclut que la flèche présidentielle vise sans doute les juges plutôt que les journalistes. La porte de sortie est grande ouverte mais ma rage la refuse. De furieux, je deviens virulent. J'argumente à la hache.

Le discours de François Mitterrand était écrit. Même si sa voix a paru soudain étranglée par l'émotion, le propos était délibéré, la formule soigneusement calculée. Si la hargne présidentielle vise les magistrats qui ont instruit les affaires Urba, Sages ou Pechiney, elle n'en est que plus répréhensible. Dans quelle démocratie le chef de l'exécutif peut-il se permettre d'insulter publiquement le pouvoir judiciaire ?

Et si, comme je le crois, les « chiens » sont destinés à rester inconnus, l'ambiguïté du discours présidentiel est magnifiquement révélatrice. Voilà un régime qui tient dans un égal mépris toutes les formes de contre-pouvoir ; celle du juge comme celle du journaliste.

Ma véhémence ne convainc personne. Le réalisateur se détourne en haussant ostensiblement les épaules. « Je ne discute plus, assène Jean-Michel. A l'évidence, tu en fais une affaire personnelle. »

Vendredi 7 mai

La colère n'est pas mauvaise conseillère. Celle qui m'agite depuis trois jours m'enseigne à quel point la petite phrase du président est habile. Elle m'atteint là où elle touche sans doute mes confrères et une bonne partie de l'opinion : dans cette parcelle d'imaginaire accrochée aux basques des journalistes.

Nous sommes des chiens. N'en revendiquons-nous pas le flair, l'art de filer les pistes, de débusquer la vérité ou celui de saisir l'air du temps, de pressentir les mouvements d'opinion ? Mais alors il nous faut assumer l'autre face de l'image, celle du roquet qui aboie, de la meute qui traque, excitée par le sang, jusqu'à l'hallali. Nous sommes des chiens. Comment pourrais-je refuser la métaphore après avoir participé à la course éphémère de *La Truffe* ?

Le président est un vieux renard : il sait que la sympathie du public va rarement au chasseur. Et jamais au chien. Qu'importe si la presse a joué un rôle essentiel dans l'affaire du sang contaminé ou dans celles du financement des partis ; ceux qui remuent la merde, ceux par qui le scandale arrive n'auront jamais droit à la reconnaissance du citoyen. Il suffit pour s'en convaincre de consulter les sondages. Jamais sans doute la presse française n'a révélé autant d'affaires d'État ; jamais, pourtant, les journalistes n'ont eu une aussi déplorable image.

On pourrait rétorquer qu'il y a les chiens et les autres. Ceux qui évitent soigneusement de fourrer leur nez dans les affaires d'autrui, de renifler les vilaines odeurs de décomposition. Ceux qui ne cherchent rien, se contentent d'expliquer, de justifier, de présenter, de commenter. Ceux qui dînent en ville, frayent avec les puissants et finissent, à force de révérences ou épousant des ministres, par gagner leur respectabilité. J'ai parfois cru qu'il existait là une frontière visible entre les « vrais » journalistes et tous les autres porteurs de cartes. J'ai eu tort. Même l'animal de compagnie le mieux toiletté ne saurait faire oublier sa parenté avec le bâtard errant. Nous restons tous des aboyeurs de nouvelles, des fouineurs indécents.

Je suis un chien. Il faut apprendre à me regarder dans le miroir que me tend le président.

Samedi 8 mai

Vaguelsy n'a pas tort : l'affaire est bien personnelle. Mais pas au sens où il le croit. Ce n'est pas avec le président que j'ai des comptes à régler. Mais avec la mort et la culpabilité.

J'ai suivi l'affaire Pechiney par hasard. J'étais au *Monde* en ce début 1989, chef de la rubrique « Communication », et je tentais depuis plusieurs semaines de comprendre pourquoi Max Théret, traditionnel soutien financier du parti socialiste, servait de prête-nom à l'Italien Gian Carlo Paretti pour la reprise des salles de cinéma Pathé. Lorsque le nom du fondateur de la FNAC a été mêlé, aux côtés de ceux de Patrice Pelat, Alain Boublil et Samir Traboulsi, au délit d'initié sur le rachat des actions Triangle par Pechiney, j'ai offert mes informations et services à Edwy Plenel et Georges Marion qui suivaient déjà l'affaire à la rubrique « Police ».

Spontanément s'était ainsi mise en place une petite équipe d'enquête qui dépassait la traditionnelle division de la rédaction du *Monde* en services jaloux de leurs territoires et peu enclins à travailler ensemble. Éric Izraelewicz, à l'époque chef du service économique, surveillait le cabinet de Pierre Bérégovoy, ministre des Finances et tout spécialement Alain Boublil qui, au double titre de directeur du cabinet du ministre et d'animateur des négociations entre Triangle et Pechiney, semblait le responsable tout désigné du délit d'initié. Plenel et Marion suivaient les pistes données par leurs informateurs des Renseignements généraux et s'intéressaient au financier libanais, Samir Traboulsi, autre intermédiaire important entre les deux sociétés. Pour ma part, j'avais fort à faire avec Théret et Pelat, leurs liens supposés, leurs relations avec le pouvoir et leurs réseaux en Suisse.

Je passais mon temps à lister des sociétés, à éplucher des conseils d'administration. Très vite, les informations retrouvées autour des anciennes sociétés de Patrice Pelat confirmèrent les tuyaux donnés à Marion et Plenel par les RG : l'ami intime du président de la République était passé par la Suisse pour ramasser des actions Triangle en sus de celles qu'il reconnaissait avoir achetées depuis la France. Point capital qui faisait de lui le principal « informé » et rapprochait dangereusement le délit du sommet du pouvoir.

Nous avons publié notre enquête, signée de nos quatre noms, un samedi. Tactique favorite d'Edwy Plenel qui, en vieux routier des « affaires sensibles », savait qu'une information de fin de semaine bénéficie d'une reprise et d'une exploitation maximale dans toutes les émissions politiques du week-end. L'effet ne déçut pas nos attentes. Sur toutes les radios et les télévisions, on ne parlait que de l'article du *Monde*. Nous avions l'impression d'avoir réussi à nouveau le « miracle » de l'affaire Greenpeace, une précédente enquête d'Edwy Penel qui en 1985 avait sensiblement rafraîchi l'image d'indépendance du *Monde* et contribué au redressement de ses ventes.

Le lundi, nous devions déchanter. La direction du journal, absente le samedi, goûtait modérément notre exploit. André Fontaine, alors gérant et directeur de la publication, fulminait de n'avoir pas été prévenu dès le samedi matin. Les autres affichaient un évident scepticisme devant nos révélations. Quelques heures plus tard, l'Élysée démentait nos affirmations et l'informateur d'Edwy Plenel refusait de lui donner les preuves promises. Notre position devenait délicate.

Certes, la direction continuait officiellement à défendre ses quatre journalistes mais nous eûmes dès lors le plus grand mal à obtenir la publication de nos articles. Nos efforts pour continuer l'enquête et prouver nos convictions passaient pour de l'acharnement à mobiles personnels, voire politiques. Je me souviens d'un rédacteur en chef m'expliquant doctement que gagner de l'argent en Bourse grâce aux tuyaux d'un ami n'était pas un crime. Et d'André Fontaine coupant, au marbre, un de mes papiers sur les relations politiques de Patrice Pelat, les liens de ses fils avec Alain Boublil, et remaniant la mise en page pour lui ôter toute importance.

Mes illusions sur la noblesse du journalisme d'investigation en prenaient un sale coup. Je découvrais que le genre n'avait pas bonne cote dans le plus célèbre des quotidiens français. *Le Monde* confirmait d'ailleurs au même moment mes soupçons en soutenant pendant de longs mois, dans l'affaire du sang contaminé, la position du docteur

Garetta et des responsables du CNTS contre les accusations des associations d'hémophiles publiées dans *L'Événement du jeudi*. Non que le grand quotidien manque d'indépendance : il a suffisamment prouvé – et continue de le faire – qu'il pouvait prendre des positions courageuses et résister aux pressions. Mais ce journal qui excelle dans l'analyse, le commentaire ou le débat d'idée, n'a pas le goût de l'enquête. Surtout lorsqu'elle vient gêner son penchant légitimiste et son sens de la respectabilité.

Le pire, pour moi, restait à venir. Je me souviendrai longtemps de cette soirée du 7 mars 1989. Je m'apprêtais à quitter vers 20 heures mon vieux bureau, rue des Italiens, quand le responsable du télex, visiblement affolé, m'apporta la dépêche AFP de trois lignes. Patrice Pelat venait de succomber d'une crise cardiaque à l'hôpital américain de Neuilly où il était hospitalisé depuis quelques semaines. Sonné, je restai de longues minutes triste, l'esprit vide.

Le lendemain matin, je me tenais prêt à faire un portrait nuancé de la victime expliquant que Patrice Pelat n'avait pu être qu'affecté par les distances publiques prises par son ami François Mitterrand quelques jours auparavant. Mais à la conférence de rédaction de 7 h 45, je n'eus pas le droit à la parole. Les hiérarques du journal, traditionnellement réunis en cercle autour du bureau et des vieux fauteuils de Beuve-Méry, évitaient mon regard et fixaient ostensiblement la pointe de leurs pieds. André Fontaine se lança dans un bref sermon sur la responsabilité des journalistes pour conclure : « Les mots peuvent tuer. Nous avons manqué au devoir de prudence. Bruno Frappat fera un papier dans ce sens. » Lequel s'exécuta à la une du journal sans ménager ses journalistes, ni même en discuter avec eux. Et c'est le service « Politique », sensiblement en retrait depuis le début de l'affaire, qui fut chargé d'enterrer dignement Patrice Pelat.

Il ne pouvait y avoir pour moi de pire condamnation. Puisqu'elle venait de mes pairs et s'imprimait sur la première page du journal où je travaillais depuis huit ans. Je l'ai tout de suite rejetée comme injuste. Parce qu'aucun journaliste n'a tué Patrice Pelat. Parce que jouer avec les vieilles ficelles de la culpabilisation autour d'une mort fortuite relève pour moi de l'indécence morale.

Je m'aperçois aujourd'hui que ce rejet trop bien pensé n'a rien réglé. La culpabilisation orchestrée autour du décès de Pierre Bérégovoy, l'apparente acceptation soumise de mes confrères, des médias réveillent une colère intacte. Comme si elle était enfouie depuis cinq ans.

La culpabilité m'a bel et bien ligoté. Je n'ai pas songé à me défendre, ni sur le moment, ni pendant les quelques années où je suis resté au *Monde.* J'ai gardé ce désaveu au fond de moi et j'ai tissé autour toute une toile de rancœurs contre ce journal et ses chefs. Un ressentiment proportionnel à la vénération que j'ai portée pendant des années au *Monde* et à ce travail. Un ressentiment qui s'est exacerbé jusqu'à la rupture. Lorsque le juge Édith Boisette obtint de la justice suisse la levée du secret bancaire et la confirmation que Patrice Pelat avait bien acheté des actions Triangle par le biais de ses anciennes sociétés, j'avais quitté *Le Monde* depuis un an. Le quotidien du soir fit de l'information une brève noyée dans les pages « Économie », avant qu'Edwy Plenel obtienne la permission d'écrire, deux jours plus tard, un article vengeur en une. Moi, je n'ai jamais pu – ou jamais su – renouer le dialogue.

Lundi 10 mai

On commence à écrire que l'imminence du procès sur le délit d'initié Pechiney n'est pas pour rien dans le suicide de Pierre Bérégovoy. L'ancien Premier ministre s'inquiétait d'avoir été cité comme témoin et avait demandé audience au garde des Sceaux. *Télérama,* qui réunit des témoignages sur la responsabilité des médias, m'a demandé de raconter l'affaire Pelat. J'y ai vu d'abord l'occasion de me justifier publiquement. Cependant, devant la jeune journaliste, j'ai plutôt tenté d'expliquer les jeux pervers de la culpabilité.

« Mais n'avez-vous pas éprouvé un certain plaisir à traquer Pelat ? » La question m'a désarçonné un bref instant. J'ai nié et joué la vertu. L'homme m'importe peu. Je n'avais rien contre lui. Je ne me prends pas pour un justicier. Ce qui m'intéressait, à travers Pelat, c'était de montrer comment la corruption et le trafic d'influence ont envahi les plus hauts niveaux du pouvoir. Ce qui m'excite, c'est de traquer le mensonge d'État.

Plaidoyer convaincant mais pas totalement honnête. Il y a un plaisir de chasseur dans l'enquête, une jubilation à tirer, un à un, les fils qui vont enserrer la victime, une satisfaction profonde à construire un article comme un réquisitoire. C'est dans cette ivresse, d'apparence morale puisqu'on traque le mensonge et le faux-semblant, que réside le danger de dérapage. Je ne suis pas comme le juge lié par des règles de procédure, contré par un avocat, surveillé par le Parquet. Et ignorer l'homme pour lui préférer les grands principes conduit souvent à le maltraiter.

Lors de mes débuts au *Monde*, je me suis jeté sur un rapport non publié de la Cour des comptes décrivant par le menu les malheurs de la Société française de production, escroquée par un de ses cadres qui détournait de manière particulièrement astucieuse l'argent public. Une véritable aubaine puisque les magistrats avaient fait tout le travail d'enquête et de vérification, laissant le journaliste tirer les fruits de la révélation. Sûr de mon bon droit et tout à mon plaisir, j'ai allègrement livré le nom du cadre suspecté avec le succulent récit de l'incurie administrative. Sans même prendre la peine de téléphoner au supposé coupable qui s'empressa de m'attaquer en diffamation. Le rapport de la Cour des comptes était destiné à rester secret et l'affaire qui opposait cette personne à la Société française de production n'avait pas encore été jugée. J'avais, sans y prêter la moindre attention, ruiné la réputation de cet homme.

Le meilleur antidote à ce type de dérive est de s'obliger à la rencontre. Face à face, l'ombre qu'on a traquée pendant des jours ou des semaines disparaît pour laisser place à une personne qui peut convaincre, séduire, toucher. En pleine affaire Pechiney, je suis allé avec Plenel voir Max Théret hospitalisé, lui aussi, pour troubles cardiaques. Nous n'étions pas très fiers, ni l'un ni l'autre, en traversant tout le service de réanimation, en apercevant le vieux bonhomme pâle comme un mort sous ses perfusions et en affrontant le regard noir de sa femme. Au bout d'une heure de discussion, Max Théret avait, comme par miracle, retrouvé une grande partie de sa santé. Frais comme un gardon et le sourire aux lèvres, il s'est levé pour nous raccompagner à la porte de sa chambre. L'ancien trotskiste m'avait séduit par son intelligence malicieuse et l'honnêteté profonde de ses convictions politiques. Mais j'étais convaincu que, dans l'interview qu'il venait de nous donner, il continuait à nous mentir pour protéger Pelat. Surtout, je me sentais plus libre désormais pour parler de lui.

Je n'ai jamais pu rencontrer Patrice Pelat. Il n'a jamais accepté de me répondre au téléphone. Le samedi, quelques heures avant la publication de notre article, nous sommes allés, Georges Marion et moi, sonner à sa porte dans le XVIe arrondissement. Sa concierge a affirmé qu'il était absent. C'est par l'intermédiaire de son avocat que nous lui avons ensuite proposé de répondre aussi longuement qu'il le voulait à nos accusations, comme l'avait fait Max Théret. Peine perdue.

Plusieurs mois après sa mort, j'ai continué à m'intéresser à lui, comme si je voulais achever le portrait que *Le Monde* ne m'avait pas demandé. J'ai téléphoné à l'un de ses fils qui a fort mal pris ma démarche. En revanche, l'un de ses proches collaborateurs m'a contacté. Il était sincèrement indigné de l'image que la presse avait donnée de son patron et voulait le réhabiliter. Je l'ai rencontré plusieurs fois. Il m'a tracé le portrait d'un homme généreux, entrepreneur enthousiaste et chaleureux lorsqu'il dirigeait sa société Vibrachoc, possédé par une amitié inconditionnelle et apolitique pour François Mitterrand, au point de tout accepter pour le servir.

Au début, ces brèves rencontres me furent pénibles. J'avais l'impression d'être obligé de regarder en face un homme que j'étais accusé d'avoir tué et que j'avais sans doute méconnu. Je cherchais désespérément un prétexte pour revenir sur l'affaire et soulager ma conscience dans un nouvel article. Petit à petit, pourtant, ces relents de culpabilité ont disparu. Mon interlocuteur n'avait d'ailleurs aucunement l'intention de me rendre responsable de la mort de Patrice Pelat. Et rien dans ce qu'il me racontait ne venait bousculer mes convictions ou infirmer ce que j'avais écrit. Il m'apprit même que les comptes de Vibrachoc faisaient état de versements d'argent réguliers à François Mitterrand, au titre de « conseiller juridique », jusqu'à son accession à la présidence de la République. Information dont il ne voulut jamais m'apporter la preuve formelle mais qui fut recoupée trois ans plus tard par le juge Jean-Pierre.

Mon interlocuteur semblait parfois, en me parlant de Patrice Pelat, s'acquitter d'une vieille dette. Et j'avais, en l'écoutant, l'impression de déposer un fardeau. Ensemble nous faisions le deuil d'un homme mal enterré.

Mardi 11 mai

Le moment le plus mystérieux de cette enquête Pechiney, je n'en ai jamais parlé. C'était la veille de la parution de l'article sur les actions suisses. Nous avions travaillé fort tard dans le bureau des « Informations générales » que partageaient Marion et Plenel. Nous venions de récapituler encore une fois toutes nos informations avec leurs forces, leurs incohérences et leurs marges de doute.

« Cette fois, il faut y aller, conclut Plenel. On fait un papier demain avec ce qu'on a et on voit venir. On ne peut plus attendre. On va se faire griller. » Et puis, au bout d'un moment, alors que chacun se taisait, il ajouta : « C'est drôle, je crois que j'ai peur. Ça ne m'a jamais fait ça. Même au plus fort de l'affaire Greenpeace. Peut-être parce que cette fois-ci, on va se heurter en direct à Tonton, à "Dieu" lui-même. »

Plenel disait exactement ce que nous ressentions : la peur à peine consciente de transgresser quelque ordre secret, d'affronter la colère d'un pouvoir politique largement mythifié. Nous en avons ri, ce soir-là, en allant dîner.

Cette peur que j'entendais avouer pour la première fois, je l'ai souvent ressentie depuis, moins forte, plus fugace, à chaque fois que l'un de mes articles ou l'une de mes émissions risquait de déplaire au pouvoir.

Vendredi 14 mai

Claude Sales m'a téléphoné pour évoquer l'interview que je viens de donner à l'une de ses journalistes. Le PDG de *Télérama* était mon rédacteur en chef au moment de l'affaire Pechiney. Seul de permanence le fameux samedi matin, ce vieux routier du journalisme politique avait tenté de joindre la moitié de son carnet d'adresses pour avoir une confirmation de nos informations. N'ayant réussi à joindre personne, il avait, la mort dans l'âme, donné le feu vert à la publication. Cette angoisse m'avait, à l'époque, paru ridicule. Son silence, les semaines qui suivirent, coupable.

Aujourd'hui, il me raconte comment André Fontaine, au lendemain de la mort de Pelat, l'a tenu personnellement responsable du mauvais pas dans lequel *Le Monde* semblait s'être fourvoyé. Une condamnation écrite en termes particulièrement virulents dans une lettre qu'il n'a, dit-il, jamais montré à personne. Et il ajoute : « Quand le juge a établi que Pelat avait bien acheté les actions, je me suis senti soulagé d'un grand poids. »

Ainsi, nous avons vécu la même épreuve, sans jamais nous en parler, séparés sans doute par les rôles hiérarchiques. Mais je m'aperçois aujourd'hui que je n'ai pas davantage parlé à Georges Marion qui, quelques mois après la mort de Pelat, a abandonné le journalisme d'investigation pour s'installer correspondant du *Monde* à l'étranger. Ni à Éric Izraelewicz qui a, quelques mois après mon départ du *Monde*, démissionné de son poste de chef du service économique. J'ai su par Plenel qu'ils avaient eux aussi marqué le coup.

Plus résistant que nous, Edwy a tenu bon à la même place, attendant patiemment l'heure d'apporter les preuves qui nous manquaient. Il a trébuché à son tour, quelques mois plus tard, victime d'un « faux scoop » sur le financement du parti socialiste à Panama [3]. Depuis, nous ne nous sommes revus qu'une seule fois.

La belle découverte : la culpabilité isole et je ne suis pas le seul journaliste à me la trimbaler.

---

3. Edwy Plenel, *La Part d'ombre*, Paris, Stock, 1992.

Mardi 18 mai

J'ai rêvé cette nuit que je revenais au *Monde*. Dans les locaux historiques de la rue des Italiens et non dans l'immeuble de la rue Falguière où le journal s'est installé depuis. Les vieux bureaux étaient pratiquement vides, les journalistes avaient beaucoup vieilli. J'avais du mal à les reconnaître mais tous me saluaient comme si je les avais quittés la veille. Je cherchais en vain l'emplacement de mon bureau.

En même temps que la colère et le sentiment d'injustice remonte aussi toute la ferveur que j'ai éprouvée pour ce journal. Je suis entré au *Monde* à trente-trois ans comme on entre au paradis des journalistes : émerveillé, paralysé d'angoisse et parfaitement conscient de mon indignité. J'osais à peine saluer ces illustres signatures en cravate, costume de velours élimé ou complet gris, cigarette au bec, traits tirés par le manque de sommeil, que je croisais dans les longs couloirs ou le minuscule ascenseur.

Dès le premier jour, j'ai vénéré la vieille façade tout éclairée dans la pénombre du petit matin, les immenses rouleaux de papier qui barraient la rue Taitbout dès 6 heures devant le monte-charge de l'imprimerie, la batterie de téléscripteurs qui dévidaient en permanence le fil des agences. Je croyais secrètement mais avec force que ce monument d'intelligence veillait jour et nuit sur la complexité du monde, traduisait instantanément tous ses soubresauts, prévenait ses explosions. Moi qui avais grandi dans les terreurs abstraites de la guerre froide et les absurdités sanglantes de la guerre d'Algérie, j'avais enfin trouvé un refuge. Tant que je restais parmi cette communauté de sages, plus rien ne pouvait me duper ni me menacer.

J'ai rapidement converti le refuge en couvent où je passais douze à quatorze heures par jour. Mon étroit bureau du cinquième étage, dont les placards étaient remplis des archives de la Société des rédacteurs, et le faux plafond d'une horde de souris, me semblait, par sa situation, le cœur du sanctuaire. Il côtoyait l'antique « tube » qui expédiait la copie dans des gélules de plastique propulsées par air comprimé jusqu'à l'étage de la rédaction en chef. De l'autre côté du couloir, les sténos, casque téléphonique sur la tête, se relayaient pour noter les articles dictés par les correspondants depuis Moscou, Johannesburg, Washington, Pékin ou

Sydney. La porte suivante était la seule capitonnée du couloir : elle protégeait la retraite d'Hubert Beuve-Méry qui passait là toutes ses journées, souriant et muet, comme s'il avait peur de déranger.

Aujourd'hui, l'illustre fondateur est mort, le fax, l'informatique ont renvoyé au musée le « tube » et les sténos. Copie quotidienne et archives sont stockées sur disques durs. Le journal devient virtuel. Personne ne pourra plus occuper, comme je l'ai fait, le centre du *Monde*, à mi-chemin entre les ramifications géographiques de l'information et celles de sa mémoire.

Sans doute ai-je parfois oublié l'italique, m'imaginant vraiment au centre du monde. A l'époque, le « grand quotidien du soir » occupait encore une formidable position de pouvoir et entretenait l'illusion que son moindre froncement de sourcil faisait trembler chancelleries et palais. *Le Monde* louait le palais Garnier pour introniser son nouveau directeur et le motard de l'Élysée se précipitait à 13 h 30 sur la première édition à peine sortie des rotatives.

Dans mon ermitage du cinquième étage, je goûtais à des plaisirs plus modestes mais aussi dangereux. Les invitations les plus flatteuses pleuvaient sur mon bureau. J'obtenais sans les demander les téléphones personnels des ministres ou des PDG. J'étais bercé par les confidences des conseillers et croyais partager de lourds secrets d'État. Chaque jour, je voyais ma prose imprimée et diffusée à des centaines de milliers d'exemplaires, trois heures à peine après avoir achevé de l'écrire, et je n'avais qu'une heure à attendre avant que le téléphone apporte les réactions à mes analyses ou à mes informations. Je me répétais secrètement l'orgueilleuse maxime rapportée par Jean-Noël Jeanneney : « Il n'y a que deux postes qui vaillent la peine de se lever à cinq heures du matin : celui de président de la République et celui de directeur du *Monde*[4]. »

Fort heureusement, il existait d'innombrables contrepoisons à ce vertige du pouvoir : les chiffres de vente qui ne cessaient de décliner, le trou qui s'agrandissait sur le plancher de l'ascenseur, la morosité de ma

4. Jean-Noël Jeanneney et Jacques Julliard, *Le Monde de Beuve-Méry ou le métier d'Alceste*, Paris, Le Seuil, 1979.

fiche de paie qui interdisait toute identification avec les puissants personnages qui m'honoraient soudain de leur amitié.

Mais ce qui constituait le charme irremplaçable de la rue des Italiens, c'était avant tout la cohorte des ouvriers du livre en bleu de travail qui, forts de leur supériorité numérique, de leur tradition prolétarienne et de leurs droits acquis, régnaient de fait sur l'immeuble, se moquaient comme d'une guigne de notre « magistère intellectuel » et nous rappelaient quotidiennement au sens des réalités.

Jeudi 20 mai

J'ai déjeuné avec Michel Caste, billettiste du *Monde* dans les années 1970 qui a fait ensuite une brillante carrière à la tête de RMC, du Loto et dans la publicité. En gardant pourtant la nostalgie de l'époque où il plaçait chaque jour dix lignes ironiques à la une du quotidien.

« Comment avez-vous pu quitter *Le Monde* ? » me demande-t-il d'emblée. Je raconte l'affaire Pelat, mon sentiment de trahison, le silence, le ressentiment qui s'installe, les malentendus qui se multiplient, la rupture inévitable. Il opine, l'air navré et ajoute : « Mais aujourd'hui, vous ne regrettez rien ? »

A ses yeux, je suis aussi sûrement damné qu'un moine qui vient de jeter sa soutane aux orties. Pour Michel Caste, comme pour toute une génération de journalistes, on ne peut quitter *Le Monde* sans déchoir un peu. Sous certains aspects, il n'a pas tort : il est pratiquement impossible de retrouver dans un autre titre, à la radio ou à la télévision, la liberté, le confort moral et intellectuel dont on jouit au *Monde*. Mais je ne suis pas parti pour un problème de confort. J'ai quitté *Le Monde* parce que je l'ai trop aimé, parce qu'il a déçu mes attentes, sans doute utopiques, parce qu'il a trahi mon imaginaire de journaliste.

Si j'ai commencé à déchanter avec l'affaire Pechiney, j'ai continué avec la guerre du Golfe. J'avais toujours naïvement imaginé que, en cas de conflit armé, *Le Monde* serait un des rares refuges de l'intelligence, de l'indépendance d'esprit contre le déferlement de la propagande et de la barbarie. Rêve d'enfant sans doute : j'avais treize ans quand je quittai Alger en 1961. J'étais assez âgé pour recevoir comme une gifle les aveuglements, les mensonges, les fausses valeurs sur lesquels j'avais grandi. Je m'étais juré alors de ne plus jamais être dupe pour ne plus avoir à me renier.

Après l'invasion du Koweït, la grande mise en scène de la guerre annoncée réveillait toutes mes angoisses. J'attendais avec avidité des informations, des analyses, des débats. Je n'obtenais de mon journal que la diabolisation de Saddam Hussein. Parce que l'Irak avait refusé des visas aux deux spécialistes du Moyen-Orient, *Le Monde* n'avait depuis le début de la crise aucun correspondant à Bagdad. A trois jours de la fin de l'ultimatum allié, le problème devenait urgent. Il fut tranché par André Fontaine à la conférence du matin : « On n'envoie pas de journalistes chez l'ennemi ! »

Ainsi *Le Monde* était en guerre et moi avec lui. Spécialiste de la communication, j'étais mobilisé devant le téléviseur qui, depuis le déménagement rue Falguière, recevait la chaîne américaine CNN. Je commençai par m'interroger sur la censure que le commandement allié imposait aux journalistes. La rédaction en chef me rétorqua qu'en temps de guerre la pratique était normale. J'épluchai les archives du journal sur la crise de Suez, dénichai un admirable papier de Jean Planchais, coincé à Port-Saïd pendant toute la durée du conflit et ironisant sur le rôle des journalistes en temps de guerre. Son exhumation ne parut guère souhaitable à mes supérieurs.

Je me bornai donc à raconter le *wargame* planétaire mis en scène par CNN, chronique désabusée qui disparut très vite pour laisser la place à l'épopée victorieuse des armées alliées et aux commentaires sur le « nouvel ordre mondial ». La guerre est une chose trop sérieuse pour la laisser à des journalistes spécialisés dans les médias.

Le Monde n'a pas été le seul à céder aux mirages du Golfe. Toute la presse, ou presque, s'est fait manipuler. J'ai su depuis, comme tout le monde, la différence entre toutes les images, les reportages, et la réalité. J'ai vu cet admirable documentaire de la télévision canadienne qui démontre comment l'agence de relations publiques Hill and Knowlon a désinformé la presse mondiale. Payée par des intérêts koweïtiens, elle a monté de toutes pièces une rumeur capable d'émouvoir l'opinion publique internationale : des soldats irakiens détruisant les couveuses contenant des centaines d'enfants koweïtiens prématurés et les laissant agoniser sur le sol. Elle a organisé et filmé le témoignage d'une jeune fille de quinze ans sur ces atrocités devant la commission des droits de l'homme du Congrès, déposition suivie d'un vibrant appel à l'aide de l'ambassadeur koweïtien.

Les bandes vidéo de ce *reality show* soigneusement agrémenté de scènes de rue filmées au Koweït par des caméras d'amateurs lors de l'invasion ont été envoyées à toutes les chaînes et diffusées dans le monde entier. Quelques heures plus tard, le président Bush pouvait dénoncer les atrocités commises par un tyran sanguinaire et préparer les Américains à la guerre. C'est seulement plusieurs mois après le conflit qu'on établira qu'aucune couveuse n'a jamais été détruite dans les hôpitaux koweïtiens et que la jeune fille en pleurs devant le Congrès était la propre fille de l'ambassadeur.

C'est sur le front des médias et contre nous, journalistes, que la première bataille de la guerre de Golfe a été livrée et gagnée par les stratèges de la communication. Depuis cette déculottée mémorable, on ne peut plus exercer ce métier de la même façon. *Le Monde* n'a jamais voulu l'admettre. Quelques mois après la fin du conflit, les responsables du journal m'expliquaient que la rubrique « Communication » ne saurait justifier l'importance qu'elle avait il y a dix ans et qu'elle n'était après tout qu'un secteur parmi d'autres de l'économie au même titre que la sidérurgie ou l'agro-alimentaire.

Jeudi 27 mai

Je viens de suivre pendant trois jours une étude qualitative sur *Bas les masques*. Formidable expérience puisque c'est l'une des rares occasions où un journaliste peut observer ce qui se passe de l'autre côté de la barrière. L'émission est testée auprès de deux groupes d'une trentaine de téléspectateurs à Paris et en province. Chacun d'eux, muni d'un petit curseur électronique, note le spectacle de 1 à 10, seconde après seconde, pendant qu'il le regarde. L'ordinateur restitue en temps réel les appréciations du groupe en distinguant les réactions par classe d'âge, de sexe ou de profession. Le tout s'affiche instantanément sous forme de courbes de couleurs tandis que se déroule l'émission.

La transparence du dispositif, cette matérialisation instantanée de l'opinion publique sur un mot, une mimique, est fascinante. Le Mediatest est d'ailleurs largement utilisé aux États-Unis depuis la dernière élection présidentielle pour jauger les discours politiques. Le système serait pourtant dangereusement sommaire s'il n'était suivi d'entretiens de plusieurs heures où les mêmes groupes sont invités à justifier leurs appréciations. Pour préserver l'authenticité des réactions, je n'assiste pas au test mais je peux l'épier à loisir dans la salle voisine sur un écran.

Je suis le seul membre de l'équipe de production à m'être déplacé. Ce n'est guère surprenant. Les professionnels des médias supportent mal les critiques du public. Ils acceptent la sanction quantitative de l'Audimat ou du CESP mais ils fuient le contact trop direct avec les lecteurs ou les téléspectateurs. L'animateur du Mediatest me confie qu'il recommande lui-même aux stars du petit écran d'éviter la confrontation. Pour ne pas perdre trop de clients par blessures narcissiques.

L'épreuve justifie ces craintes. J'avais pu en juger lors des études sur les premières maquettes de *La Truffe*. Lorsqu'on lui donne enfin la parole, le lecteur, sans doute stimulé par le groupe, semble prendre sa revanche sur un trop long silence. Des erreurs de maquette aux complaisances politiques en passant par les coquetteries de style, rien ne lui échappe. Les critiques sont parfois injustes, souvent excessives mais jamais absurdes, toujours parfaitement dirigées.

Cette fois encore, je suis surpris par la sagacité avec laquelle le groupe de téléspectateurs identifie le concept de l'émission, décortique les subtilités du dispositif et repère donc les faiblesses de montage ou les incohérences de construction. Mais cette lucidité, nourrie par une confortable culture médiatique, disparaît dès qu'on parle des journalistes. Tout à coup, on semble nager en plein fantasme.

« Ils nous prennent pour des imbéciles. Ils nous méprisent. Ils nous mentent ou nous cachent toujours une partie de la vérité. Ils font passer leur opinion politique avant l'exposé des faits. De toute façon, ils sont toujours du côté du manche et s'en mettent plein les poches. » Interloqué, j'avais déjà entendu cette inquiétante litanie dans la bouche de lecteurs du *Monde*, de *Libération*, du *Figaro* lors des études sur *La Truffe*. Les téléspectateurs ne sont pas plus tendres avec les journalistes du petit écran à qui ils attribuent une quantité respectable de vices cachés.

J'ai du mal à supporter cette succession de clichés et surtout l'agressivité qui s'y manifeste. J'aimerais croire que le public confond ainsi les journalistes avec quelques stars de la télévision et que nous sommes trop près de l'affaire PPDA[5] pour que ces jugements ne soient pas conjoncturels. Mais les faits sont têtus. Le baromètre de la SOFRES confirme depuis des années cette érosion permanente de notre image[6]. Pourtant, les même sondés estiment que les médias sont plus objectifs, plus indépendants qu'autrefois. Et ils assurent par exemple que la presse a joué un rôle essentiel dans la manifestation de la vérité à propos de l'affaire du sang contaminé. La contradiction est troublante.

« On ne peut pas passer son temps à soulever les coins de tapis pour chercher la petite bête et être tout à fait normal. » La remarque a fusé pendant les entretiens qualitatifs menés sur *Bas les masques*. C'était une jeune femme dans le groupe de Paris ou d'Amiens – je ne sais plus – et elle a prononcé la phrase sans mépris, presque en manière d'excuse. Les mots m'ont rappelé la formule que Jean Schalit utilisait sans cesse, quand il lançait *La Truffe*, pour définir son projet : « Soulever le tapis de l'information pour aller voir en dessous. »

Nous sommes des chiens fouineurs, la truffe collée au sol dans des endroits peu recommandables, fouillant le linge sale, flairant la merde de

---

5. A cette époque, le présentateur du journal de TF1 était entendu par le juge d'instruction dans le cadre de l'affaire Botton. L'homme d'affaires lyonnais faisait en effet bénéficier un certain nombre de journalistes de ses largesses financières.

6. Baromètre *Médiaspouvoirs-La Croix-Télérama* réalisé chaque année par la SOFRES. Voir la revue *Médiaspouvoirs*, janvier 1993.

nos semblables. Et cette merde nous reste collée aux pattes, au museum quand nos lecteurs-spectateurs ont fini de s'en délecter et referment leur journal ou leur poste repus mais vaguement écœurés. Nous sommes les instruments de la curiosité du public et assumons la part de honte qui nécessairement l'accompagne. La vieille culpabilité qui se réveille dès qu'on touche à l'argent, au sang, aux secrets de famille, à la mort. Même si c'est pour la bonne cause, l'information du citoyen, la sauvegarde du bien public.

Malheur à celui par qui le scandale arrive.

Lundi 31 mai

Vu à la télévision le ministre de la Communication disserter sur la différence entre la bonne presse, faite par des journalistes responsables et respectueux de la vie privée, et l'autre, dérivant vers les manchettes à scandale et les méthodes de voyou des journaux d'outre-Manche. Analyse qui se termine inévitablement par un appel à la profession pour qu'elle fasse son propre ménage à coup de code de déontologie.

Ce discours moralisateur est d'autant plus efficace qu'il rencontre le besoin pressant des journalistes de se défausser d'une culpabilité latente. J'ai entendu des confrères brillants et fondamentalement honnêtes opérer de subtiles distinctions dans la liberté de la presse et se proposer d'en exclure les brebis galeuses. L'ennui c'est qu'on ne sait jamais où passe la frontière.

Je me suis ainsi fait piéger par Georges Kiejman au temps où il était ministre délégué à la Justice avant de devenir ministre de la Communication. Il voulait s'expliquer sur un article qu'il avait publié dans la revue *Le Débat,* dans lequel il réclamait un renforcement de la législation sur la diffamation et un encadrement juridique plus strict de l'activité journalistique. J'arrive à l'entretien plein de préventions mais l'avocat me rassure immédiatement : il ne s'agit pas de rogner la liberté de la presse ou de pénaliser le journalisme d'enquête. Sa colère ministérielle ne vise que ces journaux à sensation qui, sans la moindre vérification, traînent dans la boue les réputations les mieux établies et ne sont condamnés qu'à des amendes dérisoires, même pas augmentées en cas de récidive.

Me souvenant que Kiejman a plaidé de nombreuses plaintes d'hommes politiques contre *Minute*, j'opine silencieusement du bonnet. Encouragé, le ministre détaille alors les modifications que l'on pourrait apporter à la loi et conclut satisfait : « Voilà, je compte sur vous pour expliquer que je ne suis pas un ennemi de la bonne presse. Mais cette fois *Le Canard enchaîné* a dépassé les bornes ! »

Atterré, je bafouille ma réprobation : le *Canard* ne peut être assimilé à une presse de ragots. L'hebdomadaire satirique a prouvé depuis des lustres la solidité de ses enquêtes. Le ministre se raidit et plaide la longue liste des « fautes professionnelles » de mes confrères du *Canard* et finit par déplorer « les inepties qu'ils publient sur l'aménagement de mon nouveau bureau et cette sale manie qu'ils ont de me traiter de sous-ministre » !

Quelques semaines plus tard, je retrouve le ministre dans un débat avec Lord MacGregor, responsable du Press Council britannique. Cette institution, gardienne de la déontologie et indépendante du pouvoir politique, reçoit les plaintes des citoyens ou des personnes morales contre la presse écrite. Après instruction, elle délivre, le cas échéant, un blâme public à la publication fautive. Sûr de trouver un allié en la personne du digne lord, Georges Kiejman le presse d'exhorter les journaux français à mieux respecter la vie privée.

« Pardonnez ma méconnaissance de la situation française, répond en souriant le président du Press Council. Je ne peux vous aider. Mon expérience concerne seulement les hommes politiques britanniques : j'ai remarqué qu'ils avaient la fâcheuse tendance – surtout les plus libéraux d'entre eux – à vouloir réglementer la liberté de la presse dès leur arrivée au pouvoir. Et toujours au nom de la protection de la vie privée. Il s'agit bien sûr d'une valeur essentielle de nos démocraties. La difficulté, voyez-vous, c'est que toute enquête de presse sur un homme public, ses malversations, sa corruption oblige peu ou prou le journaliste à mettre le nez dans sa vie privée. En surprotégeant la vie privée des personnes pour brider les journaux à scandale, on risque de tuer le journalisme d'investigation. Ce que nous, Britanniques, nous ne saurions accepter. »

J'imagine que, malgré l'admirable prudence de Lord MacGregor, les codes de déontologie sont promis à un brillant avenir. Un avenir proliférant. Qui empêchera un titre de presse, une chaîne de télévision de définir leurs propres critères, d'annoncer qu'ils s'autoriseront à fouiller dans la vie privée jusqu'au tiroir des chaussettes et pas davantage, ou que les photos au téléobjectif ne seront publiées que si le sujet est de trois quarts ? Ou, plus sérieusement, de proposer aux lecteurs ou aux auditeurs (et d'imposer ainsi aux journalistes) une sorte de contrat de confiance à la Darty régissant la fraîcheur et l'authenticité des informations. La morale deviendra alors un excellent argument de marketing. Mais elle ne résoudra jamais le problème du journaliste.

Aux professions de foi et aux carcans réglementaires, je préfère de loin le dialogue ou la confrontation qu'autorise facilement le pluralisme des titres. Nos confrères britanniques nous ont donné il y a quelque temps une excellente leçon de démocratie et d'humour. La publication par un quotidien à scandale des photos de Lady Di en plein effort gymnastique a choqué l'opinion outre-Manche et les bonnes âmes politiques se sont empressées de brandir la menace d'une loi sur les excès de la presse. Channel 4, la quatrième chaîne britannique, a préféré piéger les patrons du quotidien incriminé avec leurs propres méthodes : *paparazzi* harcelant jour et nuit les journalistes, caméras filmant par la fenêtre l'intimité des rédacteurs en chef, écoute de conversations téléphoniques, etc. Le résultat diffusé à une heure de grande écoute a fait rire toute l'Angleterre.

Jeudi 3 juin

Dans son formidable livre sur la presse, *Journaux intimes*[7], Françoise Berger raconte ainsi la nomination, en 1981, de Michèle Cotta, alors journaliste à Europe 1, à la présidence de Radio-France : « Le nouveau

7. Françoise Berger, *Journaux intimes*, Paris, Robert Laffont, 1992.

président et Michèle Cotta, quarante-quatre ans, se fréquentaient depuis des années. Il lui trouvait toutes les qualités professionnelles requises pour le poste et lui a fait rapidement sa demande.

« *Michèle Cotta* : "Ce n'est pas mon boulot. Il faut gérer, s'occuper des syndicats."

« Il lui a expliqué qu'il y avait d'autres gens pour ça. Le métier consistait avant tout à être une personne de confiance. Elle a essayé de se défiler.

« *Mitterrand* : "Il y a combien de temps que vous êtes journaliste ?"

Ça faisait quinze ans.

« *Mitterrand* : "Il faudrait songer à faire un vrai métier." »

Le mot du président est bien plus qu'une boutade. Il résume le mépris affiché par François Mitterrand à l'égard des journalistes. Le même qui transpire sous la politesse agacée de ses interviews ou sous le plaisir félin qu'il prend à distiller, lors des vœux à la presse ou dans d'autres circonstances officielles, petites phrases et fausses confidences à un parterre de confrères béats.

Pourtant, le récit de Françoise Berger me trouble. Il réveille en moi une gêne diffuse. Pourquoi ai-je, moi aussi, le sentiment que ce métier n'existe pas, n'a pas vraiment de corps, de statut, que les pratiques journalistiques constituent au mieux un ensemble hétérogène aux limites floues, prêt à se disloquer sous les poussées technologiques ou les contraintes économiques ? Et sans doute y a-t-il un lien profond entre la conscience, même confuse, de cette instabilité sociale et le désarroi moral, aujourd'hui plus que palpable, de toute la profession.

Vendredi 4 juin

Je n'ai pas choisi ce métier. Une agrégation de philo manquée, l'envie d'enseigner émoussée par quelques années comme auxiliaire dans les collèges de la banlieue parisienne, et les premières piges pour un magazine professionnel avaient un goût d'aventure facile. Si l'on en croit une étude récente, près de la moitié des journalistes interrogés avouent avoir d'abord rêvé à des carrières de professeur, d'avocat, d'ingénieur, voir de musicien ou d'acteur[8]. J'ai aussi croisé beaucoup de rescapés de Sciences Po et même un vrai polytechnicien.

Tous sont arrivés là, comme moi, un peu par hasard. Par lassitude devant des études trop longues, des cursus trop bien balisés ou parce qu'un accident rendait soudain inaccessible la vocation première. Rares sont ceux qui entrent dans la carrière avec la volonté, chevillée au corps depuis l'enfance, d'imiter Camus, Lazareff, Giroud ou Poivre d'Arvor. Ou bien de devenir, en grimpant toujours plus haut, un empereur de la communication comme Murdoch, Filipacchi ou Hersant.

Certains en concluront que le journalisme est un métier de ratés. Je le vois plutôt comme une sorte de terrain vague au sein du jardin bien dessiné des diplômes, des savoir-faire et des carrières. Un entre-deux propre à attirer les esprits trop indépendants, les touche-à-tout ou les perpétuels indécis.

J'ai même gardé longtemps le sentiment de n'avoir pas définitivement choisi, de continuer à enseigner et même à faire de la philosophie d'une autre façon. Lorsque j'expliquais à longueur d'articles les techniques des images de synthèse, les mondes virtuels, les ensembles multimédias ou les métamorphoses économiques des industries culturelles, je me sentais proche des professeurs ou des épistémologues et investi comme eux d'une mission.

Je n'avais rien trahi de mes rêves : j'étais une sorte de philosophe de l'instant, chargé d'extraire un peu de sens dans la masse d'informations qui déferlaient. Il m'arrive encore quelquefois d'éprouver cette prodigieuse jubilation intellectuelle où se mêlent l'excitation d'une nouveauté absolue, le plaisir de la révélation et la satisfaction de savoir utiliser les mots pour communiquer cette fulgurante intuition.

J'en ai vu beaucoup d'autres qui, de la même façon, continuaient à vivre au travers du journalisme leurs rêves d'historien, de politique, d'économiste, de prêtre ou de cinéaste, de romancier ou de juge, de flic ou de poète. Que le journalisme serve ainsi de cimetière à autant de carrières avortées ne cesse, pour ma part, de m'enchanter.

---

8. *Les Journalistes français en 1990*, Paris, La Documentation française, 1992.

Dimanche 6 juin

On y entre par hasard mais surtout comme on veut. Sans contrôle et sans formation. Voilà le péché originel du journalisme. 10 % à peine d'entre nous ont reçu l'estampille officielle d'une école et ce maigre pourcentage régresse chaque année. Les autres ont fait comme moi : ils ont reçu leur carte tricolore avec leur treizième bulletin de salaire ou leur première année de pige. Il suffit de travailler comme journaliste pour être reconnu journaliste : on ne peut pas être plus libéral.

Hélas, ce libéralisme-là passe de plus en plus mal. Du Front national qui veut instituer un conseil de révision aux bonnes âmes de gauche qui préfèrent le contrôle *a posteriori*, le refrain est toujours le même : vous ne pouvez pas prétendre aux garanties qu'offrirait le quatrième pouvoir et continuer à vous autoproclamer. Soyez raisonnables : on ne peut pas laisser dans des mains inexpérimentées la responsabilité de l'information, la valeur suprême du monde postmoderne.

Nous ne tiendrons pas longtemps barricadés derrière le grand principe de la liberté d'expression. Bien sûr, il y a toujours le tas et ses fameuses vertus formatrices. J'envie ceux dont la carrière est jalonnée par la rencontre avec des maîtres du journalisme qui leur ont tout appris. Je n'ai pas eu la chance de les croiser. J'ai fait mon premier papier en accompagnant un ami qui interviewait Jeanne Moreau. Elle avait alors un petit passage à vide et montait un magazine télévisé pour les salons de coiffure. Mais j'étais si impressionné que je n'ai pas articulé la moindre question. J'ai appris ce jour-là à vérifier l'état des piles d'un magnétophone, puis à reprendre l'interview en sautant les passages les plus chiants. J'ai dû attendre bien des années avant de savoir interviewer.

Mon premier patron portait des bretelles comme dans les films et, dans son vieux bureau à Saint-Germain-l'Auxerrois, il avait affiché le « J'accuse » de Zola. En m'engageant, il m'a enseigné les principes du métier : « N'écrivez que sur du feuillet calibré. Vos outils, c'est d'abord les dépêches, des ciseaux et un pot de colle. » J'eus plus de chance au *Monde* avec mon voisin de bureau qui, à quatre ans de la retraite, abandonnait volontiers les ciseaux et le pot de colle pour me raconter des centaines d'histoire sur le quotidien de la rue des Italiens, le Syndicat du livre ou l'empire Hersant. Histoires qu'il commençait invariablement par la formule délicieuse : « Je ne t'apprendrai rien en te disant... » J'ai aimé comme un grand-père ce vieux syndicaliste, élégant, qui arrivait tous les matins à 7 heures le sourire aux lèvres, l'œil pétillant et qui rédigeait chaque année, plume à la main, le compte rendu du 14 juillet, la veille du défilé.

Pendant ce temps, mes chefs coupaient ma copie, à tort ou à raison, sans prendre le temps de m'expliquer par où je péchais. Après, je suis devenu chef moi-même et je ne suis pas sûr d'avoir été plus pédagogue avec les générations de stagiaires et de débutants qui ont défilé dans mon bureau.

J'aurais aimé apprendre mieux, plus vite, faire moins d'erreurs. Je n'ai pas de solutions et je ne crois pas qu'il en existe. La vérité, c'est que nous n'avons pas d'autre légitimité que celle-là. Personne ne nous a formés, homologués, mandatés pour écrire, analyser, juger, publier. Nous sommes seuls à assumer ce risque, avec d'autres qui nous relisent et nous corrigent et n'ont pas plus de légitimité que nous. Voilà le scandale que nous devons assumer.

Lundi 7 juin

Je ne dois pas oublier l'autre bout du chemin de traverse, l'autre côté du terrain vague. Jean-Jacques m'a invité dans ce bon restaurant parisien comme s'il voulait me le désigner. Il est devenu, il y a juste un an, directeur de la communication de la filiale audiovisuelle d'une très grosse société de services. Après quinze ans de journalisme en agence, en magazine et en quotidiens, son carnet d'adresses, ses bonnes relations professionnelles valent de l'or.

Il ne semble pas avoir changé. Il m'assure qu'il est très proche de la direction, que cela lui garantit une grande indépendance et un salaire bien plus important qu'avant. Il met la même délicatesse à me donner quelques *scoops* bien calculés qu'auparavant à les obtenir, le même acharnement courtois à masquer la vérité qu'auparavant à la réclamer. Il en fait peut-être un peu trop pour me convaincre que tout va pour le mieux.

J'ai longtemps manifesté beaucoup d'intransigeance pour ces transfuges passés avec armes et bagages dans le camp de ceux qui nous manipulent. Comme s'il s'agissait d'une trahison essentielle. Même la tentation me semblait coupable. J'en voulais à Michel de chercher un fauteuil bien payé chez des industriels de l'électronique et le soupçonnais de tempérer systématiquement, dans ses papiers, les critiques de leurs erreurs stratégiques. Je partais en guerre contre Daniel qui régnait sur les critiques de télévision et proposait des projets d'émissions à toutes les chaînes. Je reprochais au *Monde* de reprendre Jean-Michel après deux ans passés dans un cabinet ministériel. Au nom de la pureté déontologique, j'aurais bien exigé pour les journalistes l'équivalent de l'article XX du Code pénal qui interdit aux fonctionnaires de « pantoufler » dans le privé dans le même secteur d'activité où ils ont exercé des responsabilités publiques.

Six mois de chômage ont calmé Saint-Just. A la fin, j'étais prêt à céder aux sirènes qui me conseillaient de devenir un fonctionnaire territorial, spécialisé dans la communication, pour m'assurer un boulot stable jusqu'à la retraite. Prononcer pour la vie des vœux de journalisme pur et dur s'assume difficilement sans la sécurité de l'emploi.

Je pense aujourd'hui que ce radicalisme moral qui fut le mien et reste celui de bon nombre de mes confrères exprime une sorte de révolte inconsciente contre la position de journaliste, contre la porosité de cette profession. Vouloir clôturer strictement ce métier, interdire qu'on en sorte impunément à défaut d'y entrer par sélection, c'est encore lui rêver un statut de corps constitué.

Il faut quitter l'utopie, admettre l'ambiguïté de la réalité. Le terrain vague n'a pas de frontières définies, pas de garde-fou. Rien ne peut, de l'extérieur, garantir l'intégrité de mes jugements, l'authenticité de mes valeurs.

Mercredi 9 juin

Le corps journalistique n'existe pas. La fraternité supposée entre titulaires de la carte de presse se limite à quelques symptômes caricaturaux de comportement tribal. Elle ne joue à plein que lorsqu'un ministre des Finances entreprend de remettre en question la « déduction supplémentaire de 30 % pour frais de représentation », avantage fiscal historique de la profession. On peut encore l'observer sous la forme plus discrète du « renvoi d'ascenseur », qui tient davantage de l'échange marchand que de la solidarité : si tu cites mon papier dans ton éditorial à la radio, je me souviendrai de toi dans mon prochain article.

En 1989, j'ai publié avec Sophie Coignard *La République bananière*, un essai sur la démocratie en France. L'attachée de presse de mon éditeur essayait vainement d'obtenir mon passage dans l'une de ces rares émissions de télévision qui font vendre. Deux mois après la publication de l'ouvrage, je rencontre dans un dîner parisien le célèbre journaliste, animateur de l'un de ces magazines. A la fin du repas, il me prend à part et se dit fort marri que *Le Monde* n'ait pas publié, une année auparavant, l'entretien qu'il m'avait accordé. Je rappelle à la star des petites lucarnes qu'il avait trahi alors sa promesse d'exclusivité en accordant le même jour la même interview au *Quotidien de Paris* et à l'AFP ! Le célèbre journaliste déplore ce malheureux malentendu d'autant qu'il se sent « prêt aujourd'hui à dire des choses importantes sur la télévision » et qu'il ne veut les dire qu'à moi. Puis il ajoute, l'air dégagé : « Tiens, j'ai ton livre sur ma table de nuit, je n'ai pas eu encore le temps de l'ouvrir mais cela pourrait donner lieu à un petit "coup de cœur" dans mon émission. » Je restai sans voix. Les confrères à qui je fis part de mon indignation me conseillèrent gentiment de céder ou de renoncer à écrire.

Pour le reste, je n'ai vu entre journalistes qu'agressivité, mépris, calcul ou indifférence.

C'est bien pour cela que stars, chefs d'État ou responsables d'entreprise prennent le risque considérable de convoquer des conférences de presse, sûrs que l'addition d'autant d'esprits critiques et de plumes acerbes ne leur rendra pas la tâche plus difficile, au contraire. Étranges rituels où chaque confrère épie l'autre, ne songe qu'à briller par la pertinence de ses questions et réserve la véritable récolte d'information pour des entretiens particuliers ultérieurs.

L'autre épreuve traumatisante, ce sont ces grandes concentrations professionnelles que sont inévitablement les manifestations internationales. J'ai vu un formidable reportage de l'agence CAPA sur le sommet diplomatique de Malte en 1991 où, totalement privée d'informations, la petite communauté journalistique s'exploitait elle-même : les grands commentateurs de la presse américaine rançonnaient les chaînes de télévision coréennes ou pakistanaises en leur accordant des interviews payantes.

Il suffit d'avoir assisté à l'ouverture du Festival de Cannes, côté presse, pour mesurer l'ampleur du problème. Trois à quatre mille critiques de cinéma venus de tous les pays s'empoignent au troisième étage du célèbre bunker de la Croisette, se bousculent à l'entrée des salles, se disputent les rares casiers de presse, s'arrachent ensuite une maigre documentation, certains n'hésitant pas à fouiller frénétiquement les poubelles pour récupérer les quelques dossiers de presse jetés négligemment par les autres. Puis s'organisent rapidement les clans et leur hiérarchie rigide entre pays, supports, audience des médias, chacun arborant un badge différent qui donne droit, selon des protocoles mystérieux et changeants, à des avantages qui permettent de se distinguer du voisin.

Cameramen et photographes ont cependant réussi à mettre un terme à leur concurrence sauvage en organisant des séances de prises de vues collectives, les *photo calls*. Entassés jusqu'à l'asphyxie sur une estrade, ils rivalisent désormais de cris ou d'autres insanités verbales pour piéger le regard de la star dans leur propre objectif. Le tout est orchestré de main de maître par le Festival qui sait que la bousculade médiatique est le gage le plus spectaculaire du succès.

La meute de chiens n'est qu'un effet d'optique. Ce sont les journalistes de France 2 ou de la presse écrite qui sont les premiers à entretenir le feu sous le siège de PPDA. Ce sont les confrères de *L'Événement du jeudi* qui balancent les turpitudes de leurs homologues du *Monde* dans l'affaire du sang contaminé. Il n'y a pas meilleur moyen de s'attirer les bonnes grâces d'un journaliste que de lui confier les faiblesses d'un de ses confrères et de l'assurer en retour qu'il est le seul à faire correctement son métier. Bien sûr, cela n'empêche pas des enquêteurs de se refiler quelques tuyaux, des reporters de partager une chambre ou un véhicule dans des conditions difficiles, mais Evelyn Waugh a décrit de manière désopilante le destin de ces associations précaires dans *Scoop*[9].

La concurrence naturelle entre médias n'explique pas tout. J'ai participé pendant dix ans aux assemblées de la Société des rédacteurs du *Monde*. Ces deux cents journalistes de grande qualité, unis par leur appartenance à un quotidien prestigieux, leur privilège d'actionnaires, leur fidélité commune aux valeurs du père fondateur Hubert Beuve-Méry, ne cessaient de s'entre-déchirer, de se suspecter des pires vilenies, de rêver leur exclusion réciproque. A mon arrivée, en 1982, personne ne savait déjà plus très bien raconter l'origine de ces querelles byzantines, ni définir les contours exacts de chaque clan. Mais chacun des jeunes journalistes embauchés rue des Italiens, totalement ignorant des conflits historiques qui divisaient la rédaction, rejoignait inévitablement au bout de quelques mois ce grand cirque.

J'ai tenté de croire pendant des années à ces parodies de démocratie. Je me suis investi à ma mesure dans ces luttes de clans, ces combats pour le pouvoir, sans rien récolter jamais que colère, indignation et amertume. Le plus étrange est que, au lendemain de ces déchirements, *Le Monde* retrouvait presque intacte sa formidable vitalité et réussissait en tout cas à sortir sans problème majeur l'édition quotidienne. De quoi conclure que les assemblées de la Société des rédacteurs avaient la même fonction cathartique que ces rituels de possession collective de certaines ethnies africaines, où les participants exsudent, dans les transes, leurs frustrations et leurs pulsions.

La communauté des journalistes n'existe pas. La leçon du *Monde* ne m'ayant pas suffi, j'ai encore tenté de trouver cette fraternité tant espé-

9. Evelyn Waugh, *Scoop*, Paris, éditions 10/18, 1983.

rée, en créant *La Truffe*. En imaginant un journal financé majoritairement par ses lecteurs et ses journalistes, garantissant ainsi l'indépendance de ses rédacteurs. Un journal où les divisions et les hiérarchies traditionnelles des rédactions laisseraient la place à l'initiative et à la liberté. Au bout d'un mois, avant même que *La Truffe* publie son premier numéro, nous étions déjà occupés à nous excommunier les uns les autres sur d'obscurs soupçons. Seul Jean Schalit, en recourant d'ailleurs à l'autorité la plus conventionnelle de l'actionnaire majoritaire, réussissait à ramener le calme.

Il y a un an encore, en écoutant le fondateur de la Société des rédacteurs du *Monde*, je rêvais de plaider pour une reprise de la Cinq par les sociétés de journalistes de plusieurs titres de la presse écrite. Pour y développer, au nom de l'indépendance, de la rigueur et du professionnalisme, une chaîne d'information continue qui soit un symbole, en ces temps de suspicion généralisée sur l'information. Publié par *Le Monde*, après bien des atermoiements, ce généreux projet n'a rencontré auprès des confrères que scepticisme poli ou indifférence moqueuse.

Moi-même, j'avais commencé, le chômage aidant, à perdre mes illusions. Si, fidèle à l'esprit de ce journal, je cherche en moi les raisons de cet état de guerre permanent entre confrères, je vois encore de la peur. Peur du regard de l'autre sur mes insuffisances, mes doutes, mes tentations, mes erreurs. Incapacité de les avouer. Volonté d'étouffer *a priori* toute possibilité de critique.

Lundi 14 juin

J'ai passé mon week-end à rédiger la lettre d'information interne du syndicat. Une vingtaine de feuillets, tous les deux mois, bien payés. A la fin de *La Truffe*, Patricia et Bertrand m'avaient offert spontanément cette petite planche de salut. Je l'ai conservée depuis, conscient de la précarité des situations dans l'audiovisuel.

Toute l'information m'est apportée sur un plateau. Je ne décide de rien, ni de l'analyse ni de l'appréciation. Je raccourcis, je synthétise, je mets en forme d'autant plus rapidement que je connais bien l'économie du secteur et ses problèmes professionnels. Un boulot anonyme, un boulot de journaliste d'entreprise ou d'une des multiples agences de communication qui travaillent, à façon, pour les entreprises. Rien à voir avec l'investigation glorieuse. Et pourtant, j'aime ce travail de mercenaire, à l'opposé même des « valeurs » que j'ai défendues. J'aime trouver la forme de la petite brève, l'accroche de l'édito pour des idées qui ne sont pas miennes.

J'ai écrit des « Bulletins de l'étranger », cette fameuse colonne gauche de la une du *Monde*. Je soupesais chacun de mes mots. Mon cœur battait la chamade. J'avais peur de ne pas achever mon texte avant l'heure du dernier bouclage, peur de pénétrer dans l'impressionnant bureau au premier étage de la rue des Italiens pour soumettre l'édito à l'ultime approbation du directeur.

J'ai transpiré des journées entières sur des « bancs d'essai » de caméras vidéo pour un magazine professionnel diffusé à deux mille exemplaires et largement financé par la publicité des constructeurs de ces mêmes caméras.

J'ai coupé, torturé, réécrit les articles de dizaines de journalistes pour qu'ils rentrent dans les formes, dans les normes décidées par d'autres et que je n'avais pas à discuter.

J'ai fabriqué des émissions pirates de radios libres depuis la salle de bains de Simone de Beauvoir sur des émetteurs bricolés dans des boîtes à chaussures, pour diffuser sur la moitié à peine du cimetière Montparnasse. Et j'ai été condamné à un franc de dommages et intérêts pour atteinte au monopole public de la radiodiffusion.

J'ai voyagé à l'autre bout du monde, royalement invité par des chaînes de télévision pour étudier l'art du kung-fu ou l'astronomie indienne, en me demandant comment j'allais, au retour, vendre un article à mon rédacteur en chef. Et j'ai passé des heures dans des classes de cinquième et de sixième à expliquer la fabrication d'un journal, persuadé qu'il fallait enrayer la chute du lectorat en expliquant la presse aux plus jeunes.

J'ai interrogé des ministres à *L'Heure de vérité*, présenté, pendant une semaine, les infos du matin sur un des premiers réseaux câblés qui desservait au mieux vingt chambres d'hôtel. J'ai écrit les textes d'une animatrice vedette et des histoires d'une minute pour une série télévisée enfantine.

J'ai traîné ma cravate dans les réceptions ministérielles, les *garden parties* présidentielles. J'ai joué les éminences grises, les hommes d'influence, les conseillers occultes, les nègres de ministre et je rédigeais, le lendemain, des « billets » dans une feuille de chou de l'Éducation nationale pour un festival pédagogique de province.

Si, vue de l'extérieur, la profession apparaît comme un ensemble flou de pratiques hétérogènes, de valeurs contradictoires, il faut bien reconnaître que je les porte aussi en moi simultanément. Non à la manière d'un touche-à-tout brillant et léger qui s'amuserait à passer de l'ombre à la lumière, mais comme une question permanente, pas vraiment agréable, sur mon image, mon identité. J'ai l'impression d'être écartelé entre le sublime et le trivial, l'essentiel et le dérisoire, le noble et l'alimentaire, le somptuaire et le misérable. Comme entre le défi et la culpabilité, il y a quelques semaines.

Si cet écartèlement fait – j'en suis convaincu – le journaliste, il n'en est pas moins invivable au quotidien. Paralysant par vertige. D'où l'importance de se raconter des histoires, de se trimbaler avec ses modèles imaginaires, de s'inventer des identités de substitution.

Jeudi 17 juin

Avant, j'étais le « pape ». Je l'ai appris récemment, après mon départ du *Monde*. J'ai gagné ce surnom en dix-sept ans de spécialisation sur les rubriques « Médias », « Communication » ou « Audiovisuel ». Non que je sois infaillible en la matière ; je me suis souvent trompé. Mais je devais donner l'impression d'y exercer un espèce de magistère, d'occuper ce rôle de toute éternité et, en prime, d'être indélogeable.

De mon côté, je me vivais alors comme un spécialiste. Jouer la mémoire vivante du secteur, donner des cours dans les universités, animer des universités d'été, participer aux missions et commissions me semblaient le prolongement naturel de mon travail. Cela renforçait ma position, donnait plus d'autorité à ma prose et transformait parfois mon statut. Il y avait toujours un banquier, un industriel ou un patron de chaîne pour me murmurer, l'œil humide : « Vous êtes bien plus qu'un journaliste, vous êtes un expert. » Flatterie commise d'ailleurs plus par instinct que par calcul. Comme si les personnes les plus sensibles à la reconnaissance médiatique sentaient spontanément le besoin de réassurance sociale des médiateurs.

« Plus qu'un journaliste. » Avec quelle facilité suis-je tombé parfois dans l'illusion de la connivence, de l'égalité avec ceux qui m'informaient ! Mieux que celle des petits cadeaux ou des voyages, la corruption la plus efficace – parce que la plus insidieuse – est la corruption du moi. Elle rend facilement pontifiant, donneur de leçons. Elle vous mure dans vos certitudes, vous fait perdre votre curiosité et peut ainsi vous amener à déformer la réalité.

La tentation était d'autant plus forte que *Le Monde* est un journal de spécialistes, une « cité des papes ». On y trouve les meilleurs experts du budget de l'État, des tremblements de terre, des relations Est-Ouest ou de l'histoire du cinéma français. Et pour compléter le sortilège, il arrive, comme par enchantement, que le correspondant à l'étranger devienne vraiment ambassadeur à Tunis, le chroniqueur judiciaire, conseiller d'État, et le chef du service économique, directeur à la Commission de Bruxelles. Comment résister au mirage quand il peut se changer en réalité ?

J'ai même cru, pendant longtemps, qu'un bon journaliste se devait d'être un « spécialiste », suffisamment documenté, rigoureux, informé pour échapper à cette « culture de l'approximation » qu'on nous reproche si souvent. Je méprisais ouvertement les grands reporters promenant leur subjectivité aux quatre coins du monde, les éditorialistes capables de projeter leur système politique ou moral sur n'importe quel événement, les critiques confondant leurs états d'âme avec un discours esthétique.

Je comprends aujourd'hui qu'il y a là autant de « moi » imaginaires, de modèles plus ou moins conscients, tout aussi légitimes que celui de « spécialiste » et tout aussi indispensables pour vivre la position de journaliste.

Je crois même que le grand nombre de confrères qui, passé la quarantaine, sombrent dans le cynisme, l'alcoolisme ou la dépression sont ceux qui ne parviennent plus à se fabriquer ainsi leur alibi quotidien.

Vendredi 18 juin

J'ai du mal, aujourd'hui, à rebâtir un modèle. Six mois de chômage ont eu raison du « spécialiste » et de ses illusions. Avec *Bas les masques*, je n'écris rien, n'enseigne rien. J'écoute.

J'écoute des kilomètres d'interviews, de témoignages anonymes ramenés par l'équipe de journalistes. Cela parle d'amour, de violence, de souffrance, de haine. J'essaye de comprendre, de sentir, de choisir ce qui va faire sens pour les téléspectateurs, ce qui va les émouvoir et du même coup changer leur regard, détruire leurs préjugés sur le chômage, la drogue, l'inceste, la jalousie, l'immigration ou la vocation religieuse.

Impossible de me prendre pour un psy : je rencontre à peine les invités. Mon rôle n'est pas de les guérir mais d'en choisir trois ou quatre sur vingt ou trente contactés, de préparer leur dialogue, d'imaginer les reportages qui vont les faire réagir. Sur le plateau du studio 40 à France 2, alors que Mireille Dumas interroge pendant de longues heures ses invités, j'écoute encore pour peser les discours, jauger la matière, proposer d'autres questions. Plus tard, j'écoute encore ce qui a été dit, sous-entendu, échangé, pour couper, monter, construire l'émission.

Suis-je encore journaliste ? Ou simple artificier d'une variété intelligente de spectacle télévisé ? Deux délégués de la commission qui homologue les agences de presse sont venus enquêter à domicile. Je leur ai tout montré, tout raconté. Eux ont surtout regardé les contrats, les fiches de paie, le respect de la convention collective. Puis ils ont rapporté, délibéré. MD Productions a été classée comme agence de presse. Je conserve ma carte de journaliste.

Qu'est-ce que je sens à l'intérieur ? La peur de mutiler, de trahir les histoires qu'on me confie. La peur souvent d'en rester à la surface des vies, à l'anecdote, de ne pas parvenir à montrer ce que j'ai ressenti, compris, deviné. Le bonheur aussi de faire éclater, parfois, une évidence. Les mêmes sensations qu'auparavant.

Toutefois, la matière humaine est ici omniprésente, pressante. Je ne manie plus des chiffres ou des arguments mais des émotions, des sentiments, des espoirs. Il y a des histoires qui me troublent, des thèmes qui me gênent ou me pèsent, des personnages qui me séduisent ou m'oppressent. Je sais que mon équipe de journalistes, elle aussi, s'angoisse, résiste, somatise.

Il y a des dizaines de bombes à désamorcer. Ceux qui viennent à la télévision pour régler de vieux comptes en souffrance. Ceux qui attendent une hypothétique reconnaissance. Ceux qui ne se rendent pas compte que la publicité donnée à leur histoire risque de les écraser. Ceux qui ne savent pas encore qu'ils ne pourront pas aller jusqu'au bout. Ceux qui demandent une prise en charge impossible. Il faut les deviner, les décourager, les éconduire, leur expliquer. C'est un autre métier et c'est pourtant le même.

Samedi 19 juin

La Truffe fut une autre de ces identités imaginaires. Ou plutôt un rêve collectif pour redéfinir le journalisme, une utopie. Plenel et moi cherchions à guérir nos blessures de l'affaire Pechiney. Nous voulions un hebdomadaire du week-end, voué exclusivement à l'enquête, une sorte de *Canard enchaîné* moderne et plus incisif. Nous avons rencontré Jean Schalit, inlassable créateur de presse, qui préférait un quotidien, mais fondé sur les mêmes principes que ceux que nous avions définis. Beaucoup d'autres nous ont rejoints, parmi les meilleurs enquêteurs de la presse française, qui venaient aussi accrocher au projet leurs exigences, leur bout de rêve.

Je n'ai jamais vu autant de bonnes fées autour d'un journal. Nous nous retrouvions la nuit, dans une librairie-salon de thé du Marais, au troisième étage d'un cabinet de dentiste près des Champs-Élysées ou dans un ancien laboratoire pharmaceutique, de style 1930, en attente de réhabilitation, près de Vaugirard. Nous avons travaillé plus d'un an sur des maquettes, des sommaires, des simulations. Nous n'avions pas un sou, pas l'ombre d'un éditeur. Nous nous en moquions : l'important était de faire le journal que nous voulions. Un journal de journalistes. Un rêve.

Nous étions en pleine crise du Golfe, écœurés par le consensus béat de nos journaux, par ce régiment d'éditorialistes en *battle dress* qui, du haut de leur traitement de texte, montraient le chemin de Bagdad, par ces rédactions en ordre de bataille qui gobaient sans un hoquet la plus fantaisiste des propagandes militaires. Dans nos soupentes, nous luttions à coups de révélations sur les manipulations de la CIA, de photos de satellites espions, de « unes » ironiques montrant la tour Eiffel décapitée par les bombes de Saddam. Nous pressentions qu'après cette apothéose de guerre médiatique les lecteurs, sonnés par l'ampleur des mensonges, s'en prendraient aux médias, que les courbes des ventes allaient encore chuter un peu plus.

Il fallait guérir la presse française, la purger de ses vices, réhabiliter l'information contre le spectacle, l'enquête contre la mise en scène. Les journalistes devaient cesser d'être les plats commentateurs de nouvelles fabriquées par les services de presse, diffusées par les agences et décorées par les radios et télévisions. Ils allaient chercher, sous cette litanie fade et répétitive, les pierres rares, les champignons précieux qui permettraient de comprendre le monde, d'échapper à la duperie. Et cela, chaque jour. Les médiateurs se rebellaient contre l'empire de la communication et se vouaient à la quête de la vérité. Les fouille-merde devenaient chercheurs d'or.

Pour retrouver notre âme, il fallait bannir impitoyablement tout ce qui n'était pas notre but, éviter toute compromission avec les facilités de la presse. Finis les éditoriaux, les billets d'humeur, les commentaires, finis les photos d'illustration, les pages-magazine, les critiques de film ou de théâtre, les programmes de télévision ou la météo, nous voulions un journal court, dense et acerbe. Nous boutions aussi hors de notre royaume la publicité pour nous protéger des pressions des annonceurs et nous garder des articles de complaisance.

L'équilibre économique de l'entreprise ne nous posait pas de problème. Jean Schalit avait retiré de son travail sur *The European*, le dernier magazine de Maxwell, la conviction qu'on pouvait fabriquer un quotidien entièrement en couleurs sur le système Mac d'Apple. Sans passer par le montage manuel que connaissaient encore tous les quotidiens français et qui impliquait une délicate négociation avec le Syndicat du livre et de lourdes charges salariales. A la réforme morale nous allions ajouter l'innovation technologique, ouvrant une nouvelle ère économique pour une autre race de quotidiens.

Nous étions sûrs que le public allait approuver cette cure de jouvence. Ne manifestait-il pas son rejet de la presse traditionnelle en boudant de plus en plus la lecture des quotidiens ? Nous étions tellement convaincus que les lecteurs allaient apporter leur soutien à cette ascèse que nous en faisions les premiers actionnaires du quotidien, les garants de son indépendance. Lorsque ce journal de journalistes aurait rencontré l'adhésion enthousiaste de ses lecteurs, les investisseurs nécessaires pour compléter la mise de fonds initiale ne se feraient plus prier.

Nous rêvions tout haut. Lorsque notre rêve prit sa forme définitive, que toutes les études semblaient confirmer le bien-fondé de nos hypothèses, qu'il fallait enfin se jeter à l'eau, il se passa une chose étrange. Un à un, tous les journalistes qui avaient contribué à la construction du projet déclarèrent forfait sous les prétextes les plus divers. Comme s'ils avaient pressenti que cette utopie ne devait pas vivre et que leurs rêves devaient rester des chimères intérieures.

Privée des formidables talents qui s'étaient réunis pour l'imaginer, *La Truffe* se lança avec ce qu'elle put trouver : une majorité de journalistes débutants et quelques vétérans en rupture de ban. Beaucoup de bonne volonté, quelques dons naissants mais rien de la force qui lui était nécessaire pour tenir ses promesses. Sans les « poids lourds » fondateurs du projet, leur expérience et leurs carnets d'adresses, il était pratiquement impossible de garder au quotidien un regard acide, pertinent et éclairant sur l'actualité. Les « truffes » qu'exhumaient chaque jour notre journal n'avaient ni la saveur, ni la valeur des informations qui font comprendre d'un coup le monde qui nous entoure. Ce n'était qu'une accumulation de petits scandales dont la répétition quotidienne devenait nauséabonde.

L'or redevint merde. Le lecteur-souscripteur fut déçu, l'investisseur revint sur ses promesses et les banquiers furent sans pitié. Le nouveau quotidien mourut en moins de deux mois, faute d'avoir réuni l'argent nécessaire à sa survie et après avoir dévoré toutes les économies de Jean Schalit.

Avant la mise à flot, j'étais allé voir Jean Schalit et Antoine Griset, l'ancien administrateur de *Libération* et du *Monde* qui lançait *La Truffe* à ses côtés, pour leur exprimer mes craintes. Je leur avais expliqué que, sans le concours des vieux routiers de l'enquête qui s'étaient tous enfuis, l'entreprise n'avait aucune chance de réussir. Et, la démonstration achevée, je suis resté dans la galère.

Je n'ai jamais vraiment compris pourquoi. Sans doute, mes relations avec *Le Monde* étaient désormais trop critiques pour que je puisse faire marche arrière. Sans doute avais-je soif de risques et de nouveautés après des années de papauté tranquille. Je crois aussi que cette utopie me convenait mieux qu'à d'autres, avec son mélange de morale, de technique et d'économie qui répondait si exactement à mes écartèlements de journaliste spécialisé dans la communication.

Lundi 21 juin

La trop courte histoire de *La Truffe* laisse sans réponse une question qui me tenaille : les lecteurs ont-ils le même imaginaire que les journalistes ? Porté par les journalistes de grand talent qui l'avaient rêvé, ce quotidien pur et dur aurait-il eu une chance d'exister ? Ou bien l'accumulation quotidienne de révélations, de secrets d'État, de scandales, d'analyses essentielles et de documents exceptionnels ne provoque-t-elle pas la saturation et la nausée chez le lecteur, laissant le journaliste se débattre seul avec ses fantômes ?

Mardi 22 juin

Me manque aussi cette drogue puissante du quotidien, ce sentiment d'urgence qui gomme tous les états d'âme, bouscule toutes les questions. J'ai vécu dix ans ficelé à cette nécessité de penser, de réagir, d'écrire à toute vitesse.

Le Monde a une organisation bien particulière parce qu'il est un des derniers quotidiens de l'après-midi. Traditionnellement tiré sur ses rotatives à partir de 13 heures, il doit, sans perdre un instant, être acheminé vers ses points de vente pour rester le plus longtemps à la vente avant la fermeture des kiosques. Son format particulier lui interdisant d'être transmis par fac-similé et donc d'être imprimé en province, il lui faut aussi courir après les trains et les avions. Une double épreuve dont il doit triompher en quelques heures et de jour, alors que ses concurrents ont toute la nuit pour parvenir à destination.

Le moindre retard, multiplié par les encombrements de la capitale, entraîne des dizaines de milliers d'exemplaires invendus et des millions de pertes. C'est ce qu'on apprend dès l'entrée au journal. Les ouvriers du Livre faisant leur affaire des difficultés de l'imprimerie, reste à la rédaction l'impérieux devoir de « boucler » à l'heure. Le processus est d'une grande complexité. Chaque article doit être écrit, relu par le chef de service puis par la rédaction en chef, calibré, mis en place dans la maquette et éventuellement coupé par les secrétaires de rédaction, revu par les correcteurs avant d'être photocomposé, monté dans la page, cliché et expédié vers les rotatives.

Bien entendu, tous les papiers ne sauraient arriver en même temps sous peine d'asphyxier la chaîne ; ils doivent se succéder dans un flux continu et organisé pour ne pas paralyser la fabrication des pages. Chaque service de la rédaction « boucle » donc à des heures différentes. Celui dont j'avais la charge commençait vers 7 heures le matin pour terminer sa copie à 9 h 30. Dans ces conditions, les enquêtes s'effectuaient la veille, la matinée étant réservée aux ultimes vérifications et à l'écriture.

Ni le passage de la composition sur plomb à la photocomposition, ni l'informatisation de la rédaction n'ont vraiment réussi à raccourcir ce processus. Inlassablement, la direction du *Monde* cherche le meilleur moyen d'étaler la copie, de réorganiser sa circulation pour gagner de précieuses minutes sans perdre la fiabilité de l'information ; toutes les réformes semblent donner au début quelques résultats qui s'évanouissent très vite ensuite.

Année après année, sous la pression constante de mes supérieurs, cette course contre la montre était devenue pour moi un défi de plus en plus important. Et j'y entraînais la petite équipe de rédacteurs du service. Comme si rendre la copie à l'heure devenait le but ultime du jeu ; comme si la production du journal prenait le pas sur la finalité de l'information. Un combat d'autant plus prenant qu'il se renouvelait chaque jour.

La Truffe me maintint dans ce culte absurde. La filière de fabrication était entièrement nouvelle et très difficile à maîtriser. Le système informatique se bloquait régulièrement, la transmission des pages en couleur à l'imprimerie par ligne spécialisée prenait plus de vingt minutes par page et constituait un dramatique goulet d'étranglement. De plus, l'imprimeur nous avait prévenu qu'il enlèverait *La Truffe* des rotatives à 21 h 30 pour y fixer *Libération*, son meilleur client et principal actionnaire. Je vivais donc des conditions de fabrication très proches de celles du *Monde* avec, cette fois, la responsabilité de tout le journal.

Les premières semaines de chômage, l'absence de ce défi quotidien fut un soulagement. Puis un manque terrible et éclairant. Sans ce contexte d'urgence, l'information perdait de sa saveur brute.

Je n'ai pas retrouvé cette sensation à la télévision. Mes confrères qui travaillent au journal télévisé ou dans les rares émissions en direct doivent connaître ces décharges d'adrénaline. La production d'un magazine hebdomadaire et préenregistré suppose d'autres problèmes à résoudre, mais sans doute moins stressants.

Mercredi 23 juin

Un déjeuner avec Sylvie fournit le meilleur antidote aux affabulations intérieures d'un journaliste. C'est l'occasion rare de contempler sa profession de l'extérieur, du point de vue de la « communication ». Sylvie dirige la communication d'un grand groupe industriel mais nos rapports sont depuis longtemps purement amicaux : elle n'a rien à me vendre directement.

Elle m'explique donc sans précautions excessives comment elle a redoré en deux semaines l'étoile légèrement défraichie de son PDG. Un beau concert médiatique autour de quelques considérations sur la politique économique du gouvernement. Cela commence avec quelques rumeurs distillées par une lettre confidentielle, puis par une confidence à un journaliste de *La Tribune,* suivie d'un entretien au *Monde* et d'un article de fond dans *Les Échos.* Sans oublier un déjeuner avec le journaliste du *Figaro* pour l'empêcher de faire la gueule. Si tout se passe bien, le patron de Sylvie aura sa photo en hausse dans le baromètre du *Point* et peut-être même trois minutes dans un journal télévisé de la mi-journée. Ainsi les résultats plutôt médiocres annoncés à la fin du mois auront-ils la chance de passer inaperçus ou de ne pas donner lieu à des commentaires trop désobligeants.

J'admire le cynisme tranquille, sans la moindre trace de mauvaise conscience. Sylvie parle même de « ses » papiers comme si elle les dictait directement aux journalistes. Elle a organisé tellement de visites d'usines depuis trois ans que plus aucun confrère ne s'intéresse aux sites pollués qui avaient provoqué une levée de boucliers des écologistes. Pourtant, elle continue de tenir tous les trois mois avec la direction des « simulations de crise », au cas où le scandale qui couve dans les filiales allemandes depuis des années finirait par transpirer.

Sylvie dispose d'une force de frappe considérable. Ses huit collaborateurs éditent une revue de presse internationale quotidienne, un journal hebdomadaire pour toutes les usines françaises et un mensuel en anglais pour les filiales internationales. L'information qu'elle gère lui permet d'alimenter en permanence « ses » journalistes : un portrait de la première femme directrice d'usine pour *Elle*, une saga de l'exportation pour *Challenges*, un tuyau sur Hong Kong pour *L'Expansion*.

Aucun journaliste n'a la possibilité de résister à un tel bombardement, aucun n'a les moyens d'une contre-enquête. Sylvie contrôle de bout en bout son information. Les journalistes ne sont que des intermédiaires et les médias, des supports dans une campagne de promotion permanente. Vocabulaire et stratégie hérités de la publicité et que reprennent aujourd'hui toutes les entreprises mais aussi les administrations, les politiques, le secteur culturel. Le moindre film qui sort consacre ainsi des centaines de milliers de francs à l'organisation de sa promotion médiatique et aucun journal, aucune télévision n'échappe à l'entretien avec la vedette ou le réalisateur, le reportage sur le tournage, les résultats de la première semaine, etc.

En dix ans, l'information est devenue une guerre dans laquelle les journalistes ne sont que de simples fantassins désavantagés tant par leur nombre que par leur armement ou leur position. En face, les « communiquants » ont l'avantage d'être totalement irresponsables et de pouvoir déformer, démentir, intoxiquer sans conséquences. Personne ne viendra les accuser de diffusion de fausses nouvelles ou de diffamation. Sauf en cas de manipulations boursières trop évidentes de la part d'entreprises cotées : la Commission des opérations de bourse (COB) est alors la seule autorité à pouvoir sanctionner une fausse information. Encore le fait-elle très rarement. Le débat sur la responsabilité des médias occulte toujours cette inégalité fondamentale devant la loi entre les journalistes et les directeurs de communication des entreprises ou des institutions.

Lundi 28 juin

« Incertitudes, O mes délices ! » Le vers d'Apollinaire trotte ironiquement dans ma tête. Depuis quelques jours, l'incertitude a pris des allures de supplice. Je ne parviens pas à trancher le dilemme dans lequel je me suis moi-même enfermé à propos d'une émission de *Bas les masques*. Le sentiment de ma responsabilité, mon impuissance à l'assu-

mer ne me laissent pas de repos. Je me réveille en sursaut la nuit, persuadé qu'une catastrophe se prépare ou qu'un mystérieux châtiment est
sur le point de s'abattre sur moi.

J'ai eu l'idée d'inviter sur le plateau le commandant de bord de l'Airbus A 320 qui s'est écrasé il y a quelques années à Habsheim, en Alsace,
pendant un vol de démonstration. Nous préparons depuis deux
semaines une émission baptisée « L'honneur perdu » sur les personnes
qui ont vu leur réputation ruinée par la rumeur, la justice ou les médias.
Amélie, la journaliste qui travaille sur le projet, avait quelque mal à
réunir des témoignages, et j'ai pensé soudain au pilote de l'Airbus. Je travaillais au *Monde* quand la catastrophe s'est produite. Je me souviens
d'avoir été choqué par la façon dont le ministre des Transports avait
conclu, le soir même, à l'erreur humaine, sans attendre les premières
données de l'enquête. Dans les jours qui suivirent, les médias avait
emboîté le pas en accusant les pilotes d'être des « Rambos au petit pied »,
des excités irresponsables et des ivrognes. J'ai toujours eu peur en avion
et n'ai pas de sympathie particulière pour les pilotes mais cet acharnement m'avait laissé une impression de malaise. J'ai eu envie d'entendre,
trois ans après, le prétendu coupable.

Amélie a rapidement retrouvé sa trace. Il s'appelle Michel Asseline,
proteste toujours de son innocence et se bat pour démontrer que l'informatique de l'Airbus est responsable de l'accident. Le procès est toujours
en phase d'instruction après une succession d'incidents : doute sur
l'authenticité des boîtes noires, dessaisissement du premier juge, gros-
sesse du second, querelle d'experts. Pendant ce temps, Michel Asseline a
vécu de petits boulots et d'allocations chômage. Il serait ravi de témoigner d'autant que les médias ne lui ont jamais permis de le faire.

Trois jours après, je déjeune avec lui. Le premier contact est catastro-
phique. Je le trouve trop sûr de lui, exaspérant par sa façon de matraquer
ses arguments, rongé par la haine vis-à-vis d'Airbus et d'Air France. A la
fin du repas pourtant, je ne le regarde plus de la même façon. Son récit
m'a ébranlé : la manière dont Air France l'a licencié sans indemnités pour
faute professionnelle grave avant l'issue du procès et malgré ses vingt ans

de bons et loyaux services, les incohérences de la thèse officielle, les pressions effectuées sur les pilotes qui essaient de le défendre. Je me dis que les deux compagnies, obsédées par l'avenir commercial de l'A 320 et la concurrence avec Boeing n'ont pas fait grand cas des droits de la défense et que la raison d'État a peut-être couvert une injustice.

Et surtout, sous le commandant de bord qui roule encore des mécaniques, j'ai fini par percevoir un homme blessé, publiquement désigné comme coupable, lâché par tous, trahi dans son dévouement à son employeur et qui tente de sauver la face. Asseline m'émeut quand il s'astreint à repeindre sa maison pour signifier aux voisins que tout va bien, quand il avoue, gêné, que son fils a fait une dépression nerveuse, quand il provoque une rencontre avec les victimes de l'accident pour se justifier. En lui serrant la main, je lui promets qu'il pourra témoigner.

Le lendemain, un journaliste de l'équipe appelle Airbus et Air France pour recueillir leur version des faits. Dans les deux compagnies, les responsables de la communication réagissent dans les même termes : Asseline a commis une erreur grave qu'il ne veut pas reconnaître. Depuis, le cadre brillant qu'il était est devenu un mythomane dangereux et un paranoïaque. Les rapports d'experts ne tarderont pas à réduire ses allégations à néant. En le laissant s'exprimer, nous allons angoisser inutilement des dizaines de milliers de passagers.

Deux jours plus tard, l'avocat d'Air France attaque sur un autre registre. Il prévient les responsables de France 2 que la compagnie attaquera en diffamation et exigera plusieurs millions de francs d'indemnités. On ne plaisante pas avec les intérêts commerciaux de l'aéronautique française dont les ventes ont une certaine importance pour l'équilibre de la balance commerciale.

La menace m'a d'abord révolté. Émanant d'une société publique, proférée contre une chaîne publique dont les dirigeants sont en fin de mandat face à un nouveau gouvernement qui cherche à les abattre, la pression est intolérable. Nous sommes producteur privé et notre contrat nous garantit la liberté éditoriale. Mireille Dumas est déterminée ; nous passerons outre.

Puis, je me suis mis à douter. Et s'ils avaient raison ? Si la raideur, l'agressivité qui m'a heurté à la première rencontre avec Michel Asseline étaient les symptômes de sa maladie ? Je n'ai aucune compétence psychiatrique ou aéronautique. La voie de la certitude m'est interdite. Je téléphone à plusieurs journalistes qui ont enquêté sur l'affaire. Les rubriquards spécialisés dans les transports partagent les thèses d'Air France et d'Airbus. Les autres soutiennent plutôt le pilote et affirment que leurs confrères spécialistes sont les otages trop complaisants des compagnies aériennes. Tous m'engagent à la prudence et me conseillent de prendre au sérieux les menaces judiciaires.

Je me sens acculé à la faute. Laisser s'exprimer pendant vingt minutes un coupable qui, pour se justifier, va provoquer la panique m'est intolérable. Refuser la parole à une victime de la raison d'État parce que j'ai cru ceux qui voulaient le faire passer pour fou l'est tout autant. La formule de *Bas les masques* ne me permet pas de dégager ma responsabilité en mettant les uns et les autres face à face. Je dois prendre une décision et n'ai aucun moyen de la prendre.

En écrivant ces lignes, je m'aperçois que cette histoire a une autre dimension qui m'avait échappé. Mon premier projet d'émission s'appelait « Je suis une victime des médias ». J'y ai renoncé, craignant, un peu lâchement, que la chaîne et la presse lui réservent un très mauvais accueil. J'ai repris l'idée en croyant noyer le poisson sous le titre « L'honneur perdu ». Et voilà que la responsabilité des médias me rattrape par le fond de la culotte !

Mardi 29 juin

L'histoire de Michel Asseline me touche parce qu'elle est proche de ce qui s'est passé pour moi après la mort de Pelat. Je peux y retrouver les mêmes ingrédients : la mort, la culpabilité, l'injustice, la lutte pour la reconnaissance. Je me suis aussi senti trahi par mon journal, accusé publiquement d'une faute dont je ne me sentais pas responsable. Est-ce cette identification qui me paralyse ?

Il y a aussi la peur de me retrouver dans la même situation. Si je donne au pilote d'Habsheim la possibilité de s'exprimer, on me reprochera d'avoir défendu un « coupable » comme on m'a reproché d'avoir provoqué la mort d'un « innocent ». Et comme dans l'affaire Pechiney, la justice ne viendra que trop tard pour nous départager.

Mercredi 30 juin

J'ai téléphoné longuement à Asseline, espérant percevoir un signe qui m'aiderait à me prononcer sur son état. Je lui ai tout raconté : la thèse d'Airbus et d'Air France, les menaces, mes états d'âme. Il n'a pas eu l'air surpris, ne s'est pas indigné de mes hésitations. Il continue à plaider son dossier, sur le fond, plus calmement, m'a-t-il semblé, que la première fois. Tout cela ne fait que nourrir mon incertitude. La solution est en moi.

Je songe à Mme Ratis, une autre invitée de *Bas les masques* qui m'a beaucoup troublé, il y a trois mois. Une petite bonne femme à la soixantaine un peu rigide après une vie sans histoires. Rien ne l'avait préparée à devenir un jour juré d'assises et à être désignée par le sort pour cinq procès successifs. Intimidée par la pompe du palais de Justice, corsetée par le serment prêté et les règles de procédure, elle avait entendu des récits de cambriolages à main armée, de viol et d'inceste qui l'avaient empêchée de dormir et rendue malade. Elle décrivait avec des mots simples et terriblement précis l'épreuve par laquelle elle était passée pour forger son « intime conviction » et juger « en son honneur et conscience ».

J'ai eu, en l'écoutant pendant l'enregistrement de l'émission, l'étrange impression que Mme Ratis avait vécu une sorte d'expérience intérieure et qu'elle possédait désormais quelque chose qui, comme journaliste, m'avait toujours manqué. Il me faudrait aujourd'hui trouver la même paix intérieure, le même chemin vers la certitude pour résoudre mon problème.

Vendredi 2 juillet

Le hasard m'a aidé à résoudre mon problème. J'ai été convié hier à un débat de France-Inter sur la déontologie des médias. J'y ai retrouvé l'auteur de l'éditorial qui, à la mort de Patrice Pelat, m'a indirectement condamné. C'était la première fois que nous nous retrouvions depuis mon départ du *Monde*. Il m'a félicité pour mon travail à *Bas les masques* en ajoutant : « Tu vois, même si je n'en ai pas l'air, je reste attentif à ce que deviennent les gens. » Une fois de plus, je n'ai pas réussi à lui répondre franchement.

Quelques minutes plus tard, au cours du débat, un auditeur s'étonne de voir les journalistes qui commettent une faute professionelle rester impunis. Le responsable du grand quotidien du soir s'empresse de répondre en évoquant les sanctions que *Le Monde* vient de prendre contre un de ses journalistes à propos de l'affaire du sang contaminé. Je demande la parole et commence à raconter « mon » affaire Pechiney. Mon ancien supérieur hiérarchique se décompose au fur et à mesure que je parle. Mais je ne cite aucun nom, ni le sien, ni même celui du *Monde*. Je parle seulement de la souffrance d'être accusé à tort et indirectement, de l'impossibilité d'obtenir justice.

Ça n'a duré qu'une minute mais cette minute m'a libéré. Je me suis autorisé à parler. Et le ciel ne m'est pas tombé sur la tête. Si je l'ai fait, Michel Asseline peut le faire, comme moi, sans provoquer les catastrophes qu'on me prédit.

Innocent ou coupable, la justice tranchera. Je n'ai pas à m'y substituer. Mais aucun principe ne peut m'interdire de lui rendre la parole qu'on a réussi à lui enlever. Personne ne peut l'empêcher de raconter ce qu'il a ressenti quand on l'a accusé, renvoyé, lorsqu'il a retrouvé les victimes de l'accident. Cela n'empêchera pas Air France de voler, ni Airbus de vendre des avions.

J'ai téléphoné à Michel Asseline pour lui confirmer sa participation à l'émission et lui préciser la règle du jeu. Il sera libre d'évoquer ses sentiments tout au long de cette affaire. Je ne conserverai aucune accusation contre l'A 320 ou les deux compagnies. Il a accepté immédiatement.

J'ai mis dix jours à sortir de l'impasse, à démêler mes projections. Comment aurais-je fait dans un quotidien ?

Samedi 3 juillet

Roland Graveriou, lui aussi, court après son honneur. Pourtant la justice a déjà blanchi ce moniteur de colonies de vacances pour handicapés, accusé de gestes impudiques sur des mineurs. Mais l'institution qui l'emploie l'a licencié et refuse de le réintégrer, en se réfugiant derrière l'intérêt supérieur des enfants et de l'institution. Et Graveriou reste là, impuissant, incapable de quitter ce village qui se refuse à reconnaître son innocence et murmure qu'« il n'y a pas de fumée sans feu ».

L'équipe de reportage que j'ai envoyée là-bas a filmé les uns et les autres. Mais le Collectif contre la réintégration de Roland Graveriou ne veut pas de ce reportage. Il m'écrit, me submerge de pétitions, me menace de droit de réponse.

M. Chalvet, lui, a été condamné par la justice. En première instance, cet instituteur, maire communiste d'un petit village, a été reconnu coupable d'attentat à la pudeur sur la personne de ses élèves. Il proteste toujours de son innocence, parle de complot, demande la révision de son procès, soutenu aujourd'hui par son village que ses accusateurs ont déserté.

C'est un homme brisé. Il faut faire un effort pour supporter ses regards terrifiés, ses bégaiements, son corps qui s'affaisse sous les questions. Une partie de l'équipe de *Bas les masques* trouve qu'il passe mal à l'écran, qu'il a une « sale gueule ». Que lui donner la parole est une sorte d'injure vis-à-vis de ses victimes.

Les docteurs Augustin Roquette et Philippe Lagarde étaient cancérologues, confortablement installés sur la Côte d'Azur jusqu'à ce qu'un inspecteur de la DDASS les accuse d'escroquerie pour avoir soigné leurs malades avec un médicament non encore autorisé en France. Les voilà interpellés à leur cabinet, emmenés par la police menottes aux mains et jetés en prison. Ils y resteront, malgré les protestations des malades laissés sans soins, jusqu'à ce qu'un tribunal annule toute cette procédure ubuesque.

Mais le doute a déjà germé. Les deux médecins perdent peu à peu le soutien des cliniques et ne peuvent plus garder leur clientèle. L'un abandonne la médecine, l'autre s'exile en Italie. Dès que la presse a mentionné leur participation à *Bas les masques*, deux journalistes spécialisés ont téléphoné pour m'assurer que Roquette et Lagarde étaient vraiment des escrocs.

Je pensais que Roland Agret, lui au moins, ne soulèverait pas de contestation. Condamné à vingt ans de détention pour un double meurtre, il n'a cessé de proclamer son innocence. Au bout de sept ans de prison et une longue grève de la faim, il est gracié par Giscard d'Estaing. Mais cela ne lui suffit pas : il veut sa réhabilitation et se coupe deux doigts de la main à quinze jours d'intervalle pour forcer le garde des Sceaux à rouvrir son procès. Fait rarissime, la justice se déjuge et innocente Roland Agret. Il se trouve encore des avocats, des journalistes pour me murmurer, « en toute confidence », qu'ils sont sûrs qu'Agret était vraiment l'assassin.

Jamais une émission de *Bas les masques* ne m'aura posé autant de problèmes, n'aura suscité autant de passions, de pressions. Coupable, non coupable : cela paraît plus important que le chômage, les banlieues, l'erreur médicale.

Sur la culpabilité ou l'innocence d'Agret, de Graveriou, d'Asseline, de Chalvet, de Lagarde ou de Roquette, je n'ai aucune certitude. J'ai compris que, journaliste, je ne saurais être juge. Ma vraie responsabilité, c'est de donner la parole à ces six hommes parce que j'estime que ces paroles peuvent éveiller en nous des doutes et des questions salutaires.

Mardi 6 juillet

L'enregistrement de « L'honneur perdu » s'est bien passé. Il y a chez ces hommes une force, une dignité qui leur font éviter le plaidoyer mélodramatique, le règlement de compte ou la leçon de morale. Au montage, j'ai soigneusement enlevé, avec l'accord des invités, tout ce qui semblait recommencer les procès pour ne garder que leurs témoignages sur le travail de la justice, le rôle des médias, les réactions de l'opinion publique.

Très vite, France 2 a demandé à visionner la cassette avant diffusion. Le service juridique de la chaîne et ses avocats ont épluché le témoignage d'Asseline et demandé de nouvelles coupes par crainte d'un procès avec Air France. J'ai protesté en expliquant qu'il ne fallait pas céder à de simples manœuvres d'intimidation. Mireille Dumas a préféré – sagement, sans doute – se conformer aux demandes de la chaîne.

Voilà qui vient à point nommé remettre à leur juste place mes débats intérieurs de journaliste. J'allais oublier qu'en aucun cas je ne peux avoir le dernier mot sur mon travail. Seul le directeur de publication – en l'occurrence la productrice et animatrice de l'émission – qui assume la responsabilité légale, détient ce privilège.

Vendredi 23 juillet

A la télévision, Bernard Tapie explique qu'il est victime d'un lynchage médiatique. S'il brise les caméras, tente d'écraser avec sa voiture un journaliste, c'est parce qu'il ne supporte plus le harcèlement quotidien des photographes et des reporters.

Il y a quelques mois encore, j'aurais ri et appelé à la curée. Son style de voyou, très étudié, m'a toujours irrité. Je sais qu'il manipule sans scrupules les journalistes qu'il tient pour valetaille négligeable et achetable. Et pour ceux qui ne se laissent pas séduire, je sais qu'il brandit en permanence la menace du procès.

Tapie, c'est l'ennemi idéal. Trop idéal, peut-être. Une sorte de diable que le système médiatique aurait sécrété pour ne jamais oublier sa propre fragilité.

C'est pour cela que cette curée me paraît vaine et odieuse. Au risque de sembler naïf, je préférerais que l'on garde à Tapie son statut de guignol.

Lundi 9 août

Rentrant de vacances, je trouve un petit mot acerbe d'un lecteur qui réagit à mon témoignage sur l'affaire Pechiney, publié par *Télérama*. « Vous vous donnez facilement bonne conscience en évoquant l'injustice commise contre un journaliste. Que faites-vous de celles que vous commettez ? J'ai été malmené par *La Truffe* où vous assumiez la responsabilité de la rédaction. Injustement, puisque j'ai gagné mon procès en diffamation. J'attends toujours votre *mea culpa*. A quand un *Bas les masques* sur les journalistes ? »

J'ai jeté la petite carte au fond d'un tiroir. Le reste de la journée, j'ai été d'une humeur exécrable. Pourquoi n'ai-je pas déchiré la lettre et oublié l'affaire ? Je me souviens à peine de l'article et je n'ai pas gardé de contacts avec le journaliste qui l'avait rédigé. Aucun moyen de vérifier les affirmations tardives de mon interlocuteur. Mais il me suffit d'imaginer qu'il s'agit d'une des ces enquêtes trop vite bouclées, fréquentes hélas dans *La Truffe*, pour me sentir désagréablement coupable.

Mes fonds de tiroir conservent ainsi quelques dizaines de fautes en souffrance. Erreurs que je n'ai ni le courage ou le pouvoir de réparer ni la possibilité d'effacer et qui se réveillent parfois comme de vieilles blessures. Et ce genre de douleur ne rend pas meilleur !

Sans doute eût-il été préférable de reconnaître immédiatement l'erreur si l'exercice n'était si difficile dans la confrérie des journalistes. La plus commune des fautes d'orthographe sur un nom propre donne naissance à des rectificatifs alambiqués où l'erreur tout humaine devient « incident technique », « erreur de transmission » ou « défaut d'impression ». Le droit de réponse, chichement accordé et étroitement mesuré, ne s'entend qu'accompagné d'un « six crochets » vengeur, petit appendice en corps 6 mais en caractères gras où le rédacteur « corrigé » reprend la parole pour tenter de se disculper. Quant aux dérapages d'analyse, aux mirages d'un soir ou aux aveuglements historiques qui nous ont valu tant de reportages sur les beautés de la révolution culturelle chinoise ou les bébés koweïtiens éventrés par l'armée de Saddam Hussein, ils ne connaissent jamais l'opprobre du démenti et réussissent à se faire doucement oublier. Qui se souvient que le plus respectable des quotidiens français a salué l'explosion atomique d'Hiroshima par le sobre titre : « Une révolution scientifique » ?

Toutes les rédactions vivent sur une loi non écrite qui condamne fermement l'aveu et prétend qu'une fausse information maintenue et réitérée a toutes les chances de devenir au moins une demi-vérité. Comme si la persistance dans l'erreur garantissait la fidélité du lecteur ou du téléspectateur. Patrick Poivre d'Arvor ne saurait avouer que l'interview en trompe l'œil de Fidel Castro était une stupide maladresse et TF 1 renchérit sur les explications embarrassées de son présentateur-vedette au nom de l'honneur de la chaîne.

Ce dogme de l'infaillibilité journalistique est d'autant plus aberrant que l'information est de toute évidence un métier à hauts risques. Comment atteindre à coup sûr la vérité, lorsque ceux qui détiennent l'information sont les premiers à vouloir la dissimuler ou la remodeler dans le sens de leurs intérêts, et qu'ils ont pour y parvenir des moyens financiers et humains bien plus importants que ceux dont disposent les médias ? L'information est devenue un combat dont l'issue quotidienne est incertaine mais surtout jamais définitive : la vérité du lendemain vient toujours amender celle de la veille.

A ce principe d'incertitude s'ajoutent les dérapages dus à la vitesse, à la copie, à la cassette qu'on rend sans avoir bien vérifié ni bien pesé chaque mot parce que l'heure de bouclage arrive et que le journal concurrent risque de sortir lui aussi l'information. Sans oublier enfin toutes les erreurs de traitement : les dix lignes ou les dix secondes coupées au montage et qui gomment ainsi une nuance importante ; le titre ou le commentaire rajouté par d'autres qui déforment le sens.

Or il n'y a rien de honteux dans toute cette imperfection. Rien que le lecteur ou le spectateur ne puisse comprendre. Et celui qui avoue ne sera pas pour autant suspecté de pratiquer l'autoflagellation. On m'objectera qu'un journal qui multiplierait régulièrement les rectificatifs risquerait de perdre rapidement tout crédit. Peut-être. Et seulement s'il se trouvait seul à le faire. A l'inverse, je suis certain que l'incapacité

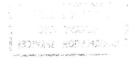

générale à reconnaître l'erreur et à la traiter comme telle est la première cause du discrédit des médias et des journalistes dans l'opinion publique.

Roger Louis, un formidable journaliste de l'ORTF, aujourd'hui disparu, me racontait un jour les déboires des grévistes de la télévision, partis en mai 68 faire le tour de France pour expliquer le sens de leur mouvement. Lors d'une de ces assemblées générales à Biarritz, les trois délégués de l'Intersyndicale expliquent pendant deux heures la dépendance des rédactions vis-à-vis du pouvoir politique, les pressions du ministre de l'Information auprès des rédacteurs en chef, les méfaits de la censure. Après l'exposé écouté dans un silence religieux, vient le moment de laisser s'exprimer la salle. La première main se lève et un gros accent du Sud-Ouest s'exclame : « Oh con ! Tout cela, c'est bien gentil mais je voudrais savoir pourquoi quand il fait 30 °C à Biarritz, vous, à Paris, vous annoncez 26 °C ? »

Le brave Biarrot avait raison. Il m'arrive, moi aussi, de pester contre le journaliste météo dont les explications sont en complète contradiction avec le temps que je constate au même moment. Je sais pourtant que son information dépend totalement des prévisions que lui a communiquées, avec toutes les réserves d'usage, Metéo-France et qu'il ne peut même pas, depuis son studio entièrement clos, jeter un coup d'œil dehors pour les rectifier. Mais cette incapacité à rectifier les prévisions erronées de la veille, incapacité répétée chaque jour, finit par passer pour une désinvolture totale. Et pour le public qui ignore tout de ses conditions de travail, le journaliste devient un désinformateur professionnel, poussé à trahir la réalité par des mobiles aussi incompréhensibles que suspects.

Je sais, par expérience, que les journalistes seraient tout à fait capables de reconnaître leurs erreurs. Rien n'est plus terrorisant, paralysant que d'être tenu à la perfection. Je crois même que cet aveu serait libérateur, qu'il nous permettrait de juger avec plus de sérénité des erreurs des autres, hommes politiques, capitaines d'industrie ou inculpés anonymes. Qu'il nous empêcherait de les clouer trop vite à un pilori que nous redoutons sans doute inconsciemment nous-mêmes.

67

Mais cette épreuve cathartique est aujourd'hui impossible dans le fonctionnement des rédactions. Le journaliste qui reconnaît s'être trompé se met en danger. Non vis-à-vis du public mais de sa propre hiérarchie. Les responsables d'un journal, d'une radio ou d'une télévision sont toujours persuadés que c'est le média qui paye, en perte d'image et d'audience, la faute du journaliste. Ils préfèrent donc cacher l'erreur aux lecteurs ou aux téléspectateurs et laver le linge sale en famille en sanctionnant éventuellement le journaliste.

En lançant *La Truffe*, j'ai tenté d'inverser ce redoutable théorème : affirmer d'emblée que le journalisme d'enquête comporte des risques, publier sans honte les droits de réponse et les rectifications des lecteurs et assurer les journalistes que leur erreurs ne seraient pas retenues contre eux. La dernière page du journal devait accueillir cette rubrique dont l'importance était soulignée par un aplat de couleur et qui devait remplacer l'éditorial dans un quotidien qui n'en avait pas.

Les résultats ne furent pas à la hauteur des postulats de départ. Ma première erreur fut d'espérer sacrifier au ton ironique du journal en appelant la rubrique : « Clameurs et lamentations ». Cela faussait d'emblée le dialogue avec les lecteurs. En intitulant la sienne « Pan sur le bec », *Le Canard enchaîné* a très bien compris qu'un journal satirique doit savoir se moquer de lui-même et non de ses lecteurs.

La seconde maladresse a consisté à demander à Michel Polac d'instruire les plaintes et de servir de médiateur entre les lecteurs et les journalistes sans que la hiérarchie du journal s'en mêle. A première vue, l'idée semblait remarquable. L'animateur de *Droit de réponse* jouissait d'une réputation d'indépendance suffisante aux yeux du public comme à ceux des journalistes pour incarner ce que nos confrères anglo-saxons et scandinaves appellent un *ombudsman*, une sorte de juge de paix réglant à l'amiable les litiges. Je l'imaginais très bien faire droit aux plaintes d'une personne injustement malmenée par une enquête sans blesser pour autant l'amour-propre de l'enquêteur de *La Truffe*.

Hélas, dès les numéros « zéro » du mois de septembre, Michel Polac, faute de traiter la demande de lecteurs encore inexistants, s'érigea en conscience morale de la rédaction, prodiguant conseils et critiques sur le contenu du journal. Je dois préciser à sa décharge que la tentation était d'autant plus forte que le contenu des premiers numéros laissait violemment à désirer. Mais, justifiées ou non, ces adjurations imprimées en dernière page de *La Truffe* cassaient toute la dynamique de l'*ombudsman*. Michel Polac quittait la position de médiateur pour se transformer en imprécateur ou en éditorialiste fantôme.

En désaccord sur le rôle difficile que nous entendions lui faire jouer (« Si on est dedans on ne voit plus rien, si on est dehors on ne sent plus rien », écrivait-il pour résumer son malaise), Michel Polac quitta très vite *La Truffe*. Il fut remplacé par une ancienne avocate qui répondit avec beaucoup de sérieux aux plaintes des lecteurs mais ne parvint pas à obtenir la reconnaissance de la rédaction. Il est vrai que *La Truffe*, en s'arrêtant après un mois et demi d'existence, ne lui en laissa pas le temps.

J'ai peur que l'échec de *La Truffe* n'ait dévalué cette reconnaissance du « droit à l'erreur » et l'idée d'un arbitrage entre les journalistes et les lecteurs. Surtout, je m'en veux d'avoir échoué au seul moment où j'avais le pouvoir de faire quelque chose. J'aimerais qu'il existe aujourd'hui sur les chaînes publiques un espace où je pourrais venir parler de mes doutes sur le pilote de l'Airbus, de mes angoisses sur les effets de certains *Bas les masques*.

Samedi 14 août

J'ai reçu de Catherine, ce matin, la lettre suivante : « J'ai beaucoup regretté votre absence ce midi lors d'une discussion impromptue sur la légitimité des journalistes, le problème de la cooptation et le droit à la parole en général.

« Drôle de conversation pour des vacances à Saint-Tropez, me direz-vous. Mais il faut comprendre que si l'assemblée estivale est composée d'amis, ce sont également des intellectuels au sens classique (et institutionnel hélas, vous le comprendrez par la suite) du terme.

« Nos discussions sont difficiles et souvent chacun se laisse aller au mauvais penchant qui guette tout théoricien, aussi modeste soit-il, à savoir que chacun, face à l'ennemi rhétorique, s'enferre dans sa propre thèse.

« Nous finissions par désigner le véritable ennemi. Est-ce celui, ami qui me ressemble tant, dont je suis si proche conceptuellement mais dont les fautes de jugement m'agacent parfois (parce qu'il n'est pas moi), ou suis-je mon propre ennemi intellectuel parce que je suis fier, orgueilleux et jaloux du système que l'autre élabore en direct sous mes yeux ?

« La réponse nous semblait évidente à tous jusqu'à l'arrivée ce midi de Joseph, philosophe d'université reconverti dans les classes de lycée. Joseph commença par affirmer : "Si j'étais nommé ministre..." Suivit un long silence "...je serais un excellent ministre". On aurait pu sourire devant cette mégalomanie vulgaire mais il se lança sérieusement dans une logorrhée sur la légitimité du droit de parole. Qui était autorisé à parler ? A dire quoi ? Et par qui ?

« Il était violemment scandalisé par le fait que les journalistes aient une tribune où s'exprimer sur les sujets les plus divers. L'aspirant ministre revendiquait une presse où les spécialistes seraient seuls messagers d'une information détenue par eux-mêmes. Autant dire que le rôle traditionnel du journaliste était déjà contesté. En réalité, ce professeur anonyme était démangé par la fièvre de la médiatisation. Il s'attaqua ensuite à l'iniquité de la cooptation. Être jugé par les siens, autorisé à parler par ceux qui parlent déjà, lui semblait insupportable. Il aurait préféré que la profession soit sanctionnée comme dans le modèle universitaire par un examen, les juges ayant, en leur temps, déjà été jugés.

« Il est parfaitement insupportable à un diplômé d'université d'enseigner à huis clos à un effectif d'élèves dérisoire. De son estrade, déjà rabotée de quelques centimètres depuis 1968, il mesure des yeux l'étendue limitée de sa pensée. On lui avait promis en échange de ses efforts laborieux un prestige qu'il n'a plus. Alors que la qualité de sa parole a été reconnue en haut lieu, il dispose d'une tribune minuscule pour s'adresser à un public très privé qui, souvent, se passerait bien de son existence. Avec la fièvre du ressentiment nietzschéen à l'égard des journalistes qui professent à sa place, moralisent comme l'instituteur d'autrefois, théorisent comme le chercheur, évangélisent les masses comme le curé de campagne, la prise de conscience de son aura si confidentielle lui fait développer la théorie de l'illégitimité.

« Je lui ai suggéré que l'idée d'autorisation officielle de parole était l'un des fondements essentiels du totalitarisme. Il a répondu qu'effectivement, c'était peut-être mieux comme ça, mais du point de vue de son ego non moins intolérable.

« Échapper à l'institution garantit éternellement le journaliste d'échapper au phénomène de momification qui, certes, conserve la parole, mais l'empêche d'évoluer. Momification qui est le fléau de l'université française.

« On a atteint des sommets dans l'autodestruction lorsque des journalistes du *Monde* se sont autorisés à reprocher à certains – dont mon ami Thierry Séchan – de s'être adressés à des journalistes d'extrême-droite. Les propos tenus n'avaient rien de choquant mais le vecteur de parole utilisé a suffi en premier lieu à provoquer l'amalgame dans certains esprits, en second lieu a permis de désigner l'illégitimité des journalistes de ce type, ce qui de la part d'autres journalistes est assez étonnant. Dire : "Il faut s'adresser à nous et pas à d'autres", c'est infléchir le libre arbitre en l'assortissant de l'idée de devoir moral, se revêtir d'un droit qui ressemble à du pédantisme.

« Le sentiment de certains journalistes d'appartenir à une élite les apparente à ces universitaires qui mesurent leur légitimité à l'ampleur de leur diplôme.

« Pour en revenir à Joseph, la conversation est assez révélatrice d'un malaise universitaire croissant. Sa théorie antijournalistique prenait pour prétexte l'absence de savoir et de sanction de ce savoir. Malheureusement, il ne savait pas que j'avais suivi un parcours universitaire classique avant d'opter en connaissance de cause pour le journalisme. J'ai su, suite à cette conversation, que lui rêvait impuissamment à la réalisation d'œuvres audiovisuelles. Il était convaincu de vivre du côté de la vérité mais rêvait d'accession à ce qu'il décrivait comme le monde du mensonge, de l'inculture et de la parade. Étrange. »

Je reproduis, ici, la quasi-totalité de cette lettre, car les personnages qui s'y expriment ressemblent étrangement à mes voix intérieures et à leur affrontement tout au long de mes vingt dernières années. Il ne serait pas surprenant, comme le suggère Catherine au sujet de mes confrères du *Monde*, que ce débat intime soit aussi celui de beaucoup de journalistes.

Lundi 16 août

« Vous les journalistes, vous prenez tout et vous ne donnez rien ! » Il a trente ans et, visiblement, pas un rond. Ancien cuistot reconverti en stripteaser pour des numéros de « gogoboy » le soir dans les discothèques. Il est saturé de sexe, perdu, coincé, sans doute au bord de la dépression. La journaliste de *Bas les masques* avait pensé à lui pour un plateau sur la chasteté. Il est venu en stop depuis sa Moselle pour économiser l'argent du billet que nous lui avons promis. Flatté mais aussi gêné qu'on en veuille cette fois à sa tête plutôt qu'à son corps, il tente maintenant de négocier un cachet.

Il a raison : mis à plat, l'échange est inégal. De sa misère, je vais faire une part de marché vendue aux lessiviers ou aux multinationales de l'alimentaire. Quelques centaines de milliers de francs dans les caisses de la chaîne et, pour le streapteaser qui retourne dans sa Moselle, l'impression d'avoir été floué.

Il me faut lutter contre cette équation cynique, dire que je ne veux rien de lui qu'il ne consente d'abord à donner, expliquer que son témoignage doit nous aider à casser des préjugés, à changer le regard du téléspectateur, à faire comprendre la complexité, la dureté de notre société, à aider d'autres gens. Je sais que tout cela est vrai. Je l'ai senti, entendu, lorsque *Bas les masques* a traité des nains, des transsexuels, de l'adoption, des prêtres ou de la pornographie. Mais rien ne prouve que, cette fois encore, le miracle se reproduira, qu'une délicate alchimie transformera toutes ces émotions en un peu de sens.

Que puis-je lui donner de plus ? D'autres émissions paient leurs témoins pour s'épargner ce genre de débats. Je préfère garder mes questions sans réponses.

Vendredi 20 août

« Vous prenez tout... » La complainte du stripteaser ne me laisse pas en paix. Elle m'évoque un autre refrain entendu lors de l'étude sur *Bas les masques*. Même chez les spectateurs les plus assidus de l'émission, ceux qui louent la pudeur et le respect avec lesquels Mireille Dumas pose ses questions, il y avait fugitivement l'angoisse d'être les complices d'une sorte d'agression. En parlant des plans serrés sur les visages des témoins, certains même évoquaient un « oiseau de proie se précipitant sur ses victimes ».

Surtout, il y a ces questions qui revenaient dans toutes les discussions de groupe de l'étude : « Quels bénéfices réels retirent les témoins de leur passage dans l'émission ? Comment vivent-ils après cette mise à nu publique ? Utilisent-ils l'aventure à leur avantage ou est-ce, au contraire, la télévision qui se sert d'eux ? »

Je prends conscience que cette hantise d'un échange inégal me tenaille inconsciemment depuis plusieurs jours. Depuis que je prépare une émission sur le sida. La quasi-totalité des témoins qui viendront sur le plateau sont séropositifs et sans doute condamnés à court terme. Je ne comprends pas ce que la télévision peut apporter quand la mort est le seul horizon. Je ne sais pas ce que je peux donner en échange. Le déséquilibre de la relation est à son comble.

Je cherche par tous les moyens à échapper à cette émission.

Dimanche 22 août

Dîner avec Nathalie, une jeune journaliste spécialisée dans les problèmes d'environnement. Je l'avais engagée à *La Truffe* quand elle n'avait qu'un an de métier, impressionné par sa rigueur, son exigence, les scrupules qui entouraient la moindre de ses affirmations. Depuis le naufrage, elle surnage plutôt bien sur le marché difficile de la pige.

Elle vient de parcourir le monde en quatre mois pour trouver et interwiever les vingt personnalités qui incarnent aujourd'hui la protection de la nature au niveau international. Un superbe dossier qu'elle a entièrement conçu et organisé. L'agence qui lui a commandé ce travail la paie royalement 30 000 francs.

J'ai appris le même jour que le photographe qui vient de fixer pour la première fois sur pellicule les seins nus de Claudia Schiffer avait touché 800 000 francs pour son cliché.

Mardi 24 août

Opération « Stylos propres en Italie » : une liste de journalistes circulent dans les rédactions. Elle comprendrait le nom de tous ceux qui ont touché de l'argent pour se montrer complaisants avec les grandes entreprises du pays. L'information ressemble trop à une rumeur pour ne pas être une contre-attaque des responsables politiques ou hommes d'affaires noyés sous les scandales.

A moins que, dans l'atmosphère de fin de règne que connaît l'Italie, cette nouvelle grande peur ne soit née de l'inconscient collectif des journalistes. L'argent est l'un de nos talons d'Achille. Nous gagnons assez bien notre vie, mais insuffisamment pour résister aux tentations que nous font courir la fréquentation quotidienne des grands de ce monde ou, plus trivialement, des publicitaires. Toutes les rédactions regorgent d'anecdotes sur les chroniqueurs automobiles qui ne payent jamais leur voiture, les journalistes financiers qui profitent en bourse de tuyaux d'initiés, les reporters politiques qu'un ministre récompense gentiment en offrant un collier à leur femme. Il suffit de traverser un journal quelques jours avant Noël pour voir s'accumuler sur les bureaux des chefs de rubrique ou rédacteurs en chef, caisses de vins fins, téléviseurs, bracelets-montres et autres cadeaux d'affaires des annonceurs reconnaissants.

Gérard, qui est directeur financier d'un petit groupe de presse, m'a toujours affirmé que les journalistes étaient mal à l'aise avec l'argent, ne savaient guère négocier leur salaire ou leurs piges et faisaient ainsi la fortune des patrons de presse. A la lumière de mon comportement personnel, je suis assez tenté de le croire. J'ai toujours eu du mal à évaluer la valeur de mon travail, à affirmer qu'une enquête sur la politique culturelle des grandes villes valait plus ou moins qu'un article sur le malaise des femmes cadres ou que quinze jours de compte rendu quotidien du Festival de Cannes.

Non que je sois incapable de calculer mon temps d'enquête, de documentation et de rédaction. Mais tout se passe comme si ce décompte objectif était peu à peu perturbé par des éléments étrangers venus du sujet traité. Les primes et les stocks options des cadres, la valse des subventions municipales, les dizaines de millions dépensés dans la production d'un navet ou dans une réception sur la Croisette finissent par brouiller mon échelle de valeurs et mon rapport à l'argent.

Je me souviens, lors de mes premières années au *Monde*, être rentré le soir tard dans mon deux-pièces après avoir passé la journée dans les salons du ministère de la Culture, rue de Valois, interrogé Robert Maxwell dans sa suite au Ritz ou le président de la Caisse des dépôts dans son somptueux bureau d'angle donnant sur les quais de la Seine. Revenu dans mon décor lugubre que je n'avais pu aménager faute de temps et d'argent, j'éprouvais alors une violente jalousie à l'égard de l'univers que je venais de quitter, sentiment dont j'avais ensuite le plus grand mal à me débarrasser avant d'entamer mon article.

Cette contagion absurde ne peut en aucun cas servir de base pour justifier un salaire, et cette impossibilité explique pourquoi je m'en remets, comme tous mes camarades, au système forfaitaire qui fixe uniformément le prix du feuillet rédigé, de la minute de reportage ou de l'émission préparée, quel que soit le contenu. Système qui laisse évidemment intactes toutes les frustrations subjectives. Il me semble que ce ressentiment donne au journaliste l'impression qu'il est toujours mal payé, qu'il a le droit de se venger sur les notes de frais, sur l'animation de quelques colloques, déjeuners-débats et autres « ménages » où il vend au prix fort sa seule présence. Et qu'il peut recevoir sans déchoir quelques « petits cadeaux », réparation symbolique pour un manque à gagner fantasmé.

Jeudi 26 août

La page « Rebonds » de *Libération* m'agresse de bon matin. Un brillant sociologue part une fois de plus à l'assaut des *reality shows*, catégorie fourre-tout dans laquelle il range *Bas les masques* aux côtés de *Perdu de vue*. Il faut croire que le *reality show* est devenu le symptôme le plus prisé de la dégénérescence sociale.

« Il est temps d'amorcer une réflexion politique sur ce style télévisuel au lieu de se contenter des habituels sermons sur la rouerie des producteurs, l'obscénité de ces émissions et l'imbécillité du public », écrit l'illustre universitaire. Beau début qui soulève en moi quelques espoirs. Hélas, dès le paragraphe suivant, la profession de foi méthodologique est oubliée et la « réflexion politique » vire une fois de plus au procès sommaire que les intellectuels ne cessent de faire à la télévision (« l'expression caricaturale de la communication contemporaine »).

M. Alain Ehrenberg s'indigne que la télévision puisse répondre à la demande des gens « d'exposer publiquement leur vie privée ». Acte obscène de la part des individus qui se trouvent ainsi propulsés sous les projecteurs, puisque leur demande « ne sait pas s'exprimer et ne s'adresse à personne ». Acte indigne de la part des médiateurs comparés « au journaliste qui passe la parole au public pour poser des questions à l'homme politique au lieu de faire son travail critique (voir PPDA ou Guillaume Durand), comme la politique sécuritaire qui colle aux peurs de l'opinion au lieu de les mettre en forme ».

Ainsi la télévision permet-elle à M. Ehrenberg de découvrir enfin que la parole privée a envahi l'espace public. Imaginait-il vraiment que ce dernier allait rester vide et pleurer sans relâche la disparition des discours institués, représentatifs ou politiques en crise flagrante depuis dix ans ? Là où notre universitaire voit scandale et décadence, le téléspectateur – au moins celui de *Bas les masques* – se retrouve et se reconnaît. A tort ou à raison, il apprécie que des anonymes, comme lui, parlent devant les caméras de leurs problèmes et de leur vie. Il y perçoit même la marque d'un certain courage, voire d'une espèce de nouveau civisme, là même où M. Ehrenberg stigmatise exhibitionnisme et identification abusive.

Ce qui est affligeant, ce n'est pas l'expression publique de la parole privée mais l'image que se font les intellectuels du téléspectateur, individu démuni, exclu de la maîtrise des codes, aux prises avec toutes les difficultés de l'existence et livré sans défense aux manipulations du petit écran. Les centaines de personnes que j'ai écoutées pendant des heures d'études qualitatives ne ressemblaient guère à cette caricature. Elles étaient parfaitement capables d'expliquer pourquoi elles refusaient la langue de bois des politiques, pourquoi les discours fermés des experts et des spécialistes, et même des journalistes, ne répondaient plus à leurs préoccupations, pourquoi elles préféraient piocher, au gré des rencontres, dans des expériences individuelles, d'autres solutions. Elles se montraient aussi parfaitement capables de distinguer ce que leur proposent *Mea Culpa*, *L'Amour en danger* ou *Bas les masques*.

Contrairement à ce que présupposent M. Ehrenberg et nombre de ses collègues, la télévision n'a pas fabriqué cette revanche de la parole privée sur les discours traditionnels de la représentation. Elle a simplement été plus sensible, plus ouverte que d'autres médias (la radio l'avait été avant elle) et que la quasi-totalité des sociologues à cette profonde transformation de notre société. C'est d'ailleurs ce que M. Ehrenberg ne lui pardonne pas quand il reproche aux journalistes de donner la parole au public « au lieu de faire leur travail critique ».

Nous voilà sommés de tenir notre place, de garder le micro, de n'interroger que des personnes dûment habilitées à parler, par leur diplômes ou leur statut représentatif. J'apprécie ce rappel à l'ordre parce qu'il trahit toute une conception des journalistes. Nous sommes des chiens de garde, censés veiller aux frontières de la communication pour empêcher tout intrus de violer cet espace public. Ou plutôt prétendument public puisque notre rôle est justement de tenir le public à l'écart.

Que nous trahissions cet impératif catégorique et nous voilà soupçonnés de coller aux demandes les plus réactionnelles – donc réactionnaires – de l'opinion, de glisser de la facilité à la démagogie, au populisme, voire au fascisme comme le sous-entend le petit couplet sur la « politique sécuritaire ». Comme si le domaine des sentiments, des émotions, des prises de conscience individuelles qui se donnent à entendre sur les plateaux de télévision étaient automatiquement celui de l'irrationnel, de l'asocial, du démoniaque.

Le procès me blesse. Je ne peux répondre pour les *reality shows*. Mais je sais que les invités de *Bas les masques* ont tous été choisis pour le travail – analytique ou autre – qu'ils ont effectué sur leurs sentiments, leurs expériences et leur capacité d'en parler simplement au plus grand nombre. A ce titre, il me semble qu'ils méritent plus de respect qu'un sociologue qui affirme sans avoir enquêté.

Vendredi 27 août

Pourquoi ai-je passé tant de temps, hier, à me justifier des accusations portées par l'article de *Libération* ? Pourquoi le journaliste que je suis devenu se sent-il remis en question par l'intellectuel que j'ai été ?

Les affirmations sommaires de cet article ont du réveiller en moi une vieille culpabilité inconsciente : celle qu'on inculque aux enfants surpris dans la satisfaction de « malsaines » curiosités. Je ne travaille plus sur des affaires d'État, des débats parlementaires ou des découvertes technologiques mais sur des histoires d'incestes, de conflits d'adolescence, des secrets de famille. Je nage dans la haine, l'amour, la colère ou le désespoir, bien loin des concepts polis et des « préoccupations d'intérêt général ».

On dit « fouille-merde ».

Mercredi 1er septembre

Le mercredi, c'est le jour de l'Audimat. Les audiences de l'émission, diffusée la veille à 22 h 30, tombent sur mon fax vers 10 heures. Quelques instants plus tard, elles sont affichées dans le couloir. Et je vois alors les visages s'épanouir ou virer à l'aigre. Chacun sait que, dans leur brutalité même, ces chiffres sont une absurdité. Ils mesurent à peine une moyenne de présence devant des postes de télévision. Ou encore photographient fugitivement un moment de concurrence entre six chaînes de télévision. Autant de données qui peuvent rassurer l'agence ou l'annonceur qui a acheté, avant ou après *Bas les masques,* un écran publicitaire, mais qui n'apprennent pas grand-chose sur la manière dont a été vécue l'émission. Pour juger notre travail, il faudrait attendre les courbes détaillées qui, plusieurs jours après, restituent l'évolution de l'audience minute par minute en analysant les réactions des différentes catégories de spectateurs. Il faudrait attendre aussi les coups de téléphone, le courrier.

Après la diffusion du numéro de *Bas les masques* consacré au gens de petite taille, j'ai reçu une lettre de téléspectateur dont je cite ce court extrait : « A la suite de votre émission, j'ai vu des nains partout. Comme si toutes ces personnes osaient enfin affronter le regard des autres en sortant dans la rue. Comme si mon regard, transformé lui aussi, ne les gênait plus. Cela n'a duré que quelques jours. Le temps d'un petit miracle. »

Une lettre comme celle-ci vaut tous les audimats.

Jeudi 2 septembre

Mireille Dumas revient, effarée, d'une réunion critique avec les responsables de France 2 sur la dernière émission de *Bas les masques.* « Les témoins n'étaient pas assez sympathiques », ont décrété les grands chefs de la chaîne. « La première femme était trop maternelle, elle a fait fuir le public des hommes. » « Faudra faire attention à mieux choisir vos témoins », a conclu le plus gradé.

L'émission a fait un score d'audience légèrement inférieur à la moyenne de l'an dernier. Elle était consacrée aux parents de criminels. Seules quatre personnes sur une cinquantaine de contacts ont accepté de venir. La première avait vu sa fille découper en morceaux sa meilleure amie. Le fils de la deuxième avait tué un homme « pour voir ce que ça faisait ». La troisième attendait la sortie de son fils condamné pour viol collectif. La dernière venait de voir son frère arrêté et mis en examen pour une vingtaine de meurtres.

Tous venaient dire devant les caméras la stupeur, l'incrédulité, les questions sans réponses, l'angoisse du procès, la souffrance d'être considérés comme les « parents du monstre » mais aussi l'amour plus fort que la honte et la culpabilité. Pourtant ils n'étaient pas assez « sympathiques ». L'idéal serait sans doute d'écrire les textes des témoignages et de les faire réciter par des comédiens plus avenants.

Au cours de la même réunion, les mêmes responsables ont beaucoup insisté pour que *Bas les masques* change le titre de sa prochaine émission, « Je n'ai pas de relations sexuelles », jugé beaucoup trop provocateur.

Même sur cette chaîne publique, la pression de l'audience, l'angoisse de l'image, la peur du pouvoir politique font parfois perdre le sens du réel.

Samedi 11 septembre

« Le procès fait à *Bas les masques* », titre en couverture *Le Monde* du week-end. En dessous s'étale, plein cadre, la photo du procureur : un cinéaste du nom de Jean-Louis Comolli. Lequel reproche pêle-mêle à Mireille Dumas de soumettre ses invités à une forme d'inquisition, de trop parler de sexe sans jamais l'avouer et de faire de la télévision de plateau au lieu du cinéma de papa.

C'est sans grand intérêt tant le verbiage politico-analytique obscurcit le propos et tant est évidente l'envie qui inspire le pourfendeur de *Bas les masques*. Mais France 2 est en émoi et Mireille Dumas très affectée. Sans doute parce que l'attaque vient de membres de l'Association des documentaristes, identité qu'elle n'a cessé de revendiquer.

Plus que le fond du procès, c'est la forme qui m'impressionne. Ladite association a commandé à deux experts – un cinéaste et un psychiatre – une analyse critique de *Bas les masques* pour un festival d'été du documentaire en Ardèche. Les deux procureurs font le procès commandé sans se donner la peine de venir l'instruire sur le terrain. La séance est publique mais Mireille Dumas et son équipe ne sont ni conviés ni avertis du débat.

Alléché par l'aubaine, *Le Monde* se fait l'écho de l'événement dans son édition du 5 septembre et prévient qu'il reviendra sur le « procès » la semaine suivante. Le 8 septembre, un coup de téléphone d'une journaliste du *Monde* avertit Mireille Dumas que le réquisitoire est « très dur » et qu'elle doit préparer une réponse. Le 9, un nouveau coup de téléphone signale que *Libération* s'apprête à publier un second texte de Jean-Louis Comolli tout aussi ravageur.

Personne n'a encore vu le fameux texte. L'Association des documentaristes refuse de communiquer les enregistrements faits au festival au nom de la « liberté de parole » des pourfendeurs de Dumas. L'AFP, Europe 1, France-Inter et *France-Soir* demandent déjà les réactions de Mireille. A France 2, la rumeur s'affole et évoque déjà une manipulation de certains députés RPR contre Hervé Bourges ! Dans les rédactions, d'autres belles âmes soutiennent qu'il s'agit d'une attaque indirecte du *Monde* contre moi.

La pression est tellement forte que le temps d'un après-midi, je perds pied à mon tour, imaginant que toute cette fureur procède d'un réel complot. Après vingt-quatre heures de réflexion j'appelle Alain Rollat qui m'a succédé au poste que j'occupais il y a deux ans au *Monde*. J'ai une entière confiance dans son honnêteté intellectuelle et sa générosité. Il m'explique que l'article de Comolli est, à ses yeux, l'amorce d'un débat d'idées et non un règlement de compte personnel. Il promet à Mireille Dumas une réponse avec le même traitement. Il semble un peu gêné par la tournure que prend l'affaire. Je comprends qu'il n'approuve pas forcément le procédé mais couvre son équipe. Je n'aurais sans doute pas fait mieux à sa place.

J'ai vécu ainsi, à ma modeste échelle, dans la peau d'une victime d'une campagne de presse. Belle et rare leçon pour un journaliste. Je comprends ce que peut être cette panique devant une rumeur exponentielle et insaisissable, cette sensation d'impuissance à arrêter une machine absurde. Car toute réponse relance d'un tour le mécanisme infernal, tandis que le silence est immédiatement traduit comme un aveu de culpabilité. Les avis et les conseils pleuvent qu'on n'a pas sollicités. La pression qui s'exerce ainsi fait perdre tout recul, toute mesure. On a l'impression, sans cesse, qu'un monde s'écroule dans l'urgence. De cette épreuve, coupable ou innocent, on ne peut sortir indemne.

Lundi 20 septembre

Merci à Zazie d'avoir répondu à la question laissée pendante par le stripteaser. Merci à Zazie et aux trois autres personnes venues témoigner, ce soir, dans l'émission sur le sida.

Zazie s'est injecté elle-même le virus, un soir de désespoir, avec le sang d'un copain séropositif. Cet acte absurde, elle est venu l'expliquer devant d'autres personnes contaminées, elles, par le destin. Et, avec la mort dans ses veines, Zazie a parlé pendant une heure de vie, d'amour et de renaissance. Merci à Zazie de m'avoir rappelé qu'on ne peut jamais présumer de ce que l'on donne et de ce que l'on reçoit et que les échanges les plus improbables peuvent être parfois les plus nécessaires.

Si j'ai bien compris la leçon de Zazie, je dois aussi remercier, *a posteriori*, Françoise. Elle participait, juste avant l'été, à un plateau de *Bas les masques* sur la pornographie. Une émission que j'ai faite aussi à reculons et que Mireille Dumas a failli annuler la veille du tournage tant le thème lui paraissait soudain vulgaire et racoleur.

Je n'avais cessé de dire aux journalistes, pour conjurer mes propres angoisses, que je voulais une émission aussi décantée qu'un film de Rohmer, aussi tragique qu'un Bresson. Du cul sans doute, mais digne et un tantinet coupable. Les deux premières stars du X qui vinrent sur le plateau respiraient en effet le désespoir. Le couple qui suivait gardait, avec sa naïveté, toute son innocence. Vint enfin Françoise qui ne voulait rien abdiquer de son intelligence et de sa jouissance. Avec les mots les plus crus, elle a fait un hymne à la vie qui a tout emporté.

Merci à Françoise de m'avoir rappelé qu'un journaliste doit se laisser surprendre.

Mercredi 22 septembre

Dans le taxi qui me ramène de mon déjeuner, la radio interrompt son programme musical pour annoncer le verdict de l'affaire Pechiney. Verdict pour des lampistes puisque Pierre Bérégovoy et Patrice Pelat ne sont plus là pour répondre aux questions. Verdict de cohabitation puisque le gouvernement Balladur ne veut pas entrer en conflit avec l'Élysée. Verdict absurde puisqu'il n'y a plus que des initiés sans initiateurs, que le pouvoir politique reste hors champ.

A la demande du chauffeur de taxi, je tente de résumer l'histoire que tout le monde a oublié : le rachat des unités d'emballage d'American Can par Pechiney, la découverte de la spéculation sur les actions par les autorités boursières américaines, l'enquête en France de la COB, la divulgation des noms des spéculateurs, proches du ministre des Finances et du président de la République.

« Je ne comprends pas très bien pourquoi cela a fait un tel scandale », s'étonne la jeune journaliste qui m'accompagne.

© *Bruno Barbey (Magnum)*

Conférence de presse de M. Pompidou, 10 juillet 1969

Conférence de rédaction au *Monde* avec H. Beuve-Méry, 1961

Le Monde, conférence de rédaction, 19?

AFP-Agence France-Presse, Desk anglais, 1985

Rédaction du journal *Le Monde*, 1985

Le Monde, 1994

Libération, Jean-Marcel Bouguereau, journaliste, 198

AFP-Agence France-Presse, service des informations générale

Assemblée générale des Verts, Lille, 19

Manifestation pour l'école publique, Paris, 199

Couronnement du roi de Belgique, Albert II, Bruxelles, juillet 19

Manifestation étudiante, 1993

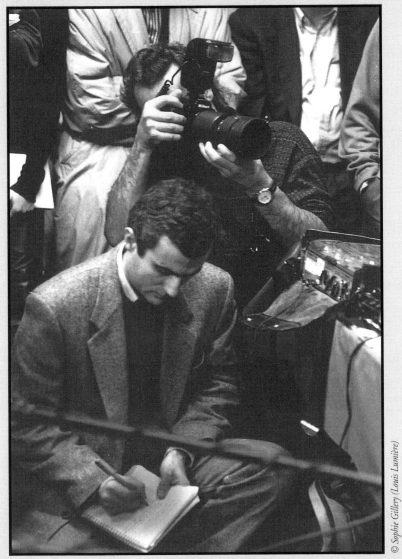

© Sophie Gillery (Louis Lumière)

Assemblée générale des Verts, Lille, 1993

© *Hélène David (Louis Lumière)*

France-Inter, salle de rédaction, 1993

France-Inter, le « 13-14 », 1993

Assemblée générale des Verts, Lille, 1

Les héritiers
de Théophraste

Michael Palmer, historien

*Je tiens à remercier ma femme, Marie-Claire,
mes étudiants et, bien sûr, les journalistes – « objets »
que j'observe depuis longtemps...*

1. Portrait du journaliste en médiateur

« Tuer le messager »

Le temps, l'espace, tout comme la tentative de prévoir – voire de créer –, de couvrir et de hiérarchiser l'actualité déterminent la vie du journaliste. Ses rapports avec les protagonistes de l'actualité d'une part, avec ses confrères, concurrents et patrons de l'autre, la commandent aussi. A son tour, le journaliste façonne sa transcription du monde par des mots et, de plus en plus, par l'image (fixe et animée, photo et vidéo) et par le son. Hermès-Mercure, ce dieu grec et romain devenu saint patron des journalistes, voyage à travers l'espace et dans l'urgence, grâce aux « techniques de pointe » dont il dispose – hier le cheval et le bateau, aujourd'hui l'ordinateur et le satellite de télécommunications. Orfèvre des mots, praticien de l'audiovisuel, il met en forme et communique publiquement, à la fois pour rendre compte et témoigner, pour livrer quelques « fragments de vie » et pour faire débat, saisir l'attention, faire rêver comme faire travailler – occuper, en somme – les esprits.

Dans les sociétés modernes, certes, conscientes qu'elles sont de la complexité et des incertitudes, on est revenu d'une vision par trop romantique et romancée du journaliste professionnel : de ce Rouletabille, esprit curieux qui furète partout, qui ouvre une « fenêtre sur le monde », permettant au lecteur, à l'auditeur, au téléspectateur de voyager à travers la planète sans quitter sa chambre. Transcripteur-traducteur-déchiffreur de la « comédie humaine » de Balzac, plutôt que de la « divine comédie » de Dante, le journaliste est davantage perçu aujourd'hui comme la face visible, le visage humain des « machines à communiquer », des entreprises de médias qui font partie des dispositifs de relations publiques généralisées irriguant la communication moderne. Agent de médiation, interface entre les sources d'information d'une part, le ou les publics de l'autre, le journaliste dit, montre, commente et joue le représentant-porte-parole de « monsieur tout le monde ». Lui-même court le danger de la médiatisation.

Collectivité de personnes souvent très individualistes d'esprit, les journalistes font écho au bruit du monde, essaient de lui donner sens. Mais ils véhiculent également les représentations qui sont données – parfois par eux-mêmes, plus souvent par d'autres – de leur propre métier. Depuis les Atrides – voire avant –, on tient le messager responsable de la nouvelle qu'il apporte. *Tuer le messager* : ce titre des mémoires de celui qui, ancien journaliste, était de 1979 à 1990 chef du service de presse du Premier ministre britannique, Margaret Thatcher [1], résume les fantasmes de bien des protagonistes de l'actualité et des divers publics destinataires des messages. La bonne nouvelle, ce fut l'Évangile ; le journaliste en annonce plus souvent de mauvaises. Il fascine souvent, est glorifié parfois. Certains deviennent même des personnages emblématiques.

En 1991, l'Amérique et le monde, branchés sur la chaîne CNN, purent voir en Pete Arnett, couvrant depuis Bagdad la guerre du Golfe, l'exemple même du professionnel endurci, expérimenté et contesté ; tout comme en France, le présentateur du « JT » (journal télévisé) Patrick Poivre d'Arvor (PPDA) devint un personnage emblématique, surfant – et parfois sombrant – au gré des vagues et des remous de l'actualité. La légitimité de cette notoriété est souvent contestée, tant aux États-Unis qu'en France : au lieu de se contenter du rôle de l'éclairagiste, voire du souffleur, la média-star se serait laissé séduire par les feux de la rampe.

---

1. B. Ingham, *Kill the Messenger*, Harper Collins, 1991.

Dans les régimes d'opinion, où la liberté de l'expression et le pluralisme des vecteurs de l'information ne sont pas que de pure forme, les journalistes insistent sur la recherche des faits, sur la publicité qu'il importe de leur donner. Les protagonistes de l'actualité, eux, incriminent les méthodes et le *timing*, le choix du moment, de l'exposition des faits sur la place publique. Ce débat contradictoire paraît vieux comme le monde : sans remonter de nouveau aux Atrides, les gazetiers et nouvellistes à la main, au XVIIᵉ siècle, ou bien la presse à grand tirage qui promouvait le sang à la une au XIXᵉ, se voyaient vilipendés tout comme le sont les médias et les journalistes d'aujourd'hui. Or, les critiques à propos des indiscrétions des journalistes, de leur précipitation et de leurs inexactitudes stigmatisent des méthodes de travail qui, certes, varient selon les époques mais reviennent *in fine* à tenir le messager responsable du message qu'il apporte. Son rôle est jugé nécessaire et les destinataires des messages, tout comme les protagonistes des faits rapportés, souhaitent le voir exercé de manière sobre et fiable ; tout écart serait à proscrire. Pourtant, même si ce rôle est rempli correctement, ou du moins honnêtement, on en veut au messager d'une « mauvaise nouvelle » : devant faire court, il ne fait pas « bien ». D'où ces débats récurrents sur l'objectivité (qu'on dit impossible mais qu'il importe, le pluralisme aidant, de rechercher) et sur la déontologie (où les journalistes redoutent que l'État intervienne au cas où la profession ne saurait « s'autodiscipliner »), sur fond de perte de confiance du public[2]. Il est des journalistes qui s'insurgent : s'opposant à la création d'un code de déontologie, Bruno Frappat, directeur de la rédaction du *Monde*, observe :

« Je ne sais pas ce qu'est la presse. (...) Il y a en France 27 000 journalistes professionnels et aucun ne travaille dans les mêmes conditions

---

2. D'après des sondages SOFRES, 48 % des Français estimaient que les journalistes n'étaient pas indépendants en février 1975 ; 62 % répondaient ainsi en décembre 1992. *Cf. Médiaspouvoirs*, n° 29, janvier-mars 1993, à partir du baromètre réalisé pour la SOFRES pour *Médiaspouvoirs*, *La Croix* et *Télérama*. *Cf.* aussi J.-M. Charon, *Cartes de presse*, Paris, Stock, 1993. D'après le baromètre réalisé fin 1993, 56 % des sondés estimaient que les journalistes n'étaient pas indépendants des pressions politiques et 58 % qu'ils ne l'étaient pas des pressions de l'argent.

que ses confrères. Qu'y a-t-il de commun entre un chroniqueur boursier qui exerce dans un quotidien économique et une star de la télévision, entre un photographe de *Voici* qui traque les vedettes devant les hôtels et un éditorialiste de la presse quotidienne ? (...) Leur seul point commun, à terme, ce sera peut-être d'avoir une carte de presse. (...) La déontologie c'est souvent une question de méthode de travail [3]. »

Il arrive que des journalistes invoquent d'autres facteurs. Ces méthodes de travail restent marquées, à bien des égards, par une double contrainte. Comment, d'abord, être tout à fait indépendant vis-à-vis de l'État, et de tous les pouvoirs, toutes les autorités qui sont à la fois la source et l'objet de l'information qu'il importe de rapporter ? Procéder au recoupement des sources, confronter les témoignages avant de rédiger son « papier » – la règle dite de *« two pairs of eyes »* – n'est parfois qu'un leurre en guise de réponse. Seconde contrainte : ne pas trop incriminer le ou les publics dont on se dispute les faveurs et le budget-temps ; logiques publicitaires, société de consommation (même en période de récession économique) et l'information promue en objet d'agrément, en divertissement (l'« *info-tainment* », disent les Américains), vont de pair. Le journaliste a toujours eu à savoir écrire pour son lecteur, à trouver les formes et le ton appropriés, selon l'audience recherchée : le même sujet peut être l'objet d'une information « stratégique » pour un responsable ou un « décideur », et d'un « papier magazine » destiné surtout à distraire, pour le commun des mortels – les aventures et mésaventures de Mickey Mouse à Euro-Disneyland en sont un exemple. Un ton badin pour les badauds, les *couch-potatoes* de téléspectateurs fatigués ou facilement distraits, suppose pourtant un important travail de la part des journalistes comme des publicitaires. Et on ne peut incriminer le « mauvais goût » ou l'« inculture » de son public.

---

3. Intervention lors d'un colloque sur l'indépendance et la crédibilité des journalistes, tenu à Nice. *Cf. Le Monde*, 22 juin 1993. Par ailleurs, Jacques Vistel, auteur d'un rapport sur la profession de journaliste, remis au gouvernement de Pierre Bérégovoy (1993), estima qu'il convenait de laisser de côté la presse écrite (« suffisamment variée et concurrentielle ») et d'envisager un code de déontologie pour la seule presse audiovisuelle, à cause de l'impact des journaux télévisés. *Cf. Qu'est-ce qu'un journaliste ?*, rapport de mission du secrétaire d'État à la Communication sur le cadre juridique de la profession de journaliste, SJTI, 1993.

Par ailleurs, ces discours occultent d'autres réalités de la profession : les journalistes sont souvent essentiellement des médiateurs, des vulgarisateurs des savoirs et des agissements d'autrui. Qui plus est, l'actualité a quelque chose de bâtard ; elle enfante dans la douleur et dans le désordre. Le journaliste, lui, veut y mettre de l'ordre, classer, hiérarchiser, agencer, relater, relativiser, analyser et même expliquer. Et ceci, dans un espace-temps minimal, où il ne maîtrise guère le contexte de la présentation, de la diffusion et de la réception de « sa » copie, de son papier ou de son interview. Or, certains journalistes en France, s'ils reconnaissent bel et bien ce rôle de médiateur, ne s'insurgent pas lorsque l'on minimise l'aspect bâtard de leur profession ; la plupart ont dû jouer les maîtres-Jacques, les tâcherons, passer par les « informations générales » (« infos-géné ») avant de pouvoir se spécialiser, devenir éditorialiste, reporter, correspondant à l'étranger, ou monter en grade (chef de service, rédacteur en chef, etc.). Depuis longtemps, le terme « journaliste » recouvre ainsi plusieurs fonctions, plusieurs statuts. On comprend que la perception de l'ensemble dépende de l'image renvoyée par les grandes « signatures », par les PPDA et les André Fontaine, les F.-O. Giesbert et les Anne Sinclair. Pourtant, les tâcherons des médias, exerçant un métier des plus honorables et fort exigeant, sont autrement plus nombreux que la « médiaklatura ». Celle-ci se réduirait à un cercle de quelque 150 membres, à peu près, quand les titulaires de la carte professionnelle en activité étaient en 1990 au nombre de 26 614[4]. Cette disproportion fait partie des contrastes du métier. Bien des jeunes journalistes – et la profession se rajeunit, comme elle se féminise[5] – se veulent multimédias, s'approprient les techniques modernes, mais gardent encore le respect de l'écrit : dans les écoles de journalisme comme dans les agences de presse où le journaliste débutant poursuit, le cas échéant, sa formation initiale, l'expression écrite reste le socle du métier. Or, l'écrit

---

4. Près de la moitié des journalistes en France travaillent pour la presse magazine (46,7 %) et plus d'un quart pour la presse quotidienne (28 %) : le journalisme – même dans les médias audiovisuels et dans les agences – est toujours centré sur l'écrit.

5. Plus d'un tiers des journalistes sont des femmes. 40 % des journalistes ont moins de 35 ans et 75 % moins de 45 ans. Les femmes représentent 34 % de l'ensemble de la profession mais près de la moitié des journalistes de moins de 35 ans. *Cf.* J.-M. Charon, *op. cit.*

confère encore un statut de clerc auquel le journaliste, « relais » ou « levier » de l'opinion, pour reprendre une terminologie du XIXe siècle, ajoute (ou voit ajouter) le statut d'intellectuel.

Mettre en forme, « y mettre bon ordre » – sur écran ordinateur comme sur support papier – ne peut que plaire aux esprits formés à diverses techniques d'écriture. En journalisme – en techniques d'écriture d'agence, surtout – on apprend comment dire l'essentiel avec le moins de mots ou de signes possible ; on étudie comment bâtir une dépêche comme une pyramide renversée, passant de l'essentiel aux développements et aux compléments selon des paragraphes distincts et agencés. En somme, on impose de l'ordre au chaos, on fait une photo là où tout est mouvement, même si rien ne semble transparaître, et on classifie, on trie, on hiérarchise.

A ceci, certes, s'ajoute une autre tradition, celle du journalisme de témoignage, de fragments de vie, de « choses vues » et de « documents humains », comme l'on disait avec Victor Hugo et Émile Zola au XIXe siècle. Le témoignage et le mouvement – circulation des personnes, des idées et des informations – ainsi que la multitude des situations exercées, des postes occupés – caractérisaient les journalistes d'antan autant que les prédications du journaliste en chaire et en « sacerdoce ».

Au vu de l'histoire, l'embourgeoisement de la profession, qui se serait accru au cours des Trente Glorieuses, paraît une tendance plutôt récente. La précarité et l'instabilité de l'emploi – au moins pour le plus grand nombre – l'ont caractérisée de tout temps. Hermès-Mercure est dieu de tout commerce, de toute circulation – des échanges, des transactions, mais aussi du vol. L'argent et les dispositifs modernes de relations publiques généralisées n'obèrent-ils pas les conditions de travail de ceux qui font « commerce de leur plume » ?

Les miroirs déformants du métier

Le journaliste professionnel vit de multiples tensions. A commencer par celles de sa carrière, révélant le plus souvent l'inadéquation entre ses rêves et ses projets d'une part, les stages et les conditions d'embauche – du contrat à durée déterminée aux conventions collectives – de l'autre. Qu'il fonde un journal lycéen (tel le jeune Robert Hersant, à Rouen, dans les années 1930) ou autre fanzine, ou qu'il s'associe au lancement d'un nouveau quotidien à prétentions nationales – tel *La Truffe* en 1991, ou *Le Jour* en 1993, *Infomatin* en 1994 –, le journaliste débutant sait que l'enthousiasme est de mise devant tant de journaux qui sombrent, tant de radios (associatives ou communautaires) qui disparaissent ou sont reprises par des réseaux ayant d'autres logiques, tant de rubriques ou d'émissions qui, pour des raisons diverses, ne parviennent pas à s'imposer. Le pigiste ou collaborateur occasionnel veut devenir correspondant attitré ; le journaliste titulaire souhaite monter en grade, changer peut-être de poste, de service ou de lieu d'affectation ; les chefs de service, les rédacteurs en chef et même les directeurs de la rédaction gèrent la copie et la carrière des autres, produisent eux-mêmes, et se demandent parfois si les foucades de leurs propres supérieurs et les bagarres avec les divers services (pour des budgets rédactionnels « corrects », pour pouvoir passer la copie aux dépens, souvent, de celle des autres...) valent finalement la peine : tant d'efforts déployés pour griller si possible la concurrence ou pour avoir un « angle » accrocheur se soldent par l'échec parfois, par un sentiment d'insatisfaction très souvent. Il y a, certes, toujours le numéro d'après (si tout va bien). Mais certains journalistes se demandent si le jeu en vaut la chandelle, si le stress des conditions de travail (patrons de choc et conflits syndicaux aidant...) et l'incertitude de l'emploi méritent « qu'on s'y colle » *ad vitam aeternam*. Il n'en demeure pas moins vrai que la rémunération du journaliste titulaire, sans atteindre les sommes rondelettes auxquelles peut aspirer la « médiaklatura », paraît plutôt confortable[6]. Et que le journalisme, quoi qu'il arrive, demeure une passion pour beaucoup.

---

6. En 1990, le salaire mensuel brut moyen du journaliste se situait entre 10 500 francs (dans les radios locales) et 19 200 francs (dans la presse quotidienne nationale). Il était de 15 200 francs dans les télévisions publiques et de 16 700 francs dans les télévisions privées. *Cf.* IFP, *Les Journalistes français en 1990, radiographie d'une profession*, Paris, La Documentation française-SJTI-CCIJP, 1991, p. 53 ; J.-M. Charon, *op. cit.*, p. 42-44. Salaire mensuel brut moyen en 1990 par type d'entreprise-échantillon : presse quotidienne nationale : 19 200 francs ; presse quotidienne régionale : 14 700 francs ; presse magazine information générale : 18 100 francs ;

Le rapport espace-temps façonne le comportement du journaliste – dans sa vie professionnelle, certes, mais aussi dans sa vie privée : les heures de travail sont extensibles, les déplacements nombreux. En 1990, 61 % des journalistes travaillaient en région parisienne. Le journaliste est créature de la ville, de l'urbain, de l'agglomération : même en reportage à l'étranger, les correspondants se retrouvent souvent dans les mêmes hôtels en centre-ville, disposant ainsi des réseaux modernes de télécommunication. En France, l'importance de la presse quotidienne régionale – dont *Ouest-France*, avec un tirage de plus de 700 000 exemplaires – atteste la vigueur du journalisme de proximité. Mais même le localier rayonne depuis le café du commerce, la mairie et la gendarmerie, et non pas, évidemment, depuis le hameau ou la ferme isolée. Villes et métropoles exercent un pouvoir d'attraction, constituent les centres vitaux qui regroupent à la fois possibilités de carrière et d'avancement, sources d'information et lieux tant de sa production que de son traitement et de sa mise en forme – dans les pays anglo-saxons, telle ville est tenue pour être un *news-centre*, à la différence de telle autre. Par ailleurs, la logistique des infrastructures de la communication (liaisons ferroviaires, satellitaires, etc.) s'organise depuis la ville. Le journaliste « monte » (ou rêve de monter, ce qui n'est pas la même chose) de la province à Paris ou, tout au moins, de Vaux-en-Beaujolais («Cloche-merle ») à Villefranche ou à Mâcon, voire à Lyon. En 1994 comme en 1894, il fait souvent ses premières armes en province avant de gagner une métropole régionale, sinon la capitale. Il en est ainsi pour de nombreux journalistes débutants : lors de leur formation dans des écoles comme le CPJ (Centre de formation des journalistes) de Paris ou l'ESJ (École supérieure de journalisme) de Lille, ils effectuent souvent, du reste, des stages dans un média en province. Outre-Manche, outre-Rhin et outre-Atlantique, leurs homologues font de même dans leur immense majorité.

presse spécialisée grand public : 16 100 francs ; radios nationales : 15 900 francs ; radios locales : 10 500 francs ; télévisions publiques : 15 200 francs ; télévisions privées : 16 700 francs ; agences généralistes : 16 779 francs. Source : *Les Journalistes français en 1990, op. cit.*, p. 53. Exemples de rémunération de piges (1991) : ligne : 5,90 francs ; écho : 69,06 francs ; dessin accepté : 382,65 francs. Sur la « médiaklatura », *cf.* Y. Roucaute, *Splendeurs et misères des journalistes*, Paris, Calmann-Lévy, 1991.

Ainsi commencent à apparaître des éléments qui modèlent l'univers – on n'oserait dire la « psychologie » – du journaliste. Curieux d'esprit et de tout (ou presque), il est souvent pris par la routine des pratiques professionnelles, elle-même imposée par l'impérieuse obligation de respecter le ou plutôt les calendriers. Il travaille sur plusieurs temporalités à la fois, facteur non négligeable du stress qu'il éprouve. Il prépare le papier, le sujet, pour le numéro du lendemain, l'émission du soir. Mais il a aussi en tête des remarques formulées lors d'une conférence de rédaction à propos du dernier numéro. Tout comme il sait qu'il mène ou prépare une enquête qui doit aboutir pour une diffusion déjà programmée, déjà inscrite au planning. D'autre part, calendrier et planning se déterminent pour lancer des sujets, pour couvrir une actualité prévue ou à prévoir, mais qui se modifie en permanence : le journaliste – la direction et l'encadrement de la rédaction, surtout – doit intégrer l'inattendu : l'actualité « brûlante » se déclarant, tel le feu, n'importe où et n'importe quand, les agences mondiales d'information, qui doivent avertir clients médias et non-média, qualifiaient autrefois certains correspondants de « sapeurs pompiers », de *fire-fighters*. Plus un média s'approche de la diffusion en temps réel – CNN, bien sûr, mais aussi le journal télévisé (JT) de TF 1 ou de France 2 –, plus la logistique de la gestion de l'« inattendu » est importante, et plus le journaliste risque de voir sa copie modifiée, sa diffusion retardée ; encore peut-il s'estimer heureux lorsque son reportage, son commentaire ou son papier-magazine ne passe pas à la trappe, tout simplement. Le journaliste est bel et bien pris dans la logique de la production sérielle et industrielle. Face cachée de l'iceberg, l'essentiel de sa production (feuillets, cassettes, pellicules et bandes-son) n'est pas diffusé et finit à la poubelle. Le travail en équipe permet parfois de passer outre, de calmer les frustrations. Par ailleurs, le journaliste apprend à traiter le même sujet pour plusieurs supports, de plusieurs manières, de le formater selon les desiderata du client, le public recherché, les moyens techniques disponibles. Commençant une enquête, le journaliste consulte des confrères et la production existante sur la question (d'où l'importance des archives et des centres de documentation). Il enquête, recoupe ses sources, rédige et livre son butin sous forme de produit correspondant à des normes. Sa forme finale et sa diffusion ne dépendent pas seulement – et parfois nullement – de lui. Il est souvent en train de travailler sur un autre sujet, avec un autre schéma temporel, lorsqu'il voit ou entend diffuser ce qui fut, un temps, « son » sujet. Cela dit, la publication de l'article, la diffusion du reportage fait monter l'adrénaline, est cause de bonheur pour les uns, d'inquiétude ou de frustration pour les autres. Le journaliste apprend, avec l'expérience, à gérer son investissement intellectuel et affectif dans chaque sujet. Le journaliste ne peut, comme dirait François Mitterrand, « laisser le temps au temps ». La logistique de la couverture suppose planning, conférence de rédaction et « menu » des sujets proposés ; « JT » et journaux quotidiens tiennent une ou deux conférences de rédaction par jour ; l'AFP annonce le matin le « menu » des sujets proposés à ses abonnés désirant « consommer » et boucler le soir. Maîtriser l'alchimie de la nouvelle suppose l'agencement de ses flux par des « éclusiers » *(gatekeepers)* ainsi qu'une orchestration et une mise en scène. L'événement a beau être attendu, le suspense créé a beau être perçu comme quelque peu factice, il n'empêche. Lors d'un JT d'Antenne 2 en 1988, Paul Amar obtint une réponse affirmative du président Mitterrand à la question de savoir s'il était candidat de nouveau. Pour ce faire, et afin de créer les conditions d'en donner à voir et à entendre, les journalistes avaient organisé, de concert avec les stratèges de communication présidentiels, la mise en scène de l'interview-déclaration. Mais en somme, orchestration en amont et décharge d'adrénaline par la suite se produisent tous les jours, partout, dès qu'il y a rencontre entre journalistes et personnes promues – qu'elles le veuillent ou non – protagonistes de l'actualité.

Le journaliste travaille donc sur plusieurs temporalités et il lui importe de pouvoir agencer, organiser son emploi du temps. Il lui faut, plus encore, ce sens du *timing*, sixième sens, presque, lui permettant d'« être sur le coup » quand il le faut, de « sortir une affaire » lorsque le contexte s'y prête. Hantise du journaliste : livrer les fruits d'une enquête qu'il tient pour importante, qui « va faire du bruit », pour constater qu'elle ne suscite aucun écho, aucune réaction, nul remous. L'information sera-t-elle reprise ? C'est cette inquiétude qu'éprouva Jean-François Lacan lorsqu'il signa son papier sur ce qui n'avait pas encore été médiatisé comme l'« affaire Pechiney ». Sous la présidence de Valéry Giscard d'Estaing (1974-1981), l'affaire Boulin ou celle des diamants de Bokassa ne prirent leur essor qu'à partir du moment où des informations parues dans *Le Canard enchaîné* furent « reprises » par d'autres médias. Les journalistes insistent sur l'importance de ce flair où le jugement, l'occasion et parfois le hasard se conjuguent.

Ce sens du *timing* marqua le travail du photographe Gilles Caron. Dans les milieux des agences d'images d'actualité, du photojournalisme, le fondateur de l'agence Gamma (1967) passe pour avoir réinventé la chasse aux images : il sut capter des instantanés de Mai 68 qui résument tout d'un trait – telle cette photo d'un CRS matraquant un manifestant en fuite sur fond de panneau rappelant la loi sur la liberté de la presse ; il disparut au Cambodge en 1970, laissant le souvenir d'un reporter toujours en place avant les autres. On associe également au nom d'Albert Londres (1884-1932) le talent de pouvoir dénicher une affaire, de faire du journalisme d'enquête (avant que le terme ne se banalise), qu'il sut conjuguer avec ce flair du moment approprié, du moment où il fallait convaincre la direction de sortir et divulguer le dossier ; lui aussi mourut en reportage, lors du naufrage du paquebot *Georges-Philippar*. Bien avant que n'apparaissent les médias diffusant en temps réel et en direct, ce sens de l'occasion à saisir signifiait donner l'illusion de voir sans intermédiaire, de ressentir le choc « comme si vous y étiez ». Cette formule, devenue aujourd'hui un cliché, résume bien pourtant l'impact qu'aurait eu le premier reportage de guerre rédigé par Albert Londres : « Ils ont bombardé Reims et nous avons vu cela », ainsi commence son papier dans *Le Matin*, le 20 septembre 1914.

S'il arrive au journaliste de courir plusieurs lièvres à la fois, de même a-t-il parfois plusieurs maîtres. Deux cas de figure se présentent. Soit le journaliste est salarié d'un groupe, qui lui-même édite plusieurs titres à périodicité différente. Affecté par exemple au service responsable de telle rubrique d'un quotidien, il participe par ailleurs à la réalisation de « numéros spéciaux », de « hors série », etc. Dans le groupe Hersant, l'AGPI servit un temps de « pool » de journalistes, travaillant pour divers titres de l'ensemble ; de même, plusieurs rédacteurs attachés à tel ou tel journal du groupe collaborèrent un temps à la rédaction des journaux télévisés de la Cinq, après que Robert Hersant en fut devenu l'opérateur principal en 1987. Les journalistes-agenciers, eux, seraient les plus à même de fournir des prestations pour tout un éventail de médias-abonnés : un correspondant AFP à Mogadiscio fait une séquence de trente secondes pour AFP Audio, que reprendra France 2, tout en rédigeant un papier que l'agence enverra à la presse quotidienne.

Ou bien, deuxième cas de figure, le journaliste se qualifie de journaliste indépendant : signature reconnue ou pigiste anonyme, il n'est pas attaché à un média ou à un groupe précis. Il se spécialise, souvent, et propose ses services à plusieurs médias. Le politologue Alain Duhamel assurait ainsi, en 1993, des collaborations radio à Europe 1 et des collaborations écrites à *Libération*, *Nice-Matin*... En France, on estime que le nombre de pigistes a sensiblement augmenté au cours des années 1980. D'après les seuls chiffres de la Commission de la carte attribuée au journaliste, leur proportion dans la profession est passée de 6,7 % à 12,07 % (sur des effectifs totaux qui progressaient de 16 619 en 1980 à 26 614 en 1990[7]). Comme le remarque Jean-Marie Charon, cette proportion est sous-estimée[8] : la Commission ne prend en compte comme pigistes que ceux qui gagnent au moins 2 000 francs par mois ou qui réalisent au moins 50 % de leurs revenus dans le journalisme. Les prestations multi- ou plurimédias se multiplient, tout comme des collaborations dont la rémunération ne transparaît pas dans les effectifs recensés par la Commission de la carte. Ainsi, des stagiaires assurent parfois des prestations qui revenaient auparavant aux journalistes titulaires ou aux pigistes « encartés ».

---

7. Enquête IFP/SJTI, *op. cit.*
8. J.-M. Charon, *op. cit.*, p. 34.

Les pratiques journalistiques, certes, ont toujours eu leur part d'ombre. La division et la répartition du travail de producteur intellectuel se calculent malaisément. En fin de compte, la multiplicité des fonctions, des rôles et – souvent – des collaborations des journalistes n'est qu'un élément de plus de ce sentiment de « flou » ou de brouillage, qui marque l'image de la profession. Ainsi, il existe un réel sentiment de précarité que nourrit l'augmentation du nombre des chômeurs (multiplié par quatre en dix ans) et des pigistes, ainsi que les difficultés des jeunes, pourtant de mieux en mieux formés (niveau « bac + 5 » souvent) pour trouver une embauche définitive. Mais d'autre part, une fois la carte obtenue, la possession de ce symbole de reconnaissance et de légitimité professionnelle [9] est la porte d'entrée d'une voie plutôt régulière et ascendante pour la plupart des journalistes. La presse quotidienne régionale (19,2 % des effectifs) offre la plus grande sécurité ; l'audiovisuel, lui, présente la plus grande instabilité (radios nationales et locales, télévisions publiques et privées totalisent 17 % des effectifs), et on n'y est pas forcément mieux payé. Les contrastes des situations ajoutent à la difficulté de définir les frontières de la profession. Près de 60 % des journalistes ne changent certes ni de filière, ni d'entreprise, ni de média, et peuvent prétendre, en conséquence, à une certaine stabilité.

Mais l'évolution du métier paraît, aux yeux de nombreux professionnels, susceptible de brouiller encore son image. La « surenchère des images », notamment, aboutirait à une sur-représentation de l'audiovisuel. Le croisement des applications de certaines technologies nouvelles (télématique, par exemple), avec le développement de la communication d'entreprise, trouble certains journalistes. Les voici héritiers d'une tradition où l'on brandit son indépendance à l'égard de l'entreprise comme à l'égard des pouvoirs politiques, mais dont l'image a été ternie par la multiplication des « affaires ». Comment pratiquer un métier où l'on parle

---

9. « Est journaliste celui qui exerce (...) le journalisme comme profession principale, régulière et rétribuée ». *Cf.* B. Voyenne, *Les Journalistes français*, Paris, CFPJ-Retz, 1985, p. 253. Pour obtenir la carte, le journaliste titulaire doit réaliser 90 % de ses revenus dans le journalisme (sauf exception) ; le pigiste 50 % (sauf exception). Renouvelée chaque année, la carte n'est valable que pour le millésime en cours (sauf exception – chômeurs, retraités).

éthique, déontologie, objectivité et pluralisme, et où l'on vous soupçonne de connivence et de complicité, voire d'intéressement ? Chaque erreur de jugement risque d'être perçue comme une défaillance professionnelle : l'arroseur arrosé fait rire ; le médiateur, lui, n'a pas droit à l'erreur.

Chaque année, journalistes et responsables des médias distinguent certains confrères ou productions journalistiques en distribuant des prix – prix Albert Londres en France, prix Pulitzer aux États-Unis. Chaque année également, des journalistes sont tués (61 en 1992!), torturés ou emprisonnés. On se rappelle, alors, en Occident, les dangers et difficultés multiples auxquels les gens de presse sont exposés. Il ressort des statistiques et des témoignages recueillis par des associations aussi différentes que Amnesty International, Reporters sans frontières ou aux États-Unis Freedom House, que les médias ne seraient « libres » que dans quelque vingt-cinq États d'une planète qui en compte plus de deux cents. Dans d'innombrables contrées du monde, des forces militaires, policières, ainsi que des censeurs et autres « fonctionnaires de la vérité » constituent encore des entraves à la liberté de l'information. Mais en Occident et dans les démocraties libérales, on insiste davantage sur les pressions de l'argent et des réseaux de connivence qui entraveraient l'activité professionnelle des journalistes. Les journalistes se plaignent par ailleurs d'être traités en moutons de Panurge par des autorités fabriquant des pseudo-événements. Caravane ou *media-circus*, ils étaient 8 000 à Rio de Janeiro en juin 1992, pour couvrir le « sommet de la Terre ».

Hermès-Mercure est le dieu des carrefours : le ou la journaliste vit les avantages et les inconvénients de cette situation. Curieux d'esprit, il est souvent pris par la routine des pratiques professionnelles, routine elle-même fixée pour scander les urgences, les temps forts d'un calendrier qu'impose l'agenda de l'actualité prévue ou à prévoir. Esprit individualiste, agissant et produisant souvent seul, il doit travailler en équipe, comme rouage d'une organisation, d'une « usine à nouvelles » débitant de quoi divertir et informer, à intervalles réguliers, avec ce que cela suppose de logistique de production, d'administration, de comptabilité et de financement. Mobile, parfois touche-à-tout, souvent de formation généraliste, il se trouve parfois cantonné, sinon dans un placard, du moins dans une rubrique, un service, un titre, qui lui convient peu ou dont il se lasse à terme. S'il est des chefs de service ou de grands éditorialistes heureux, tout comme il existe des espaces relativement autonomes, beaucoup de journalistes affichent une forme d'« attentisme provisoire ». Éternel insatisfait, bourlingueur dans l'âme, le journaliste a comme tout un chacun des charges de famille, des liens affectifs, un réseau de sociabilité ; le voilà au fil des années de tempérament plus rangé, casanier, esclave de ses habitudes. Il est à la recherche d'une sécurité qu'une profession à l'emploi souvent instable – reflet, peut-être, de cette mobilité qu'au départ pourtant il convoite – ne lui propose que partiellement.

Journalistes et éditeurs le répètent : McLuhan n'a pas tué Gutenberg ; l'audiovisuel et la « civilisation de l'image », la « vidéosphère », dont parle Régis Debray, n'auront pas gain de cause sur l'écrit. L'universitaire qui étudie le journalisme, qu'il pratique à l'occasion, n'ose en être si sûr. Aujourd'hui, les étudiants en communication paraissent peu portés sur la lecture d'ouvrages, et même sur celle de la presse, ce qui est un comble. Les discours de responsables de presse écrite vantant les synergies et la diversification technologique expliquent peut-être l'engouement de jeunes journalistes qui se veulent, en effet, « multimédias », maître ès techniques de communication, quel que soit le support de diffusion. Il n'en reste pas moins que les trois quarts des journalistes français travaillent encore aujourd'hui pour un support écrit. Et que la maîtrise des techniques d'écriture demeure le « b-a-ba » du métier. Il n'est pas sûr, en revanche, que la majorité des journalistes exerçant actuellement en France sachent grand-chose sur l'histoire de la profession – ou estiment qu'elle ait une quelconque pertinence pour le « journalisme de l'an 2000 ».

Peut-être ont-ils raison. Les débats actuels sur l'éthique et la déontologie renvoient à des combats anciens menés au nom de la liberté de la presse, et de l'indépendance du « quatrième pouvoir ». Ces combats ne se sont pas livrés en France seulement. Au contraire, Mercure butine, vole, s'envole, il est lui-même instrument de l'internationalisation, agent de circulation. En France, surtout depuis les années 1930, on se réfère à la presse américaine et – un peu moins – à la presse britannique : le *Paris-Soir* de Pierre Lazareff prit modèle sur le *Daily-Express* édité à Londres ; *L'Express*, dans les années 1960, fit référence aux *news-maga-zines* américains lancés, à l'instar du *Time*, dès les années 1920 ; plus près de nous, Christine Ockrent passera un temps comme le modèle d'un certain journalisme télévisuel à l'américaine. Qui dit « américain » signi-fie « bon professionnel », semble-t-il. Examinons tout cela de plus près.

2. Fondations

Information et protojournalisme en Europe

Quotidien de Venise, *Il Gazzettino* est plus que centenaire : il fut fondé en 1886. La première *gazetta* parut à Venise au début du XVIIe siècle. Le terme proviendrait de l'espèce numéraire, prix de son achat : Fernand Braudel relève la frappe de 15 000 *gazette* et *grossetti* en 1606. Ainsi, les nouvelles commerciales intéressant les banquiers et les mar-chands, au Rialto et dans les réseaux et comptoirs vénitiens qui en dépendaient, circulaient dans un support dont le nom provient lui-même de l'argent. « Que le temps soit de l'argent, ajoute Braudel, chaque marchand, les doigts tachés d'encre par les interminables lettres qu'il écrit, le sait [10]. » Mais, bien avant le lancement des premières gazettes, paraissant à intervalles réguliers (donc « périodiques », hebdo-madaires le plus souvent), apparurent des *avvisi*, recueils de nouvelles,

---

10. F. Braudel, *La Méditerranée et le monde méditerranéen à l'époque de Philippe II*, Paris, Armand Colin, 1966 et 1990, t. 2, p. 35.

extraits des échanges de lettres entre marchands, entre princes, parfois entre « princes de l'Église ». Dès le XIII⁰ et le XIV⁰ siècles, ces *avvisi* circulaient entre les cités marchandes d'Italie : Venise, surtout, grand carrefour commercial entre l'Occident et l'Orient, pivot des échanges à travers la Méditerranée, nœud central de l'économie et de la communication de l'époque ; mais aussi Florence (où les changes étaient cotés chaque semaine, le samedi, au XVI⁰ siècle), Gênes, Milan... Appelés *zeytungen* en Allemagne, ces feuilles manuscrites reliaient marchands et banquiers, comptoirs et correspondants à travers les ports de la Hanse baltique, et les « routes essentielles du trafic anversois [11] ». Ils reliaient aussi les grandes villes carrefours à travers l'Europe : ainsi Lyon, ville florentine après avoir été fondée par les Romains, était-elle en relation avec les marchands lombards.

C'est de cette circulation de l'information marchande d'une part, et de la diffusion de la propagande – qu'elle provienne des pouvoirs temporels ou spirituels – et de la contre-propagande d'autre part, que naîtra le journalisme. Quant au mot *avis* – information et renseignement, conseil et avertissement –, il engendrera le vocable anglais *advertising*, « publicité », idée évoquée déjà par Montaigne comme un service d'échange, de philanthropie sociale. Le terme se maintiendra longtemps comme vocable recouvrant à la fois l'information-service et la réclame. Il figure du reste dans le titre de certains journaux : en Suisse, *La Feuille d'avis de Neuchâtel* remonte à 1738. Ainsi, Venise est à l'origine de plusieurs des appellations qui marquent la « préhistoire » du journalisme.

Or, comme le démontre toujours Fernand Braudel, l'économiemonde de Venise aux XV⁰ et XVI⁰ siècles était fondée sur des rapports espace-temps – grâce à la circulation « rapide » par bateau ou à cheval – qui n'étaient guère différents de ceux de l'Antiquité romaine : déjà, du temps des Césars, « l'économie "mondiale" pouvait être parcourue en quarante ou soixante jours environ [12]. » C'est à Rome, au début de l'ère

---

11. Anvers, où fut créée une Bourse en 1531, était – avec Lisbonne et Séville – l'une des « capitales de l'Atlantique ». *Cf.* F. Braudel, *op. cit.*, t. 2, p. 145.

12. F. Braudel, *op. cit.*, t. 2, p. 26.

chrétienne, qu'apparurent les premières publications que retiennent les historiens des journalistes. Inscrits dans la cire ou sur le parchemin, les *acta diurna* – actes du jour – étaient rédigés par les *diurnarii* : distribués dans les lieux publics et les boutiques, expédiés à travers l'Empire, ils annonçaient déjà ce que Marshall McLuhan appellera le journal « mosaïque » – ils contenaient faits divers, événements sensationnels, mariages, naissances, décès, faits d'armes, chroniques théâtrales et sportives. Telles les inscriptions gravées sur les arcs de triomphe et autres stèles de la statuaire romaine, ils diffusaient et propageaient des messages à la gloire de tel ou tel *pontifex imperator*.

Déjà, en somme, ces journalistes d'avant l'imprimé étaient les enfants bâtards du commerce et de la politique, médiateurs de messages à finalités multiples, chargés de diffuser propagande et divertissement, *panem et circenses*, la « bonne parole » et la « bonne nouvelle », au nom de Rome et de l'Église. Au Iᵉʳ siècle, un protégé de Jules César, Caius Salluste, fut en quelque sorte le rédacteur en chef d'une publication hebdomadaire, le *Commentarius rerum novarum* (Chronique des nouveautés), dont trois cents esclaves scribes auraient recopié jusqu'à dix mille exemplaires l'édition... Plus tard, dans l'Europe féodale, les récits et relations de l'« actualité », du « temps qui passe », furent consignés par les moines et les rares autres lettrés. Les mémorialistes-chroniqueurs ne cherchaient guère des effets de style, notant sobrement les « bonnes » et « mauvaises » nouvelles en période de peste, de pillage et de croisade, dans des relations où le temps cyclique – la succession des saisons – paraît tout aussi important que le temps linéaire. Une chronique, certes, n'est nullement un journal périodique, paraissant à intervalles réguliers, en plusieurs exemplaires. Mais certaines de ces relations, d'une grande sobriété, annoncent ce que l'on appellera ensuite une écriture centrée sur le « fait brut » ou « sec » – une version « squelettique » de l'actualité, même si la vision du monde qui s'en dégage réunit l'ordre naturel et des interrogations ou explications surnaturelles. Les chroniques de Froissart au XIVᵉ siècle et, plus encore, plusieurs ouvrages intitulés *Journal d'un bourgeois de Paris* (1409-1499 ;

1515-1536) « tiennent à la fois de la chronique, des annales, de la gazette [13] ».

On sait peu de choses concernant ces chroniqueurs et ces écrivains. Mais on trouve déjà, chez eux, des interrogations sur la fiabilité des sources, la véracité des faits rapportés. Préoccupations que l'on retrouvera à Venise, à l'aube du XVIe siècle, et au nord de l'Europe, à Anvers et à Amsterdam, où naquirent, à un siècle d'intervalle – XVIe et XVIIe –, les premiers marchés financiers « modernes ». Extraites des relations épistolaires des marchands et des princes, comme nous l'avons dit, les « nouvelles » manuscrites, criées au Rialto ou ailleurs, souffraient, certes, des difficultés, voire de l'impossibilité, d'une circulation régulière de l'information, à travers le temps et l'espace. Gouvernements, marchands et banquiers enrageaient devant l'« association de lenteurs [14] ». Ils voulaient que les nouvellistes rapportent rapidement – la rapidité prenant parfois le pas sur la vérification. Les représentants de la cité des Doges à travers l'Europe continentale et la Méditerranée communiquaient aux souverains auxquels ils étaient accrédités, les informations commerciales et politiques qu'ils recevaient de la Sérénissime : pouvoir disposer d'informations sur les centres stratégiques du monde connu et les communiquer à ceux avec lesquels elle souhaitait développer les relations valaient prestige et influence à Venise.

Nouvellistes confectionnant des *avvisi*, dont ils criaient les « gros titres », les « journalistes » existaient, donc, bien avant que ne soient mis au point en Europe la typographie et les caractères mobiles. A une époque où les civilisations de l'écrit s'estiment quelque peu malmenées par l'éclosion de l'audiovisuel, il peut être de quelque utilité de rappeler que les journalistes ont des filiations avec des cultures où l'écrit – en tout cas l'imprimé – ne régnait pas en maître. Courant à travers l'espace et contre le temps, messagers et médiateurs remontent à la Haute Antiquité. Dès avant les premières civilisations écrites, l'homme communiquait par le geste et la

---

13. Cl. Bellanger *et al.*, *Histoire générale de la presse française*, Paris, PUF, 1969, t. 1, p. 28. (Cité dorénavant comme *HGPF*.)

14. F. Braudel, *op. cit.*, t. 2, p. 30.

parole, par des signes transmis grâce aux feux allumés au flanc des montagnes, par des inscriptions et des peintures rupestres. Et depuis toujours, devant acheminer et relater rapidement, le messager-médiateur a beau s'efforcer – par le ton et la forme de son récit – d'atténuer l'impact de son message, il est souvent confondu avec la « mauvaise » nouvelle qu'il apporte. Scribes à Thèbes et à Rome, copistes dans un *scriptorium* de Cluny, se virent ainsi punis pour d'éventuelles erreurs textuelles qu'ils commettaient : la forme et la manière, autant que le contenu du message rapporté, étaient déjà causes d'ennuis pour les proto-journalistes.

Théophraste Renaudot : le premier journaliste ?

Ce serait au début du XVIIIᵉ siècle qu'est apparu le terme « journaliste » : il figure en 1703 dans le *Journal de Trévoux*, périodique hebdomadaire, un des premiers titres de langue française qui se voulait sérieux, « explicatif davantage qu'informatif », par opposition à *gazette*, qui désignait un simple recueil de nouvelles. Au départ, donc, il aurait eu une connotation plutôt respectable, se distinguant du « gazetier » glaneur de nouvelles, ou « nouvelliste ». Mais l'appellation « journaliste » se dégrada rapidement. Dès la fin du XVIIIᵉ siècle, il ne fut employé qu'avec dédain, voire avec mépris. Ainsi, en France, ce flottement terminologique traduisait la difficulté à réunir des gens aussi différents dans leur fonction et sous l'optique de la respectabilité sociale, que le glaneur de nouvelles et le faiseur d'opinion, remarque B. Voyenne.

La distinction, même si elle est par trop schématique et réductrice, entre l'information et l'opinion, entre la nouvelle et l'appréciation ou le commentaire qu'elle suscitait, travaillait les esprits. Le mot « presse » lui-même recouvrait au départ tout ce qui s'imprimait – brochures, pamphlets, libelles, recueils et ouvrages divers – dont certains, tels les canards et les occasionnels, avaient des liens étroits avec l'actualité, tout en n'étant pas encore des publications d'une périodicité régulière. Du reste, qu'il fût trimestriel, mensuel ou même hebdomadaire, le *Courrier, Journal, Mercure* ou autre *Revue, Lettre* et *Gazette*, ressemblait, par ses dispositions typographiques et sa présentation, à d'autres publications et opuscules parus sur les mêmes presses que celles dont il sortait.

Du XVIIᵉ au XVIIIᵉ siècle, la genèse de cette presse périodique se fit sous le signe du mouvement, de la circulation des hommes, des idées et des techniques à travers l'Europe, et des aires qui en dépendaient. Le contenu des informations, manuscrites ou imprimées, diffusées oralement et à la criée, ou sous forme de textes et d'images, était un facteur d'internationalisation, tout comme l'étaient la diffusion des techniques d'impression et le développement des réseaux de communication. La situation variait, certes, selon les pays européens, même si partout l'État et l'Église souhaitaient contrôler, réguler, canaliser voire supprimer de telles activités.

Les années 1640 virent éclater des guerres civiles en Angleterre et en France. Outre-Manche, plus encore qu'en France, l'agitation des esprits pendant ces « troubles et désordres », puis pendant la répression qui s'ensuivit, provoqua l'éclosion de maints écrits sur les libertés en général – et sur celle de la presse, de l'opinion et de conscience en particulier. Les théories et argumentaires justifiant la liberté de la presse devaient se développer à travers toute l'Europe pendant l'*Aufklärung*, la période des Lumières, au XVIIIᵉ siècle et au-delà. Pour l'heure, on relève à Paris comme à Londres l'existence de véritables cohortes de « journalistes », d'hommes gagnant leur vie en écrivant pour les journaux – les uns lançant pasquinades et pamphlets contre Cromwell, ou à l'encontre du roi d'Angleterre, Charles Iᵉʳ ; les autres multipliant les libelles, les « mazarinades », à l'adresse du cardinal-ministre du jeune Louis XIV : de janvier 1649 à octobre 1652, quelque 4 000 de ces libelles en vers parurent à Paris, faisant ainsi le bonheur des imprimeurs, des nouvellistes et des colporteurs sur le Pont-Neuf, centre de leur commerce. « Gazetiers » et « journalistes » se propageaient donc des deux côtés de la Manche. Le terme *jurnalist* apparaît dans la langue anglaise dans les dernières décennies du siècle ; de même celui de *newspaper* (journal).

En France, très tôt les « nouvellistes » eurent mauvaise presse ; les « gazetiers » un peu moins. Théophraste Renaudot (1586-1653), fondateur en 1631 de la *Gazette*, est tenu dans le panthéon de la presse française comme le premier véritable journaliste. Titre mérité, assurément, mais parfois pour des raisons qui éclairent toute l'ambiguïté des conditions d'exercice de la profession. C'était un esprit touche-à-tout, fourmillant d'idées, venu d'ailleurs – un « outsider » jouant de ses protections –, embrassant les mille et une facettes de la confection, de l'impression et de la distribution de ses publications, et devant intriguer pour maintenir une situation privilégiée mais précaire : c'était un homme souvent combattu, sachant parfois courber l'échine quand le vent tournait, malheureux en amour et, à la fin de sa vie, en affaires. Renaudot, surtout, non seulement créa le premier périodique français à connaître un succès durable (parce que soutenu par le pouvoir), mais sut analyser les mécanismes de la presse, de la publicité et de la propagande, identifiant chemin faisant les espaces de liberté du journaliste.

Né en 1586 à Loudun dans une famille protestante, Renaudot se fixa à Paris en 1625, s'y convertit au catholicisme, et y ouvrit un « bureau d'adresses et de rencontres », logé en plein centre, à côté du Palais de Justice, dans l'île de la Cité. Entre ces deux dates, il fit sa médecine à Montpellier, devint docteur à dix-neuf ans et voyagea à travers l'Europe – Strasbourg, Anvers, Amsterdam, Florence et Venise ; il rédigea un *Traité des pauvres* qu'il adressa à Richelieu qui le prit sous sa protection, le nommant médecin ordinaire du roi, puis commissaire général des pauvres. En 1630, son bureau d'adresses, sorte d'agence de petites annonces, faisait œuvre de philanthropie sociale, dans un Paris d'indigents et de gueux, de sans-abri et de chômeurs. Les annonces affichées à l'enseigne du Grand Coq étaient également rédigées sur feuilles volantes : Renaudot décida d'y ajouter des nouvelles, surtout de l'étranger, sur le modèle des *corantos* hollandais [15] et des *foglii avvisi* vénitiens.

---

15. Au début du XVIIᵉ siècle avaient été créées à Amsterdam la Compagnie des Indes orientales (1602) et, place du Dam, une des premières Bourses de valeurs (1608). Des *corantos* y étaient édités : publications périodiques, d'une page grand format, ils proposaient des nouvelles de l'étranger provenant de diverses sources.

En 1631, il obtint de Louis XIII, pour lui et ses enfants, le privilège de « faire imprimer et vendre par qui et où bon leur semblera les nouvelles, gazettes et récits de tout ce qui s'est passé et se passe tant en dedans qu'au-dehors du Royaume ».

Maintenir ce privilège supposait se garder les faveurs du roi qui, avec Richelieu, voyait dans la *Gazette* un outil de propagande, un porte-parole de la France auprès des chancelleries à travers l'Europe. Aussi Renaudot pratiquait l'autocensure, accordait une place plus grande aux nouvelles de l'étranger qu'à celles, plus « délicates », de la France. Mais il s'efforçait de s'en tenir à la relation des faits, et non d'émettre des opinions. Sauf éventuellement sur le journalisme lui-même : « L'histoire est le récit des choses advenues, la gazette seulement le bruit qui en court. La première est tenue de dire la vérité. La seconde fait assez si elle empêche de mentir », soulignait-il en 1632. Renaudot « collait » à l'actualité, attendant le dernier moment pour la rédaction ultime de textes provenant de correspondants et de journaux étrangers, avant de « boucler » en quatre heures – « brièveté de temps, dit-il à ses lecteurs, que l'impatience de votre humeur me donne ». Et Renaudot s'interrogeait également à propos de l'écriture journalistique, et sur les attentes contrastées des lecteurs : « Il s'en trouvent qui ne prisent qu'un langage fleuri ; d'autres qui veulent que mes relations semblent à un squelette décharné, de sorte que la relation en soit toute nue. Ce qui m'a fait essayer de contenter les uns et les autres » (1631).

Malgré tout, certains se méfiaient de la *Gazette* qui, placée sous la protection royale, cachait les nouvelles désagréables. Ils lui préféraient, moyennant finance, des « avis » manuscrits, des relations et correspondances écrites.

Puissance, médisance et discrédit : généalogie des représentations d'une corporation

Renaudot et ses fils vécurent l'impossible recherche de l'information non partisane, notamment à l'époque de la Fronde, lorsque la France entra en guerre civile. Les différends s'intensifiant entre Mazarin et le

Parlement de Paris, Renaudot prit parti pour le Premier ministre, suivit la Cour à Saint-Germain-en-Laye ; les deux fils Renaudot, médecins comme leur père, restèrent à Paris, fondèrent *Le Courrier français* (1649), favorable au Parlement... Comment rechercher une information non partisane, surtout en temps de guerre civile ou de troubles graves ? Observateurs mais aussi sujets-citoyens – « spectateurs engagés » en quelque sorte –, les journalistes français se reposeront la question pendant les révolutions de 1789, de 1830 et de 1848, pendant le siège et la Commune de Paris en 1871, en 1940, en mai-juin 1968, comme en bien d'autres circonstances.

Molière et bien d'autres loueront le sérieux de la *Gazette*, mais critiqueront les excès et le manquement aux convenances des gazetiers : déjà, on reprochait aux journalistes d'être par trop curieux et indiscrets, de donner de « ridicules relations » (Vauban) de choses insignifiantes, de manquer de respect aux sommités de l'époque, et de se permettre de juger sans tout savoir. Tout au début du divertissement de Molière intitulé *La Comtesse d'Escarbagnas* (1671), un personnage (le vicomte) raconte comment il a été importuné par un de « ces grands nouvellistes qui cherchent partout où répandre les contes qu'ils ramassent. Celui-ci m'a montré d'abord deux feuilles de papier, pleines jusqu'aux bords d'un grand fatras de balivernes, qui viennent, m'a-t-il dit, de l'endroit le plus sûr du monde ». Le « nouvelliste » donc, ce ne fut pas seulement le gazetier, mais aussi le lecteur (ou l'auditeur) qui se prétendait bien informé, ayant connaissance des gazettes. La réputation des journalistes tenait aussi de l'image véhiculée à leur encontre par ceux qui gobaient, commentaient et déformaient leurs dires...

Outre-Manche, même constat : en ville comme à la campagne, les personnes de milieux aisés, recherchant l'information la plus fiable, délaissaient les *corantos* pour des *newsletters* (ou avis manuscrits) et des *separates* (ou occasionnels) ; ceux-ci relataient l'actualité politique, diplomatique et militaire, les débats parlementaires, voire les procès majeurs. Même après la répression et le renforcement des contrôles politiques sur la presse, réalisés sous Cromwell d'abord et sous la monarchie restaurée des Stuarts ensuite, le débat politique fut commenté par un nombre croissant de journaux et de journalistes. Les conditions de travail, et de vie tout court, étaient précaires : la recherche des informations, le souci de vulgariser les connaissances allaient de pair avec des conflits avec les autorités, les patrons, les confrères ou adversaires politiques. De fait, le débat d'idées, la phrase bien tournée s'accompagnaient fréquemment d'invectives, d'injures personnelles – allusions, et même précisions détaillées et... anatomiques, furent chose fréquente.

Le journalisme restait encore protéiforme. Joseph Addison (1672-1719), l'un des fondateurs de la revue *The Spectator*, lancée en 1711 [16], y écrivit : « Ainsi, je vis dans le monde plutôt comme spectateur de l'humanité que comme membre de l'espèce. » Des attitudes de détachement et de distanciation que n'aurait pas récusées Montaigne, aussi bien que des engagements partisans (parfois pour des motifs intéressés) se retrouvaient chez les journalistes britanniques d'alors. Nombre d'entre eux, par ailleurs, étaient encore de simples traducteurs ou « rewriters » de journaux étrangers ; un des premiers hebdomadaires, datant de 1622, se présentait ainsi : « *The 23. of May, WEEKELY News from Italy, Germanie, Hungaria, Bohemia, the Palatinate, France, and the Low Countries. Translated out of the Low Dutch Copie.* » Le premier quotidien de Londres, *The Daily Courant*, lancé en 1702, n'en différait guère. Il promettait de donner les faits, rapidement, sans prendre parti. Son numéro 1 comportait une page de deux colonnes composée, pour l'essentiel, de cinq paragraphes traduits du *Harlem Courant*, trois venant du *Paris Gazette*, le dernier étant issu du *Amsterdam Courant*.

Distinguons, à travers ce foisonnement de publications, l'image du journaliste qui ressort des écrits de Daniel Defoe (1660-1731). Le futur auteur de *Robinson Crusoé* édita à partir de 1704 un périodique dont la formule varia, mais dont le seul titre reflète les préoccupations « professionnelles » d'alors : *A weekly review of the affairs of France : Purg'd from*

---

16. *The Spectator* se diffusait parmi les gentlemen, les milieux lettrés, aisés et policés. Il fut traduit en français à Amsterdam en 1714. Marivaux, qui lança *Le Spectateur français* en 1721, et l'abbé Prévost, qui fonda *Le Pour et Contre* en 1733, prirent Addison pour modèle.

the errors and partiality of newswriters and petty statesmen, of all sides.
L'étranger comme lieu de… l'étrangeté : la France, qui inquiète, et sur
laquelle on souhaite être informé, est lieu de fantasmes, de comporte-
ments différents : les dépeindre renforce le sentiment d'appartenance à
une communauté britannique, le consensus autour d'un « nous » en
opposition à l'autre – il en allait évidemment de même dans maints
articles consacrés à des pays étrangers par des journalistes français, dans
la *Gazette*, par exemple. Chez Defoe, une rubrique a pour titre : *Mercure
scandale : Or advice from the scandalous club. Translated out of the French* ;
s'y ajouta rapidement ce sous-titre : *Being a weekly history of nonsense,
impertinence, vice and debauchery.* « Traduire » les autres : à l'époque,
comme aujourd'hui, les journalistes vivaient les uns des autres, traduisaient (littéralement) et commentaient la copie de leurs confrères. Longtemps, les « correspondances de l'étranger » resteront ainsi de simples
traductions et résumés d'articles parus dans la presse étrangère [17]. Ironiques, les titre et sous-titre de Defoe font porter le chapeau à la France.
Pourtant, la rubrique recense les méfaits des journalistes britanniques :
cités nommément, les *newswriters* doivent répondre de leurs crimes –
rédaction peu claire, fautes grammaticales, ignorance et inexactitude des
faits rapportés. L'intention humoristique de Defoe se révéla une arme à
double tranchant : il discrédita ses « confrères ». En fait, il expérimentait
lui-même, modifiant à plusieurs reprises le titre, la périodicité et la pagination de la publication, qui devint davantage un journal de reportage et
de critique sociale. Cette instabilité ou adaptabilité pourrait renforcer
l'image du journaliste comme homme-girouette ou homme-caméléon.
Defoe incarne des paradoxes qui seront reprochés à des journalistes,
moins brillants que lui. On célèbre ainsi chez lui un sens de la mesure,
un talent pour l'exposé rationnel et un don réel de reporter avant la
lettre [18]. Pourtant sa réputation n'est pas ressortie grandie des découvertes

---

17. En France, Charles-Louis Havas débuta son activité d'« agencier » dans les années 1832-1833, en
dirigeant l'un des modestes bureaux de traduction qui alimentaient ainsi la presse parisienne.

18. Qu'illustrent notamment le *Journal de l'année de la peste* (1722) et son reportage d'un voyage-
enquête à travers la Grande-Bretagne (trois tomes, 1724-1726).

de certains historiens : tout en rédigeant *The Review*, il était un agent secret de Robert Harley, chef du « parti » Tory, et acceptait des sommes d'argent provenant de la faction adverse, les Whigs. On prétendit que Defoe avait un tel talent qu'il lui était possible, en maintes circonstances, d'écrire mieux que quiconque à la fois le pour et le contre : le talent au service de l'exposition d'une thèse primerait sur la conviction person-nelle. Bien des journalistes, aujourd'hui comme hier, assurent faire abs-traction de leurs opinions : les techniques rédactionnelles, seules, seraient la preuve du « professionnalisme ». Mais l'opinion, au XVIIᵉ siècle, admettait mal ces distinctions. Defoe, voulant manier la satire, rédigea à deux reprises, en 1702 puis 1712, des pamphlets pour lesquels il fut emprisonné : les autorités prirent au premier degré des textes qui présupposaient une lecture plus intelligente. Après la disparition de *The Review*, Defoe poursuivit son travail – remarquable – de journaliste, ainsi que son activité politique obscure.

La passion des nouvelles : la critique récuse la réglementation

En France, la passion des nouvelles engendra ce que Pierre Bayle (1647-1706), protestant et philosophe réfugié aux Provinces-Unies (Pays-Bas) pour échapper aux censeurs, appela le « nouvellisme » : il y avait à la fois marché et trafic des nouvelles. L'image des « faux nouvel-listes » paraissait plus répandue dans l'opinion que celle des nouvellistes dignes de confiance – même si l'on doit se rappeler que la plupart des indices concernant cette opinion proviennent de personnes lettrées qui, de par leur éducation et leur rang social, pouvaient avoir une dent contre des professionnels de la plume, laquais dont on louait les services. Les « nouvelles à la main », du reste, étaient souvent scandaleuses. En 1706, on découvrit que les employés du cabinet noir, des postiers, œuvraient en nouvellistes : les journalistes, en effet, seront souvent assimilés dans l'opinion aux mouchards et aux espions. Louis XIV envoya des nouvel-listes à la Bastille, tandis que La Bruyère, parmi d'autres, ridiculisait le

métier : « Le sublime du nouvelliste est le raisonnement creux sur la politique... Le nouvelliste se couche tranquillement sur une nouvelle qui se
corrompt la nuit et qu'il est obligé d'abandonner le matin à son
réveil [19]. » En 1703, un *Nouveau règlement général pour les nouvellistes*
tourne en dérision « ces infatigables curieux qui font profession actuelle
de s'entretenir des grands événements » et qui, réunis au cloître des
Grands-Augustins, font « continuelle lecture de toutes les gazettes qui
s'impriment dans l'Europe [20] ». Constante des pratiques des journalistes :
un de leurs premiers outils professionnels, ce sont les médias autres que
celui pour lequel ils travaillent – les médias vivent des médias.

Ce discrédit dans l'opinion englobait aussi bien les nouvellistes que
les critiques littéraires, et parfois même les rédacteurs qui vulgarisaient
(et parfois critiquaient) la production scientifique et intellectuelle de
l'époque : on pense au *Journal des savants*, hebdomadaire fondé en 1666,
titre de prestige voulu par Colbert et Louis XIV pour promouvoir « les
sciences et les arts » de la « nation française », ou encore aux *Mémoires de
Trévoux*, fondé en Dombes en 1701 et qui deviendra la réplique des
jésuites au *Journal des savants* dans le débat des idées. Polémiste du *Journal des savants*, Pierre-François Guyot-Desfontaines soulignait que la
profession de journaliste « est considérée comme la plus vile de la littérature ». Bien qu'il y eût des journalistes dont les échanges, par titres interposés, fussent de haute tenue, l'image brouillée et peu glorieuse de la
corporation tenait en partie aux critiques et aux polémiques auxquelles
certains se livraient, parfois au nom du libre combat des idées dans la
République des lettres. Elle tenait aussi aux passerelles et enchevêtre-
ments qui caractérisaient un métier où l'on faisait certes profession de sa
plume, mais qui restait sans identité particulière, mise à part sa représentation collective véhiculée dans l'opinion. « Maîtres Jacques de la presse »
– plus tard, Balzac qualifiera ainsi Charles Havas, fondateur de l'agence
qui portera son nom –, les journalistes se voyaient perçus comme des

---

19. La Bruyère, *Caractères*, 1688-1696, cité dans *HGPF*, 1, p. 117.
20. Cité dans *HGPF*, 1, p. 117. En fait, on se réunissait dans plusieurs lieux publics à Paris, y compris
dans des cafés, pour diffuser et commenter les informations de France et d'ailleurs.

scribouilleurs et hommes à tout faire, à tout écrire, par ceux qui s'enor-gueillissaient du titre d'« hommes de lettres ». Cependant les grands écri-vains du XVIIIe siècle et de l'époque des Lumières, à l'exemple de Voltaire, Rousseau, Diderot ou Beaumarchais, étaient également journalistes à leurs heures, écrivaient sur le journalisme et prenaient position dans le débat opposant liberté de la presse et contrôle de l'opinion, contre la censure notamment. Des folliculaires aux noms moins prestigieux se gar-garisaient d'appartenir à la même République des lettres. Qu'ils fer-raillent avec la plume ou se contentent de rendre compte dans tel journal de la parution d'un ouvrage, certains, tout en réclamant la liberté de la presse, redoutaient le mordant de leurs adversaires au point de souhaiter les voir censurer... Voltaire craignait plus que tout la critique d'Élie Fré-ron (1718-1776), ancien novice chez les jésuites et longtemps collabora-teur de Guyot-Desfontaines : « De toutes les feuilles périodiques de Paris », *L'Année littéraire* de Fréron était celle « que Voltaire lisait assidû-ment. Quand il en recevait une et qu'il la prenait pour la parcourir, on remarquait que la main lui tremblait ; il avait l'air d'un criminel qui va entendre sa sentence [21] ». Au XIXe siècle, Jules Janin, chroniqueur au *Jour-nal des débats*, estimera que Fréron avait fondé les droits de la critique [22]. Un journaliste contemporain de Fréron, La Harpe, se plaignit, lui, de la « monotonie d'injures » sorties de sa plume. Toujours est-il que lorsque en 1776, *L'Année littéraire* fut condamnée, on prétendit que Fréron en mourut de chagrin.

Dire que le journalisme est un combat n'est pas une formule creuse. Embastillés au XVIIIe siècle, bien des journalistes encore aujourd'hui sont incarcérés, battus, tués pour leurs opinions, pour leur zèle à poursuivre l'enquête, voire pour la valeur symbolique de leur métier. Les polémistes qui combattent pour la cause de leurs idées et les journalistes qui mili-tent comme professionnels de l'information s'engagent chacun à leur manière : Fréron avant 1789, Marat pendant la Révolution, comme plus

---

21. J.-B.-C. Delisle de Sales, *Essai sur le journalisme depuis 1735 jusqu'à 1800*, Paris, Colas, 1811. Cité dans Cl. Bellanger *et alii*, *HGPF*, 1, p. 267.

22. Cité dans *ibid.*

tard Albert Londres ou le journaliste dit d'investigation s'investirent totalement dans la tâche à accomplir, l'article à faire, le journal à faire paraître ; ce fort engagement affectif explique en partie l'agressivité que beaucoup décèlent dans le comportement des journalistes.

Le combat pour la liberté

En Europe, quelques journalistes, et surtout des écrivains qui se firent les champions de la liberté de la presse, devinrent parfois les « héros » du jour des milieux libéraux ou même des classes laborieuses, grâce à tel ou tel exploit face aux autorités. Pourtant, à Paris comme à Londres, les nouvelles étaient surtout présentées comme des « brèves », sans explication ni mise en contexte. Dans les journaux littéraires, scientifiques, d'échos ou de « potins » (tel *Le Mercure galant*, fondé en 1672), l'information n'était pas forcément séparée du commentaire et de la polémique ; bruits, rumeurs, voire simple spéculation jouaient un rôle majeur dans des sociétés politiques où le faste et l'apparat allaient de pair avec la pratique du secret et les cabales en coulisses. On restait proche du « prototype » de la *Gazette* de Renaudot. Le journal ressemblait encore physiquement au livre et le journalisme tenait de la correspondance : *Les Lettres* de Mme de Sévigné – documents privés, commentés dans les salons – annoncent ce journalisme épistolaire, très prisé à l'époque.

Et pourtant, l'augmentation du nombre des titres et de la fréquence de parution de beaucoup d'entre eux, allait rapidement modifier la situation des journalistes. *Gazettes, Journaux, Courriers* et autres *Mercures* étaient pour la plupart, au XVIIe siècle, essentiellement des hebdomadaires ou des mensuels. Au XVIIIe siècle, le nombre de titres des journaux d'expression française s'étoffa avec une rapidité croissante : Jean Sgard relève 30 journaux en 1700, 89 en 1740, 115 en 1750, 163 en 1770 et 253 en 1780 [23]. En France, le premier quotidien à connaître un succès durable, *Le Journal de Paris*, fut lancé en 1777. Aux États-Unis, le pre-

23. J. Sgard (dir.), *Dictionnaire des journaux, 1600-1789*, Paris, Universitas, 1991.

mier fut créé en 1781. A Londres, où le premier *daily* – le *Daily Courant* – parut en 1702, il existait 6 quotidiens en 1760, 9 en 1783 et 16 à la fin de 1792. Outre-Manche, outre-Atlantique, et même en France, où le dispositif de contrôle de la presse périodique s'affaiblissait – octroi de privilèges et d'autorisations, censure de plus en plus tolérante notamment sous Malesherbes, directeur de la librairie dans les années 1750 –, la presse se politisait. Le nombre de personnes qui écrivaient dans les journaux, faisant commerce de leur plume, augmentait rapidement [24]. Certes, le métier de « pisse-copie » paraissait toujours peu reluisant. Outre-Manche, des journalistes furent assimilés à des *hacks*, des personnes taillant des articles à la demande de tel ou tel intérêt, moyennant finance. Mais, dans la seconde moitié du XVIIIe siècle, la cause de la liberté de la presse et le développement d'une presse politique pluraliste, au Royaume-Uni, aux États-Unis et – brièvement, de 1789 à 1792 – en France, sont apparus comme un mouvement irréversible.

Les journalistes obtinrent le droit de rendre compte des débats parlementaires. 1789 vit les vrais débuts, en France, de la presse d'opinion politique. Les conditions du débat public changèrent radicalement. L'on songe à la fougue et au courage de Camille Desmoulins créant les titres *Les Révolutions de France et de Brabant*, *Le Vieux Cordelier*, aux défis lancés aux censeurs de l'information politique par Mirabeau *(États généraux, Lettres du comte de Mirabeau à ses combattants)*, par Brissot *(Le Patriote français)* et bien d'autres ; et, surtout, à la proclamation de la Déclaration des droits de l'homme et du citoyen, dont l'article XI (août 1789) stipule : « La libre communication des pensées et des opinions est un des droits les plus précieux de l'homme. Tout citoyen peut donc parler, écrire, imprimer librement, sauf à répondre de l'abus de cette liberté dans les cas prévus par la loi. » Les dernières décennies du XVIIIe siècle virent également l'apparition, des deux côtés de la Manche, d'une presse

---

24. E. Hatin, *Histoire de la presse*, Paris, 1859, t. 2, p. 209, cité dans *HGPF*, t. 1, p. 202. Malgré l'importance des émoluments, Jean-Jacques Rousseau refusa la place que Malesherbes lui offrit au *Journal des savants* : « On s'imaginerait que je pourrais écrire par métier, comme tous les autres gens de lettres au lieu que je ne sus jamais écrire que par passion. »

qui se voulait de qualité tout en étant pensée comme une entreprise commerciale.

Ainsi se créèrent des quotidiens d'information générale, se multiplièrent des titres, et même des « groupes de presse » à finalité commerciale. *Le Journal de Paris* (1777) reflétait essentiellement les intérêts des bourgeois de Paris – tout comme le *Times* (créé en 1785 comme *Daily Universal Register* avant d'adopter son titre définitif en 1788) reflétait ceux de la bourgeoisie britannique dont la croissance accompagnait l'essor de la révolution industrielle. Mais ces intérêts étaient multiples et variables : le commerce exigeait une large couverture des affaires tant à l'intérieur qu'à l'extérieur des frontières, mais aussi des informations sur la politique, les spectacles ou la météo. En France, *Le Journal des débats* (1789) serait bientôt considéré comme un modèle pour des titres dits d'information générale et « de qualité », où les styles rédactionnels comme le sérieux de l'information politique allaient être de plus en plus soignés. Les journalistes, eux, se qualifiaient souvent de « publicistes ».

L'émergence du patron de presse en « magnat »

Cette fin du XVIIIe siècle – jusques et y compris les « années révolutionnaires » – fut l'occasion pour certains journalistes de pratiquer pleinement l'exercice de la liberté de la presse, combat mené et gagné, pour l'essentiel, avant même la proclamation de la Déclaration des droits de l'homme. On estime que plus de cinq cents périodiques ont vu le jour en France entre le 14 juillet 1789 et le 10 août 1792, une cadence de naissances, mais aussi de disparitions jamais vue jusque-là. Parfois, la même personne faisait office à la fois de directeur, de rédacteur, d'imprimeur et de vendeur de son journal. Marat, ce symbole du journaliste « engagé »... jusqu'à la mort, fut ainsi directeur, rédacteur en chef, imprimeur et éditeur de la plupart de ses divers journaux parus entre 1789 et 1792. Le plus souvent, les fonctions de directeur-rédacteur et celles d'imprimeur-éditeur étaient séparées, mais un seul et même journaliste remplissait les deux premiers rôles. Dans certains grands périodiques, la division du travail permettait cependant de distinguer les directeurs, rédacteurs, reporters (encore que le terme ne se pratiquât pas encore, en français) et employés des services administratifs. Des titres déjà anciens, tels la *Gazette* elle-même, *Le Journal des savants* et *Le Mercure de France*, figurent au nombre de ces grands périodiques dont Charles-Joseph Panckoucke (1736-1798), spéculateur et ami-éditeur des encyclopédistes, prit le contrôle au cours des décennies 1770-1780. Commanditant jusqu'à seize périodiques en même temps, il « peut être considéré comme le premier baron de la presse de l'histoire de France [25] »...

Panckoucke pensa la presse comme une industrie et défendit les intérêts de son groupe, bec et ongles. Ses ateliers employèrent jusqu'à huit cents ouvriers, et les rédacteurs de ses divers titres – du *Journal des dames* au *Journal de Genève* – étaient tenus de respecter la formule rédactionnelle adoptée. Devenu propriétaire en 1778 du privilège du *Mercure de France*, puis ayant obtenu « le privilège exclusif et les brevets des journaux politiques », il affirma que « la partie politique (...) seule peut décider du succès des journaux. On vend dix fois, vingt fois plus de journaux politiques que d'autres journaux [26] ». Panckoucke transforma ainsi un titre littéraire prestigieux en y ajoutant de la politique et diverses rubriques générales et particulières. En 1789, l'orientation rédactionnelle du *Mercure de France*, dont la vingtaine de rédacteurs formait une équipe permanente, était celle d'un journal d'information : « Il s'agit de présenter de front les arguments contraires, chaque citoyen devant consulter sa raison et non celle du journaliste : la mission du journaliste est d'abord d'informer [27]. » La même année, Panckoucke lança un quotidien, *Le Moniteur universel*, qui allait devenir le principal journal d'information de la Révolution. Il adopta le format in-folio et une formule rédactionnelle inspirée de quelques titres britanniques, dont le *Times*. L'équipe rédactionnelle déjà constituée, pour l'essentiel, à l'heb-

---

25. R. Darnton, *L'Aventure de l'Encyclopédie*, Paris, Librairie académique Perrin, 1982, p. 99 ; *cf.* S. Tucoo-Chala, *Ch.-J. Panckoucke et la librairie française, 1736-1798*, Pau, Marinpower, Paris, Touzot, 1985.

26. Panckoucke, rapport du 13 juin 1778, cité dans Cl. Bellanger *et al.*, *HGPF*, t. 1, p. 214.

27. « Mercure de France 2 (1778-1791) », *in* J. Sgard, *op. cit.*, 2, pp. 856-858.

domadaire *Le Mercure de France* travaillait pour le quotidien. Le « choix des rédacteurs (et) la liberté qu'on leur laisse » furent perçus comme des raisons majeures du succès, immédiat, du *Moniteur*. Ce succès tenait aussi à l'étendue et à la sobriété de la couverture de l'actualité politique : il existait une demande importante pour un quotidien en mesure de rendre compte largement « des débats de l'Assemblée, des événements de Paris et de province, de la politique intérieure et des relations internationales, des ouvrages littéraires et scientifiques [28] ». Panckoucke recruta ici, comme pour d'autres titres, des rédacteurs de qualité – notamment pour couvrir la politique. Ainsi, le dénommé Maret avait la coutume, en suivant les débats des États généraux, de prendre des notes à partir d'une sténographie qu'il avait mis au point lui-même : « Au lieu de décrire la séance, en style indirect, Maret enregistrait les dialogues [29]. » Panckoucke s'adjoignit donc les services de celui dont les comptes rendus de l'Assemblée nationale étaient tenus pour les mieux informés et les plus vivants...

3. La rage et la raison

Les journalistes et l'instabilité politique, 1789-1870

Dès la Révolution, donc, l'actualité politique fut rapportée à la manière d'un Maret et commentée à la façon d'un Marat. *Le Moniteur*, aux côtés d'autres titres comme *Le Journal des débats et décrets* (dont le n° 1 date du 1ᵉʳ septembre 1789) ou *Le Journal de Paris* (de 1777), annonce le quotidien d'information générale et politique des temps modernes. Certes, il ne faut pas trop voir Pierre portant les habits de

---

28. *Le Lendemain*, 23 février 1791, cité dans *HGPF*, t. 1, p. 488.
29. *HGPF*, t. 1, p. 488.

Paul. Propriétaire du *Moniteur*, Panckoucke paraît étonnamment moderne ; il pratiquait la division du travail, raisonnait en capitaliste, se défendait d'intervenir dans « la composition et rédaction des journaux et gazettes[30] ». Mais sous la Révolution, la plupart des journalistes travaillaient encore pour des bi- ou tri-hebdomadaires, et non pour des quotidiens. Le principal rédacteur recueillait les nouvelles jugées les plus importantes : il assistait aux séances des assemblées, fréquentait les cafés renommés, ceux où les « nouvelles » s'échangeaient, se promenait dans les lieux publics les plus animés, où il écoutait les conversations et la lecture des journaux à haute voix, etc[31].

Les journalistes n'ignoraient pas qu'ils avaient non pas un mais plusieurs publics : « écrire pour son lecteur », comme le préconisent aujourd'hui tant de manuels de journalisme, tenait déjà de la quadrature du cercle. Plusieurs journaux – leurs colonnes politiques, tout au moins – furent le prolongement voire une anticipation des joutes oratoires qui se déroulaient dans les clubs et à l'Assemblée. Les journalistes avaient l'avantage et les inconvénients de connaître et d'être connus des protagonistes d'une actualité politique où les puissants et les opposants du jour pouvaient occuper le lendemain la position inverse. Ils écrivaient pour ceux qui suivaient le cours des événements, ils intervenaient et agissaient pour mobiliser autant que pour instruire l'« opinion ». « Aujourd'hui, disait Camille Desmoulins, les journalistes exercent un ministère public ; ils dénoncent, décrètent, règlent à l'extraordinaire, absolvent ou condamnent. Tous les jours, ils montent à la tribune aux harangues et il est parmi eux des poitrines de stentor qui se font entendre des quatre-vingt-trois départements. Les places, pour entendre l'orateur, ne coûtent que deux sous. Les journaux pleuvent tous les matins comme la manne du ciel, et en cinquante feuilles, ainsi que le soleil, viennent tous les jours éclairer l'horizon[32]. »

---

30. *Le Moniteur*, 28 février 1790, cité dans *HGPF*, t. 1, p. 488.

31. Marat différait de la plupart de ses confrères. Il choisit, lui, la formule du quotidien et tint bon quatre ans (1789-1793) ; «par ailleurs, les nouvelles n'entrent jamais dans mon plan que pour servir de texte à mes réflexions ».

32. Cité dans *HGPF*, t. 1, pp. 453-454.

Ainsi, le journalisme parlementaire prit forme avec l'émergence d'une presse enfin libre de rendre compte et de discuter de la politique, celle aussi d'un régime d'assemblée, où les rapports de force entre les pouvoirs législatif et exécutif resteront longtemps au cœur de l'actualité que couvrent les journalistes politiques. En fait, dans les décennies suivantes, la liberté de rendre compte de l'actualité parlementaire mais aussi de la commenter, allait dépendre de ces rapports de force entre l'exécutif et le législatif. Ainsi, entre 1789 et 1792 d'abord, puis sous la Deuxième République (1848-1852) et surtout après 1870 – avec le point d'orgue de la loi de 1881 garantissant la liberté de la presse –, les journalistes jouiront d'une grande liberté et de nombreuses facilités. Mais il y aura après 1789 d'autres périodes où l'exécutif, voulant contrôler les Assemblées et l'opinion, parviendra à contraindre les journaux à ne publier que les comptes rendus officiels : le Premier et le Second Empire sont connus comme des régimes du « compte rendu unique ».

Napoléon Bonaparte avait réfléchi aux conséquences des propos de Camille Desmoulins. Il fit de son mieux, dans sa conquête du pouvoir exécutif, pour habiller l'information et museler les opinions discordantes, dans la presse comme dans les Assemblées et autres cercles, clubs ou salons où l'on discutait de la politique. Les journalistes français découvraient que, dans un régime où le pouvoir exécutif est tout-puissant et très conscient de l'influence que peut exercer la presse sur l'opinion – Napoléon témoignait à cet égard d'une compréhension des mécanismes de l'opinion et de la propagande aussi fine que celle d'un Goebbels ou d'un Lénine –, ils avaient tout intérêt, s'ils voulaient écrire sur la politique, à penser que leur premier lecteur était... l'empereur. Sous Napoléon, de nombreux journalistes furent arrêtés ou proscrits : on s'exila, telle Mme de Stael, on se tut ou on rentra dans le rang. L'arsenal des mesures mises en place pour contrôler l'opinion et museler la presse – autorisation préalable des titres, gages financiers et prélèvements fiscaux (cautionnement et droits de timbre), bureaux de surveillance, de censure, interdiction pure et simple des publications – fut bien plus étendu et efficace que celui de la fin de l'Ancien Régime. « Je supprimerai ceux qui servent mal », avait averti Napoléon. Soixante journaux politiques publiés à Paris furent supprimés en 1800, tous les journaux politiques parisiens sauf quatre furent interdits en 1811.

Les contrôles sur la presse et les journalistes instaurés sous le Second Empire allaient montrer que le neveu de l'empereur, dans ce domaine aussi, méritait le sobriquet décerné par Victor Hugo : « Napoléon le petit » singea son aïeul, mais avec moins d'efficacité. Il parvint un temps, pendant les années qui suivirent son coup d'État du 2 décembre 1851, à museler la presse politique et à mater les journalistes républicains et royalistes. Mais, dès le début des années 1860, les journalistes de l'opposition parvenaient à manifester leur « devoir d'irrespect ». Ils s'exprimaient depuis leurs lieux d'exil (Bruxelles et Londres, plus courus que l'île de Guernesey), parfois de manière alambiquée par le biais d'une presse dite littéraire et ostensiblement non politique, et parfois de manière plus directe à l'exemple d'un Henri de Rochefort (1830-1913) : « Il est devenu impossible d'ouvrir un journal cautionné, sans le voir littéralement moucheté de proclamations [33] » (*La Lanterne*, 2 juillet 1866) ; « La France contient, dit *L'Almanach* impérial, trente-six millions de sujets, sans compter les sujets de mécontentement » (*La Lanterne*, 1er mai 1868) ; « J'ai eu la faiblesse de croire qu'un Bonaparte pouvait être autre chose qu'un assassin » (*La Marseillaise*, 11 janvier 1870).

L'instabilité politique que connut une France à régimes multiples et à républiques nombreuses, entre 1789 et 1871, aboutit à maintes reprises à des affaires où des journalistes subirent les foudres des autorités. L'époque n'était pas encore, il est vrai, au journaliste qui s'efface, au reporter qui affecte d'exposer objectivement les faits. Le journaliste militant et homme d'action – la Révolution de 1830, tout comme la Commune de 1871, resteront longtemps, dans l'imaginaire populaire, comme des « révolutions de journalistes » – l'emportait du fait de la fragilité de régimes politiques à la recherche d'une légitimité dans l'opi-

---

33. Sous le Second Empire, il fallait, pour lancer un journal politique, donc un quotidien ou un grand journal, verser un cautionnement conséquent. Seuls échappaient à cette règle les hebdomadaires littéraires et satiriques, « la petite presse ». *Cf.* H. Rochefort, *La Lanterne*, Paris, J.-J. Pauvert, 1966.

nion, et qui voulaient voir dans les journalistes des relais. Il faut attendre
la Troisième République (1870-1940), régime qui s'installe dans la
longue durée et qui garantit la liberté de la presse (loi de 1881), pour
que l'État perde l'habitude de penser ses rapports avec les journalistes de
manière *a priori* conflictuelle en les considérant tantôt comme des instruments de propagande, tantôt comme des agents de subversion.

De façon réciproque, les journalistes cessent alors d'avoir comme
principal référent le combat héroïque mené face à un État toujours prêt
à bâillonner la presse. Dans la seconde moitié du XIXᵉ siècle, ce référent
subsistait, certes, mais passait de plus en plus au deuxième plan. La
France s'industrialisait et se démocratisait ; la presse étant à la fois reflet
et prisme de ces mutations, mais aussi un microcosme où l'on pouvait
observer *in vitro* des rapports de force qui agitaient la société dans son
ensemble, les journalistes commentaient l'enchevêtrement des relations
entre la presse et la société. Argent et technique – flux des capitaux et
flux des informations, augmentation de la cadence de l'impression et de
la diffusion des exemplaires en circulation – paraissaient tout aussi déter-
minants, pour le journaliste à l'affût, que les rapports de la presse avec
l'État, ou que le statut juridique de journaux pensés de plus en plus
comme des entreprises commerciales. L'État qui, sous la Troisième
République, était pourtant de plus en plus en retrait, assurait l'organisation minimale de la démocratie, de ses modes d'expression et, pourrait-
on dire, de formation : c'est pendant la présidence de Jules Grévy, premier républicain incontestable à être élu « magistrat suprême », que
furent votées à la fois la loi sur la liberté de la presse (29 juillet 1881), les
lois sur l'enseignement primaire obligatoire, laïque et gratuit, et les lois
sur les réunions publiques et la liberté syndicale ; mais c'est à la même
époque que, télégraphe électrique (surtout) et téléphone aidant, la « rage
du reportage » se propagea, jouant un rôle non négligeable dans la désta-
bilisation de l'action des autorités, de la police jusqu'à l'Élysée, à l'occasion d'« affaires » comme celle des décorations[34].

---

34. En 1887, éclata l'affaire des décorations, où l'homme politique et le gendre de Jules Grévy, Daniel
Wilson, fut accusé – notamment dans la presse – de vendre la légion d'honneur. Pour Grévy comme pour

En 1885 fut publié *Germinal* de Zola, qualifié alors de « document humain », d'« enquête sérieuse » – mais aussi *Bel-Ami* de Maupassant (qui était entre autres chroniqueur du *Figaro* [35]), portrait du journalisme de la presse de boulevard d'alors ; en 1898, un disciple de Zola, Paul Brulat, fit paraître un roman intitulé *Le Reporter* : pour Zola, Brulat et Maupassant, de même que pour Barrès – qui publia *Les Déracinés* en 1897 –, les méfaits de l'argent, la course du journaliste toujours sur le qui-vive et souvent en situation précaire modèlent davantage l'exercice quotidien du métier que ne le fait l'action des représentants de l'État, ministres, préfets ou policiers. Au cours des quelque trente à trente-cinq ans (vers 1879-1914), où s'esquisse, de façon désordonnée, la prise de conscience d'une appartenance à une seule et même profession, les journalistes craignaient moins, comme première entrave possible à leur activité, l'intervention de l'État. Certes, l'État-censeur allait réapparaître à l'approche de la guerre (celle de 1914-1918, comme celle de 1939-1940-1945), ou en temps de troubles intérieurs graves (attentats anarchistes des années 1890, crise du régime parlementaire au cours des années 1930). Certes encore, les autorités continuaient à tenter de diriger l'information, à présenter leur action sous le meilleur jour possible ou à retarder au maximum la divulgation d'informations « malencontreuses ». Mais il s'agit là de l'administration, de l'appareil de l'État, en tant que source d'information : l'État et ses institutions étaient en effet – et demeurent aujourd'hui –, pour maints secteurs d'activité que souhaitaient couvrir les journalistes, la principale source où pouvait s'étancher

Wilson, comme du reste pour tant d'autres responsables conspués par les médias depuis lors, « la rage du reportage » de journalistes à l'affût et qui se concurrençaient fut un facteur aggravant, mais non pas déterminant, dans les campagnes de presse dirigées à leur encontre. Pourtant ici, comme lors des affaires Dreyfus ou de Panama, voire à l'occasion de faits divers où la police se considérera débordée par le zèle d'investigation des journalistes – telle l'affaire Troppmann (1869-1870), par exemple – la porosité même de certains appareils de l'État, ainsi que la rivalité entre les administrations, services et ministères, permettra aux journalistes de jouer les premiers rôles dans le déclenchement d'une affaire. *Cf.* M. Palmer, « Daniel Wilson and the decorations scandal of 1887 », *Modern and Contemporary France*, Londres, Longman, 1993, pp. 139-150 ; M. Palmer, *Des petits journaux aux grandes agences*, Paris, Aubier, 1983.

35. Titre d'un hebdomadaire en 1824, avant d'être repris par Villemessant en 1854. Ce dernier transforma *Le Figaro* en quotidien littéraire en 1866, et en journal quotidien politique en 1867.

la soif d'information. Dans le régime d'opinion qu'était la Troisième République, le pouvoir législatif, d'un côté, la presse politique, de l'autre, harcelaient, souvent de manière confuse, les ministres et les administrations dont le manque de solidarité faisait le jeu des journalistes d'« enquête ». Les milieux de la finance, de la banque et de l'industrie, en revanche, parvenaient plus aisément à faire respecter le « secret des affaires », derrière le « mur de l'argent ». L'inculture économique de bien des journalistes en était responsable en partie ; d'autres furent intéressés à la promotion de certaines affaires, d'autres encore pratiquaient le chantage. Périodiquement, des scandales éclataient qui exposaient, un temps, les collusions entre milieu politique, milieu d'affaires et milieu de la presse. L'affaire de Panama dans les années 1890, l'affaire Stavisky dans les années 1930 discréditèrent ainsi le régime tout entier, aussi bien que le monde de la presse. Mais bien d'autres « affaires » ternirent l'image du journalisme. Dès les années 1880, en fait, il était apparu que le législateur, en garantissant la liberté de la presse face à l'État, n'avait guère pris en compte l'indépendance financière ou l'économie générale de la presse.

Le journaliste et l'opinion

Dès la proclamation, en 1789, de l'article XI de la Déclaration des droits de l'homme et du citoyen, on s'était interrogé sur la réglementation de la liberté de la presse : quels garde-fous mettre en place lorsqu'on peut enfin « parler, écrire, imprimer librement » ? Pendant les deux siècles qui suivirent la Révolution, le soin de réglementer cette liberté fut confié à des tribunaux, chambres correctionnelles et, parfois, cours d'assises. Responsables de journaux et journalistes passèrent – et passent encore aujourd'hui – un temps considérable sur le banc des accusés, bien qu'ils aient pris l'habitude, avec les avocats des entreprises de presse, de consulter longuement le Code pénal et le Code civil avant publication...

Cependant le « procès » qui est fait parfois aux journalistes dans leur ensemble, par une « opinion » à la fois juge et partie, tient peu compte de ces jugements individuels, de ces cas particuliers. Il se nourrit plutôt des ambiguïtés qui entourent le débat sur la liberté de la presse depuis l'époque des Lumières, depuis ce XVIIIᵉ siècle qui aboutit aux révolutions américaine et française. Le politologue John Keane [36] identifie certaines des méprises apparues alors sur l'action des journalistes, en décelant les failles qui caractérisent les rapports entre l'« opinion », le « jugement », la « raison » et le « public » – rapports qui sous-tendent les discours sur la liberté de la presse. Dans un essai de 1783, Emmanuel Kant assurait que les lumières ne peuvent provenir que de l'usage public de la raison, pratiqué par chaque individu, et exercé librement à tout moment : cet usage public de la raison signifie l'utilisation qu'en fait chaque personne en tant qu'expert devant le public des lecteurs [37]. Le pamphlétaire américain Thomas Paine (1737-1809) affirmait que si la presse ne doit subir aucun contrôle préalable de la part des autorités, la licence, elle, doit être décidée non pas par les censeurs du gouvernement, mais par le « public dans son ensemble » (« *the public at large*[38] »). Necker, le ministre réformateur de Louis XVI, présentait enfin l'opinion publique comme le tribunal suprême, en mesure de filtrer et de purifier les opinions mal articulées du public « parlant et écoutant » et qui, de surcroît, obligerait les gouvernants à agir sans violence, publiquement, et à accepter son jugement. Une telle vision des choses, proche de celle des révolutionnaires modérés, reposait sur une conception de la société analogue à la *polis* de la Grèce antique – tous pouvaient se réunir pour discuter et faire ensemble un usage public de la raison ; conception évidemment illusoire, dans la France des années 1780-1790 comme dans celle des sociétés complexes contemporaines.

Les propos de ces champions de la liberté de la presse présupposaient que la mise en œuvre de cette liberté, en permettant l'expression

---

36. J. Keane, *The Media and Democracy,* Cambridge, Polity Press, 1991. Keane reprend et approfondit les travaux de Jürgen Habermas sur l'émergence de l'espace public. J. Habermas, *Strukturwandel der Offentlichkeit,* traduction française, *L'Espace public,* Paris, Payot, 1961 ; *cf.* aussi P. Champagne, *Faire l'opinion,* Paris, éditions de Minuit, 1990.

37. E. Kant, *Beantwortung der Frage : was ist Aufklärung ?* (1783) ; cité dans J. Keane, *op. cit.,* p. 40.

38. T. Paine, « Liberty of the Press », cité in *ibid.*

collective de l'usage public de la raison exercé par chacun, aboutirait à un consensus qui guérirait la société de ses divisions politiques et de la plupart de ses maux collectifs. Maints écrits sur la liberté d'expression postulaient que ce droit est aussi inaliénable que celui de la propriété, ses seules limites devant provenir du respect du même droit pour les autres membres de la communauté. Or, une fois la liberté de la presse devenue effective, même si ce ne fut en France que provisoirement, au début de la Révolution, plusieurs contradictions ou questions non résolues se firent jour dans l'exercice de cette liberté. Certains journalistes faisaient, en effet, usage public de la raison ; d'autres, parfois tout aussi attachés au désir d'informer et d'éclairer le public, faisaient largement appel aux émotions, aux passions, évoquant leurs propres sentiments, interpellant le « peuple », l'« opinion », au nom de la Révolution menacée ou de la patrie en danger : ainsi des gouvernements pourtant révolutionnaires invoquèrent l'argument sécuritaire pour s'opposer aux articles jugés séditieux – « de nature à troubler l'ordre public » – publiés par Marat et certains de ses confrères.

Bien d'autres ambiguïtés devaient apparaître. Espace de « liberté », la presse était déjà, sinon une industrie, du moins un secteur économique, proche de l'édition, de l'impression et de la diffusion des ouvrages, où s'esquissaient la concentration des capitaux, la division du travail et – toutes proportions gardées – la segmentation des marchés.

Une contradiction flagrante surtout se manifestait entre le discours idéalisant la liberté de l'expression de chaque individu (le sujet devenu citoyen) et les fonctions occupées par le journaliste. Intermédiaire entre le peuple et ses gouvernants, le journaliste serait à la fois le porte-parole et l'interprète, et ceci continûment, dans les deux directions. Il lui reviendrait d'« éclairer », d'« instruire » et d'« informer » l'« opinion », à laquelle sont redevables ceux qui exercent le pouvoir, mais aussi ces derniers sur ce que pense ou ressent l'« opinion ». On comprend que le journaliste puisse parler de son « sacerdoce » : ses référents, dans l'ensemble, sont plutôt séculiers, mais qu'il ait à « témoigner », ou à interpréter ce « bas monde », en faisant usage public de la raison, sans méconnaître et parfois en utilisant la force des passions... voilà qui n'est pas une mince affaire. D'autant plus que, « pour faire passer son message », il jouera l'amuseur public et le fou du roi, en espérant instruire en divertissant. Or, les écrits portant sur la liberté de la presse, au XVIIIe siècle et tout au long du XIXe siècle, n'ont accordé guère de place à l'examen de cette multiplicité des rôles.

Bien des journalistes, dans cette période où les idées démocratiques avançaient et où la pratique électorale tendait à se généraliser, affirmaient en revanche que leur légitimité provenait d'une « communion » avec l'opinion. Mais les modalités de cette communion restaient, pour l'essentiel, un mystère (les sondages d'opinion n'apparaîtront que dans les années 1930). Comme celui de l'homme politique, le rôle du journaliste, « représentant de l'opinion », pouvait être interprété de plusieurs manières : qu'il parle au nom de ses (é)lecteurs, soit, mais devait-il faire et dire ce qu'ils attendaient de lui, ou ce qu'il estimait le mieux pour eux ? Devait-il les refléter ou les éclairer ? Cette « opinion », par ailleurs, il escomptait parfois la « mobiliser », lors d'une souscription publique ou d'une pétition, d'une élection ou d'une manifestation, voire d'une révolution, comme celle de juillet 1830, qui devint la « révolution des journalistes ». L'« idéologie » du journaliste serait en fait orientée par l'image qu'il se fait de son action : faire ou défaire l'opinion – comme le font ces critiques littéraires et dramatiques, organisateurs de la claque dans *Illusions perdues* de Balzac – ou l'« accompagner » et l'« informer » dépendrait, *in fine*, plus du débat intérieur que le journaliste poursuit avec lui-même, et d'une conception de son rôle qu'il affine dans les débats avec ses collègues, que de la légitimité de la représentation de celui qui est mandaté par ses électeurs.

Alors même que, depuis la *Gazette*, le journalisme passait plutôt pour un métier de touche-à-tout à l'esprit curieux et à la plume légère, des journalistes évoquaient le « combat des idées », se présentaient parfois en redresseurs de torts, tandis que la presse aidait à « sortir des affaires », à « dévoiler des scandales ». « Rechercher la vérité », « faire toute la lumière » : ces professions de foi, issues du discours policier et judiciaire, ornaient déjà les colonnes des journaux (par exemple *Le XIXe siècle* et *Le Petit Journal*, en 1887, à propos du « trafic des décorations »), coloraient le travail des chroniqueurs et des éditorialistes d'une part, des reporters d'autre part [39]. Chroniqueurs et éditorialistes affirmaient et prodiguaient leurs opinions, quand les reporters relataient plutôt les faits et évoquaient l'ambiance, avec ou sans commentaire. Mais qu'ils se posent en « chercheurs de vérité » ou en « militants d'une cause », politique ou autre, les journalistes se voyaient en participants et animateurs du débat public. Leurs référents culturels étaient variés, assurément ; mais, qu'ils se réfèrent aux philosophes des Lumières ou aux tribuns de la Révolution, bien des journalistes, y compris ceux engagés à gauche, reflétaient à la fois le scepticisme voltairien – « Si l'homme était parfait, il serait Dieu » – prisé par la bourgeoisie d'alors, et une éducation nourrie des classiques de l'Antiquité gréco-romaine. Les chroniqueurs politiques évoquaient l'*agora* grecque et le *forum* romain : ils faisaient profession de leurs opinions, comme s'ils participaient à la vie de la cité, à cette *polis* agrandie, cette tribune élargie par les acquis de la Révolution.

D'où ce désenchantement, ce sentiment de trahison chez les journalistes se posant en clercs, dont Balzac surtout se fit l'écho, bientôt suivi par Maupassant, Zola, Barrès et bien d'autres. En 1839, Balzac écrivit ces mots en préface de la deuxième partie des *Illusions perdues*, un roman (très) autobiographique : « En 1821, le journal était dans sa robe d'innocence, comparé à ce qu'il est en 1839. » Et son personnage Claude Vignon d'ajouter : « Le journal, au lieu d'être un sacerdoce, est devenu un moyen pour les partis ; de moyen, il s'est fait commerce ; et comme tous les commerces, il est sans foi ni loi. Tout journal est (...) une boutique où l'on vend au public des paroles de la couleur dont il les veut (...). Un journal n'est plus fait pour éclairer, mais pour flatter les opinions. Ainsi, tous les journaux seront, dans un temps donné, lâches, hypocrites, infâmes, menteurs, assassins ; ils tueront les idées, les sys-

---

39. Le terme « reporter » traversa la Manche et l'Atlantique pour apparaître en France dans les années 1829-1830 ; il se généralisera dans les années 1860-1880. *Cf.* M. Palmer, *op. cit.*

tèmes, les hommes et fleuriront par cela même. Ils auront le bénéfice de tous les êtres de raison ; le mal sera fait sans que personne en soit coupable. Je serai moi Vignon, vous serez toi Lousteau, toi Blondet, toi Finot, des Aristides, des Platons, des Catons, des hommes de Plutarque ; nous serons tous innocents, nous pourrons nous laver les mains de toute infamie. Napoléon a donné la raison de ce phénomène moral ou immoral, comme il vous plaira, dans un mot sublime, que lui ont dicté ses études sur la Convention : *les crimes collectifs n'engagent personne*. Le journal peut se permettre la conduite la plus atroce, personne ne s'en croit sali personnellement.

– Mais le pouvoir fera des lois répressives, dit Du Bruel, il en prépare.

– Bah ! Que peut la loi contre l'esprit français, dit Nathan, le plus subtil de tous les dissolvants... »

En somme, poursuit Vignon-Balzac, « Napoléon avait bien raison de museler la presse [40] ». Lui-même éditeur (1825), imprimeur (1826), fondeur de caractères (1827), directeur et propriétaire d'un journal *(La Chronique de Paris)*, fondateur et unique rédacteur d'un autre (la *Revue parisienne*, qui dura trois numéros...), Balzac dépeignait ainsi en noir les mœurs d'une presse qui ne lui apporta guère les bonheurs commerciaux qu'il escomptait. Auteur à succès, il publia plusieurs contes ou romans en feuilletons dans des titres du Panckoucke de l'époque, Émile de Girardin ; Balzac contribua pourtant à répandre l'image négative de journalistes qui faisaient commerce de tout, y compris de leurs opinions. Il ne fut ni le premier, ni le dernier romancier à médire d'une activité qui pouvait lui assurer de quoi vivre mais au prix de compromissions et d'un temps apparemment perdu qui le faisait enrager. Ce fut pourtant lui, Balzac, alors obscur auteur du *Dernier Chouan*, qui fit en 1829 le premier pas vers Girardin, dont la réputation de journaliste commençait à percer.

---

40. H. de Balzac, *Illusions perdues*, 1837-1843, Paris, Gallimard, coll. « Folio », 1972, p. 322.

« Dans la première moitié du XIXe siècle, des quotidiens politiques aux petites feuilles de spectacles, tous les journaux se copient les uns les autres et pillent les livres nouveaux au gré de leurs besoins [41]. » Girardin affirma haut et fort ce que d'autres négligeaient de préciser, en lançant en 1828 un périodique au titre explicite : *Le Voleur*. « L'Avis » ou éditorial qui le présentait donnait le ton : « Nous sommes au siècle des trafics, la religion et la liberté ont leurs cours qui fluctuent, et les consciences leur tarif établi. » *Le Voleur* récusait les « principes », les « doctrines » et « mots à effet », abhorrait les « coteries » et se taillait chaque semaine un habit d'Arlequin dans les « 136 journaux » de Paris. Le nouvel hebdomadaire annonçait clairement la couleur.

De 1828 à sa mort en 1881, Girardin dirigea des journaux, dont la plupart étaient ses propres créations. Ses succès rédactionnels et commerciaux tenaient à deux facteurs : une connaissance des rapports entre la presse, la publicité, le commerce et l'industrie en Angleterre et, indirectement, aux États-Unis, qui lui permit d'introduire des « concepts de journaux » qui avaient fait leurs preuves outre-Manche et outre-Atlantique ; et une compréhension du *modus operandi* du financement, de la production, de la fabrication et de la distribution de la presse en France. A plusieurs reprises au cours de sa longue carrière de « père de la presse moderne », on présenta Girardin comme un personnage à la fois typiquement « parisien », très attaché à la liberté, mais d'un cynisme en affaires très « américain [42] ». Dans son admirable travail historique, Roland Chollet ressuscite les mœurs et pratiques des milieux journalistiques – presse politique et littéraire, « grands » journaux quotidiens et « petite presse » plus souvent hebdomadaire – que fréquentaient vers 1830 Balzac, romancier comptant sur le journalisme pour vivre, et Girardin, bataillant pour que la presse survive et prospère en devenant une véritable industrie. Ce sont ces pratiques d'une presse « devenue commerce » que Balzac dénonçait, les qualifiant de « plaie » et de « maladie ». « La pourriture de l'arrivisme journalistique » (Patrick Berthier), dépeinte

41. *Cf.* R. Chollet, *Balzac journaliste. Le tournant de 1830*, Paris, Klincksieck, 1983, p. 72.
42. *Cf.* M. Reclus, *Émile de Girardin*, Paris, Hachette, 1934, p. 197.

dans *Illusions perdues*, restera perçue comme une tare de la profession par des Français qui, aujourd'hui encore, étudient l'ouvrage à l'école. Balzac s'est mis lui-même en scène : « Comme la plupart des journalistes, Lucien vécut au jour le jour, dépensant son argent à mesure qu'il le gagnait, ne songeant point aux charges périodiques de la vie parisienne, si écrasantes pour ces bohémiens. » Mais que ce soit dans *Illusions perdues, Monographie de la presse parisienne* ou dans ses autres écrits sur le journalisme, il n'a guère évoqué cette internationalisation des échanges de concepts de presse, que préconisait Girardin, et qui allait s'affirmer peu à peu. Des commentateurs français regardaient outre-Manche et outre-Atlantique : certains enviaient la liberté de la presse qui y régnait ; d'autres redoutaient que le journalisme ne s'y pervertisse, l'information et la publicité primant sur l'opinion. Ce sont ces croisements de regards et ces aller-retour par journaux interposés qu'il nous faut maintenant souligner, avant de revenir à Girardin, homme-carrefour de la mythologie des journalistes français.

Liberté et licence, information et finance : Paris, Londres, New York, même débat ?

D'après Montesquieu, Voltaire et Hegel, les Britanniques surent profiter de cet espace de liberté – alors si rare de par le monde – dont ils jouissaient : la liberté de la presse incitait les gens à penser (Voltaire), constituait un dialogue entre le gouvernement et le peuple (Hegel) et permettait l'expression des mécontentements et la libération du silence qu'impose le despotisme (Montesquieu). Image quelque peu idéalisée, cette utopie de la communication d'alors fut propagée par plusieurs publicistes français avant qu'ils ne fondent eux-mêmes des journaux dans la France de la Révolution : Brissot, Mirabeau et Marat firent l'éloge de la liberté de la presse que connaissaient le Royaume-Uni et les États-Unis.

La brochure de Mirabeau *Sur la liberté de la presse* est, pour l'essentiel, une adaptation du plaidoyer de Milton, *Areopagitica*, rédigé pendant la guerre civile anglaise. Et la version initiale du célèbre premier amendement à la Constitution des États-Unis garantissant la liberté de parole et celle de la presse, rédigée en mai 1789, est extrêmement proche de l'article XI de la Déclaration des droits de l'homme et du citoyen, votée par l'Assemblée nationale en août 1789 [43]. Un siècle plus tard, en France, la loi du 29 juillet 1881 signifierait la victoire quasi définitive d'une presse libérée du contrôle de l'État. Entre ces deux fins de siècle, on allait vivre en France des « remakes » du débat sur la liberté de la presse, opposant des arguments déjà largement entendus. Journalistes et hommes politiques (du centre et de la gauche) citaient le Royaume-Uni et les États-Unis en modèle. Tocqueville (1805-1859) insistait, dans ses écrits sur ces deux pays, sur le rôle de la presse dans l'émergence des mœurs démocratiques et parlementaires, comme mode d'expression de la société civile : « Les journaux font les associations et les associations font les journaux. » Tandis que de rares patrons de presse, à l'instar de Girardin, étudiaient le journalisme et l'industrie de la presse à l'anglosaxonne, la plupart des journalistes français célébraient la tradition d'une presse littéraire, d'opinion et de combat. Face aux contrôles qu'imposait l'État, on excellait à démontrer que la plume est plus puissante que l'épée. Les journalistes ayant des sympathies républicaines croisaient le fer avec les journalistes de droite, dont les aïeux – qu'ils soient restés en France ou émigrés en exil jusqu'au retour des Bourbons en 1814-1815 – goûtaient les formules de Rivarol dans *Le Journal politique national* et *Les Actes des apôtres*.

Ainsi, le panthéon des journalistes se peuplait en France de polémistes jouant les Alcestes ou les Diogènes. A gauche, on glorifiait le rôle de la presse « à l'assaut de la monarchie » pendant les journées révolutionnaires de 1830 et 1848. Abdication de Louis-Philippe, proclamation de la Deuxième République, élection de son président au suffrage uni-

---

43. « *The People shall not be deprived or abridged of their Right to speak, to write, or to publish their Sentiments ; and the Freedom of the Press, as one of the great Bulwarks of Liberty, shall be inviolable* », James Madison, « *Letter to Edmond Randolph* » (31 mai 1789), cité par J. Keane, *op. cit.*, p. 42.

versel : dans l'interaction de ces événements et l'opinion, les journalistes se virent investis d'un rôle important.

Le panthéon des journalistes de combat s'enrichit de nouveaux noms sous le Second Empire et pendant la Commune : l'on pense à Rochefort et à Vallès, mais aussi au *Père Duchêne* de 1871, réminiscence du *Père Duchêne* de 1790 et rédigé, comme son devancier, par des journalistes d'origine bourgeoise, mais dans une langue populaire et grossière – formule qui plut, à en juger par les tirages de 1790 comme de 1871.

Ce mémorial des morts illustres pose cependant problème. La presse combattante à l'assaut du régime – monarchie, empire, plus tard la République et l'État français sous Vichy – marque l'héritage des journalistes en France. Elle fait partie de leur mémoire collective, même si cette mémoire est parfois défaillante : *de facto*, les journalistes sont plus tournés vers le présent et l'avenir que vers le passé. Les journalistes d'aujourd'hui n'ignorent pourtant pas qu'il y eut autrefois d'innombrables campagnes de presse d'une grande violence verbale. Un Jean-Edern Hallier est là – parfois – pour le rappeler. Le débat d'idées, l'exposé des faits, tournaient vite à l'insinuation et à l'invective, voire à la chasse à l'homme – homme public dont on transgressait rapidement la fragile frontière entre la vie publique et la vie privée, ou simple particulier mêlé pour une raison ou une autre à l'actualité. Que de vies privées troublées, brisées parfois, sous les projecteurs des médias ! En France, le suicide en 1936 de Roger Salengro, ministre de Léon Blum, à la suite d'une campagne dans la presse de droite, fut rappelé en mai 1993, lorsque François Mitterrand fit référence aux « chiens », à la suite du suicide de son ancien Premier ministre Pierre Bérégovoy [44]. Mais il est d'autres images fortes – *a contrario*, en quelque sorte. En 1793, Charlotte Corday assassina Marat dans sa baignoire ; par la suite, la toile de David immortalisant la scène devint synonyme des représailles que peuvent engendrer les violences de la plume, le zèle du messager devenu pourfendeur. En 1914, Mme Caillaux, la femme du leader radical, assas-

---

44. Voir *supra* pp. 15-16, et *infra* pp. 202-204.

sina dans les locaux du *Figaro* le directeur du journal, Gaston Calmette : il menaçait de publier des lettres privées qui auraient pu compromettre son mari. En 1914, aussi, Raoul Villain assassina le directeur de *L'Humanité*, Jean Jaurès. Mais les cas de violences physiques exercées en représailles par de simples citoyens dépités sont plutôt rares : en matière de presse, les demandes de réparation se font davantage sur les bancs des tribunaux.

Une fois la loi de 1881 votée et après avoir vécu deux cent cinquante ans sous des dispositifs de contrôle politique, « Sa Majesté la Presse » s'estimait, à bien des égards, toute-puissante. Le slogan promotionnel du journal *Le Matin* (1884-1944) reflétait cet état d'esprit : « *Le Matin* voit tout, sait tout, dit tout. » Dans un régime d'opinion tel que la Troisième République, l'exécutif était faible et le législatif guère capable de dégager une majorité parlementaire durable, d'où une instabilité ministérielle aggravée par un affaiblissement des institutions de l'État. En politique comme dans les affaires, dans la conduite des relations internationales comme dans l'animation de la vie intellectuelle, autorités et journalistes estimaient que la presse disposait d'une influence telle qu'elle pouvait être qualifiée de « quatrième pouvoir » – un pouvoir qui s'exerçait, le plus souvent, de manière désordonnée et difficilement prévisible[45].

L'information et le commentaire

Dans les écrits de Balzac qui traitent du journalisme, le mot « information » apparaît fort peu souvent. Dans une presse française marquée par la tradition littéraire et celle du combat politique, l'attitude partisane

---

45. L'expression « quatrième pouvoir » – les trois premiers étant l'exécutif, le législatif et le judiciaire – est d'origine anglaise. L'historien Thomas Babington Macaulay (1800-1859) précise que si l'on qualifie les journalistes de son époque de « quatrième pouvoir » (les chroniqueurs parlementaires surtout), la fonction était déjà exercée – à la fin du XVIIe siècle à Londres – par les cafés ; ces lieux où l'on se rendait pour apprendre les nouvelles et pour en débattre, servaient de vecteur de l'opinion publique à Londres. *Macaulay's Complete Works*, Londres, Longmans, 1906, t. 1, p. 385. Thomas Carlyle (1795-1881), lui aussi, qualifie les journalistes parlementaires de *« fourth estate »*. Le parlementaire Edmund Burke (1729-1797) les présente, en 1774, comme autrement plus puissant que les trois états qui siègent au Parlement. Balzac, en 1840, traite la presse de « quatrième pouvoir ».

et militante primait – à quelques exceptions près – sur le récit dépassionné des faits d'actualité. Outre-Manche et outre-Atlantique, dans cette presse quotidienne qui se multiplia à partir des années 1780, bien des titres furent politiquement engagés, certains même à la solde de tel ou tel intérêt. Mais on accorda une place croissante et des investissements conséquents à la collecte de l'information. Tout comme en France, on s'attacha à assurer la couverture des assemblées parlementaires et de la vie politique. L'information de l'étranger fut pour certains titres particulièrement soignée. Aux États-Unis, on entreprit des efforts considérables, tout au long du XIXe siècle, pour être rapidement informé des nouvelles du Vieux Monde : les petits bateaux express venaient à la rencontre des grands paquebots arrivant d'Europe pour obtenir l'information le plus rapidement possible ; en 1866, la pose enfin réussie d'un câble télégraphique à travers l'Atlantique doit plus aux Américains qu'à leurs partenaires britanniques. A Londres, cependant, l'un des facteurs qui permirent au *Times* de se démarquer des autres quotidiens britanniques est l'importance qu'il accordait à la couverture de l'étranger et tout d'abord à l'Europe. Dès 1808, lorsque débuta la guerre d'Espagne, le *Times* envoya un correspondant, Henry Crabb Robinson, couvrir le conflit, qu'on percevra ensuite comme le tournant dans les guerres napoléoniennes. Par l'étendue du réseau de correspondants ainsi mis en place à travers l'Europe, le *Times* se distinguait de ses confrères, rivalisait même en rapidité et en fiabilité avec les réseaux de banquiers tels que les Rothschild, et disposait d'un outil qui, perfectionné encore par la suite, conféra au journal une autorité reconnue par le gouvernement britannique et par ses confrères étrangers.

Afin de couvrir l'information avec sérieux, et ceci pour tout l'éventail de rubriques d'un journal quotidien, les pratiques professionnelles se régularisaient et acquéraient une certaine légitimité. Une hiérarchie dans l'organisation du travail rédactionnel, et même l'acquisition d'un certain nombre de pratiques routinières que permettaient la division du travail et la gestion des étapes rédactionnelles à accomplir caractérisaient les grands titres. On préféra la copie des membres de la rédaction à celle de correspondants amateurs – un important vivier d'informations, pourtant, depuis longtemps. Les quotidiens faisaient appel à des équipes organisées de reporters parlementaires. Dans les bureaux du journal, un secrétaire de la rédaction organisait les dispositifs de couverture et la gestion de la copie : le rédacteur en chef, lui, se confondait parfois avec le propriétaire du titre. Au cours des années 1820 et 1830, la plupart des journaux de Londres se mirent à consacrer une page à l'information boursière, ainsi qu'une colonne fournie par « notre correspondant de la City ». Les rubriques spécialisées se multipliaient, chose assez étonnante étant donné la modicité des tirages et du chiffre d'affaires de la quasi-totalité des titres.

Les quotidiens furent pensés d'abord comme des entreprises commerciales. Les imprimeurs – les Walter au *Times*, les Taylor au *Manchester Guardian* (1821) – y veillaient. Il a été calculé que, pour survivre, les recettes publicitaires devaient représenter la moitié du chiffre d'affaires. Le *Times*, qui domina tous les autres quotidiens jusqu'aux années 1860, y parvenait aisément. Tandis que ses confrères tiraient aux environs de 5 000 à 6 000 exemplaires, son tirage approchait les 50 000 à l'époque de la guerre de Crimée (1854-1856). Ce n'est pas pour rien que des annonces classées – dites en France « annonces anglaises » – ornèrent la totalité de la une du *Times* jusqu'en... 1966. Ainsi, engrangeant d'importantes recettes publicitaires, ce journal faisait paraître vers 1850 des numéros de huit, douze, voire seize pages grand format comportant un tiers de publicité. Grâce à sa santé financière, il put procéder aux investissements qui devaient asseoir son prestige rédactionnel.

Il se faisait le champion de toute une série de causes libérales, qui séduisaient un lectorat où était fortement représentée la tradition non conformiste ainsi que les classes bourgeoises qui animaient la révolution industrielle d'alors. Sous les rédacteurs en chef Thomas Barnes (1817-1841) et John Thadeus Delane (1841-1879), le journal renforça son réseau de correspondants à l'étranger, obtint la primeur de maintes nouvelles politiques, et acquit une autorité dans l'opinion, par son indépendance et sa façon de tancer les autorités (on le surnomma *the Thunderer* :

« celui qui tonne ») que peu de journaux britanniques devaient connaître par la suite.

Issus pour beaucoup de milieux aisés, les journalistes du *Times*, formés à Oxford et à Cambridge le plus souvent, rehaussaient de manière générale le prestige, pour ne pas dire le standing, des *gentlemen of the press*. En fait, ils n'étaient nullement représentatifs de la masse des journalistes britanniques. Cette « aristocratie des rédactions » en imposait, et fut estimée à l'étranger, un peu comme le sont aujourd'hui les rédacteurs du *Financial Times* (fondé en 1888), voire ceux – mais ils ne signent pas leurs papiers – de l'hebdomadaire *The Economist* (fondé en 1843). De même en France, les journalistes des quotidiens « de référence » que furent d'abord *Le Journal des débats* (1789), puis *Le Temps* (1861) et, plus récemment, *Le Monde* (1944), jouissaient d'un certain ascendant sur leurs pairs.

Ainsi, il émergeait en Angleterre au milieu du XIXᵉ siècle une « élite » des journalistes peu nombreuse par ses effectifs, mais donnant le ton, acquérant une réputation liée à celle de leur titre, *persona grata* auprès des membres de l'*establishment* qui les accueillaient dans leurs cercles et leurs clubs, dans le vestibule du palais de Westminster comme dans les bureaux du ministère : ils étaient même reçus, à titre individuel, dans les *country homes*, et invités aux parties de chasse. Des distinctions s'opéraient par titre et par spécialité.

L'opposition presse de qualité/presse populaire s'accentua dans la presse quotidienne à la fin du siècle : Alfred Harmsworth lança en 1896 le premier quotidien britannique à un sou *(half-penny daily)* à connaître un succès durable, avec un tirage de plus d'un million dès 1900 : le Premier ministre d'alors, Lord Salisbury, décrivit ce titre, le *Daily Mail*, comme un journal fait par des garçons de bureau pour des garçons de bureau.

Parmi l'élite journalistique figuraient les directeurs et rédacteurs en chef, les éditorialistes *(leader-writers)*, les correspondants politiques et diplomatiques. Par contre, les correspondants de guerre, envoyés spéciaux et autres journalistes d'enquête traités d'« empoisonneurs », pour ne pas dire plus, par les autorités, étaient plutôt *persona non grata*, même s'ils pouvaient bénéficier parfois de complicités bien utiles dans les milieux où ils faisaient leur enquête. C'est dire que l'image du journaliste se brouillait encore et toujours. Il pouvait être assimilé au journal qu'il « représentait », mais il appartenait aussi à des coteries – certains disent des cartels de spécialistes, tels les *lobby correspondents*, qui couvraient le Parlement en 1890 comme en 1990, ou alors les *hacks* et le *rat-pack* (la « meute des rats »), journalistes qui suivent tels les chiens de la meute les faits et gestes, et surtout les esclandres conjugaux de la famille royale (l'espèce proliférera après les années 1930 et surtout après les années 1970).

Les avancées sociales, aussi bien que professionnelles, des journalistes au Royaume-Uni se faisaient sans que fut mise en cause l'indépendance de la presse, comme elle le fût en France jusqu'en 1881. Mais les journalistes inspiraient méfiance aux classes dirigeantes et à la bonne société. Le succès des titres dominicaux parut une menace grave pour les bonnes mœurs, à ceux qui militaient pour le respect du jour du Seigneur. Des journalistes et des colporteurs étaient menacés, et parfois contraints de renoncer à poursuivre leurs activités. Des hommes politiques britanniques stigmatisaient les excès de la presse dans la France des révolutions afin de proscrire toute littérature « démocratique » et montraient du doigt ses agents, les journalistes. La bonne société de l'époque victorienne estimait que, si *gentlemen* de la presse il y avait – au *Times*, par exemple –, leurs rangs étaient plutôt clairsemés. Au demeurant, l'*establishment* acceptait mal l'ascendant dans l'opinion acquis par *the Thunderer* : le gouvernement en place lors de la suppression du droit du timbre, impôt sur la presse aboli en 1855, ne fut pas mécontent de voir que cette mesure, qui entraîna la création de nombreux quotidiens bon marché tel que le *Daily Telegraph,* permit le développement à terme de concurrents sérieux pour le *Times* ; ils publièrent des dépêches télégraphiques et autres nouvelles concernant la guerre de Crimée (1854-1856) plus conformes aux vues gouvernementales que les articles critiques du *Times* – lequel était informé sur la conduite de la campagne par celui que l'on tient souvent comme le premier correspondant de guerre des temps modernes, William Howard Russell. La réputation professionnelle du *Times*, tout comme son tirage, devait ensuite s'affaiblir, notamment à la suite de la publication de documents qui se révélèrent être des faux (lettres « compromettantes » concernant la vie privée du leader des autonomistes irlandais, Charles Parnell, en 1887). A la fin du siècle, la presse française, où l'on tenait encore le *Times* en estime, considérait que les excès du journalisme populaire et le mauvais goût qui sévissaient dans ses propres rangs, étaient largement dépassés par ceux de la presse d'outre-Manche...

Du côté de chez « Émile »[46]

On n'en était pas là au tournant de 1830, lorsque Balzac rencontra Girardin. En 1829, il y avait à Paris une dizaine de quotidiens politiques (chiffre analogue à celui d'aujourd'hui). Ces journaux – dont *Le Journal des débats* était le fleuron – privilégiaient la politique et la littérature, se vendaient essentiellement par abonnement, avaient des tirages modestes (quelque 10 000 exemplaires pour *Le Journal des débats*) et engrangeaient peu de recettes publicitaires. Dans les quotidiens prisés par l'élite d'alors, les rédacteurs avaient un sentiment d'appartenance et d'identification au titre pour lequel ils travaillaient, mais aussi des ambitions où ils se voyaient poursuivre une carrière dans les lettres, à l'université ou dans la politique, le journalisme n'étant pour eux qu'un tremplin fort commode pour se faire un nom, accroître leur influence et leurs contacts. Le journalisme n'était pas recherché pour lui-même, mais pour tout ce à quoi il mène, « à condition d'en sortir », selon le fameux mot d'Alphonse Karr[47].

Girardin devint, dans la mythologie des journalistes, celui qui modifia l'image : du journaliste homme de lettres avec ce je-ne-sais quoi de dilettante, on passait au journaliste protéiforme et prométhéen avec une

---

46. Titre du roman autobiographique que Girardin rédigea en 1826-1827.

47. La formule de Karr (1808-1890) est calquée sur celle de Villemain : « Les lettres conduisent à tout, à condition de les abandonner. »

perception aiguë de l'actualité, un flair pour les formules rédactionnelles qui marchent, mais aussi un sens des affaires, une intelligence de l'ensemble des facteurs qui sous-tendent le succès d'une entreprise de presse, de la fabrication technique aux modalités de distribution. On en voulut à Girardin pour son professionnalisme, on lui reprocha d'avoir fait de la presse une industrie et d'avoir monnayé l'influence de ses journaux – journaux qu'il présentait à la fois comme des instruments de la diffusion des connaissances que permettait la publicité et des agents de la transformation économique de la France où capitalisme, révolution industrielle et réification de l'information allaient de pair. On le fustigea dans une nouvelle querelle opposant les anciens et les modernes. En 1858, Barbey d'Aurevilly précisait qu'il ne fallait pas confondre « homme de lettres » et « journaliste ». En 1836, lors d'un duel survenu à la suite du lancement de son quotidien *La Presse*, Girardin tua Armand Carrel, rédacteur en chef du quotidien républicain *Le National*, l'un des leaders de la « révolution des journalistes » de 1830. Le duel et la mort de Carrel furent présentés ensuite comme le symbole de la victoire de la presse vue sous l'angle du commerce, débitant des informations et des romans-feuilletons pour divertir et plaire, sur la presse du noble combat d'idées, mené devant l'opinion.

Le nombre de titres lancés ou repris par Girardin pendant plus de cinquante ans d'activité de patron de presse, journaliste, homme politique, brasseur d'affaires et homme d'influence... dépasse la vingtaine. On y trouve de tout : hebdomadaires spécialisés *(La Mode)*, mensuels de vulgarisation des connaissances *(Le Journal des connaissances utiles*, 1832), grands journaux quotidiens *(La Presse*, 1836, et *Liberté*, 1866) et petit journal quotidien à un sou, qui annonce la presse quotidienne à grand tirage *(Le Petit Journal*, lancé en 1863, que Girardin reprit, avec d'autres, en 1873). Si *Le Voleur* était composé avec des ciseaux et de la colle, à partir des « 136 » autres journaux de Paris, *Le Feuilleton des journaux politiques* (1830) se présentait comme un supplément hebdomadaire des quotidiens de toutes couleurs, sans avoir obtenu l'accord des intéressés : pour se prêter à de telles pratiques, les journalistes ne devaient pas être trop regardants. Certaines rédactions des titres de Girardin étaient plutôt modestes, comptant de cinq à dix journalistes. En revanche, *Le Petit Journal* appointait plus de cent correspondants à Paris ; en 1881, à la mort de Girardin, il employait au total près de cinq mille correspondants, dont certains, en province, faisaient fonction également de dépositaires du quotidien tirant alors à plus de 500 000 exemplaires.

Girardin agit en analysant le public potentiel ou existant des titres auxquels il s'intéressait : il pensait formule rédactionnelle, lectorat (« cible », dirait-on aujourd'hui) et gisement publicitaire. En lançant un *Prospectus* pour *Le Feuilleton des journaux politiques*, Girardin entendit « répondre à un besoin généralement ressenti par tous les publics de journaux politiques, sans distinction d'appartenance » en leur proposant « un feuilleton "séparé", apolitique en principe, (...) un journal littéraire sérieux, à la fois complémentaire et indépendant[48] ». Girardin décomposait par ailleurs les ingrédients d'une formule rédactionnelle – ici feuilleton (entendu dans le sens de compte rendu critique des nouveautés de l'édition), là roman-feuilleton, là encore faits divers et renseignements pratiques. L'information et la publicité ne devaient pas, non plus, être pensées selon les lignes de partage classiques que seraient la littérature et la politique. Cette décomposition des ingrédients du journal mosaïque paraît, après coup, une vision à la fois bien moderne et nécessaire à une certaine professionnalisation des pratiques d'écriture.

Dans le *Prospectus* de *La Presse* (1836), Girardin souligna la nécessité d'une réforme de l'économie de la presse : « Le prix d'abonnement des journaux quotidiens n'est pas en juste rapport avec la modicité du revenu moyen de la grande majorité des lecteurs français qui se compose de propriétaires ruraux. » Il se proposa de lancer *La Presse* avec un taux d'abonnement s'élevant à la moitié de celui des quotidiens de l'époque. Les recettes provenant des abonnements ne couvrant pas les frais précités, le manque à gagner devait être couvert par le « produit des annonces ».

---

48. R. Chollet, *op. cit.*, p. 106.

« Le produit annuel des annonces du journal anglais *The Times* dépasse 25 000 livres sterling (750 000 francs), celui des quelques journaux français qui comptent 8 000 à 10 000 abonnés, tels que *Le Journal des débats* et *La Gazette de France*, s'élève de 200 000 à 250 000 francs. Cette branche importante de revenus qui n'existe pour les journaux français que depuis 1828 a constamment été chaque année plus productive et elle n'a point encore acquis la moitié de son développement...

« L'extension de ce moteur puissant de la publicité, essor nécessaire de la concurrence, n'est plus qu'une question de temps qui se lie au développement de notre prospérité nationale...

« Le progrès – comme première condition – implique une tendance au bon marché, laquelle à son tour implique la nécessité du grand nombre. Comment y parvenir sans le concours de la publicité et – si elle n'est qu'officieuse – à quel titre le réclamera l'homme dont elle doit faire la fortune ? Disons-le, sans la publicité des annonces payées, point de concurrence sérieuse, point de progrès utile aux masses[49]. »

Ce cours d'économie portant sur les médias, en fait, et non pas sur la seule presse écrite, fut peu entendu, ou du moins mal assimilé, à l'époque ; par les journalistes, comme par les annonceurs. Le discours de Girardin adaptait, pour la presse, les idées en matière d'économie politique développées en Angleterre par Jeremy Bentham (1748-1832) – « le plus grand bonheur du plus grand nombre » – et d'autres utilitaristes, comme John Stuart Mill (1806-1873). Préférant se positionner par rapport au combat des idées, en politique comme en littérature, bien des journalistes affectaient une méconnaissance ou un désintérêt pour les « affaires de l'argent », le fonctionnement de l'économie en général, et l'économie de la presse en particulier – à l'exception des journalistes, bulletiniers financiers et autres « spécialistes de l'économie » dont la compréhension des rouages de la presse, reflets et agents du capitalisme « sauvage » et de la spéculation d'alors, n'était point toujours désintéressée. *La Presse*, comme son concurrent *Le Siècle* (1836) d'Armand

---

49. « Le principe de la presse moderne », in B. Voyenne, *L'Information en France*, McGraw Hill, 1972, pp. 40-43.

Dutacq, était en avance sur son temps : son tirage moyen ne dépassait pas les 50 000 exemplaires et la publicité n'était pas au rendez-vous, dans les proportions escomptées. Parmi les nombreuses raisons de cet état de choses figuraient le retard relatif du démarrage de la « révolution industrielle » en France, une certaine pratique du secret et la méfiance envers la publicité de la part de nombreux industriels.

Ces développements et ces retards eurent des conséquences pour les journalistes en France. A la différence des quotidiens britanniques auxquels Girardin faisait référence, la pagination moyenne d'un quotidien français au XIXᵉ siècle n'était que de quatre pages : un « petit » journal – dont le format, au départ, était celui d'un « grand » journal plié en deux – ne devint « grand » de par le format que vers la fin du XIXᵉ siècle, période où la pagination passa à six, voire à huit pages. La modicité de la pagination témoignait de l'absence relative de la publicité commerciale. En revanche, on usait et abusait largement de la publicité financière et du « puffisme rédactionnel ». Balzac, parmi tant d'autres, insiste sur la nature intéressée des comptes rendus élogieux des livres parus dans les colonnes rédactionnelles (et non pas, comme on le voudrait par la suite, dans la seule « surface publicitaire » de tel ou tel journal). Les ambiguïtés des termes « avis », « avertissement », « signaler à l'attention », « faire part d'un jugement » furent largement exploitées. En période d'intense activité spéculative, éclatèrent des affaires, dont celle de Panama, en 1892, fut peut-être la plus célèbre, exposant la collusion entre la presse et certaines entreprises qui exploitaient – par l'entremise des colonnes réservées à la publicité financière – le crédit accordé par les lecteurs naïfs et « gogos » à « leur journal ». En 1891, *Le Petit Journal*, premier quotidien qui soit à la fois très bon marché (un sou), à grand tirage (un million d'exemplaires) et à rayonnement national, élabora l'argument du « mur » : on ne devait pas le tenir responsable du contenu des annonces placardées sur ce mur ou espace réservé à la publicité. Maints scandales – qui éclatèrent à l'époque, ou furent déterrés par la suite – démontrèrent comment de nombreux patrons de presse et journalistes bénéficiaient de leur position d'intermédiaire entre l'« opinion » (gisement d'épargnants en « bas-de-laine » et en banques de dépôts, dont il importait de drainer les capitaux) et les sociétés publiques et privées à la recherche de tels fonds d'investissement. Vers 1914, un sixième des familles françaises détenaient des titres russes ; l'information et la publicité concernant les « événements en Russie » passaient par une presse française quotidienne dont le lectorat était probablement le plus élevé (proportionnellement à la population) de tous les pays européens. Le diplomate russe en poste à Paris, chargé d'« arroser » les journalistes français pour qu'ils « écrivent bien » – il ne fallait pas alarmer les petits épargnants par de « mauvaises nouvelles de Russie » –, put stigmatiser l'« abominable vénalité de la presse française ».

Bien des gens de presse souffraient de la réputation ainsi faite à leur métier. Il n'en demeure pas moins que les journalistes défrayaient plus souvent la chronique sous la rubrique « chantage et escroquerie » qu'au titre d'un « journalisme d'investigation » dont les enquêtes – anticipant, complétant et parfois compromettant, celles du juge d'instruction – démontraient le bien-fondé des faits reprochés à tel ou tel requin des affaires.

Un disciple de Zola, Paul Brulat, édita en 1898 un roman intitulé *Le Reporter*, qui dépeint les mœurs du journalisme contemporain sous des traits plus attachants. A l'époque, les journalistes s'efforçaient, davantage que par le passé, de se penser comme milieu professionnel exerçant un métier ayant ses caractéristiques propres. Celles-ci ressortaient, pour l'essentiel, de réflexions sur le statut du journaliste, individu voulant vivre de sa plume, le plus souvent dans des entreprises de presse, où les premières des contraintes collectives portaient sur l'information et la publicité. En 1901 parut un article de Paul Pottier sur le « prolétariat des journalistes » dans un ouvrage portant sur les « prolétaires intellectuels ». Prolétaire de la pensée, mais intellectuel quand même, le rédacteur changeait souvent de service ou de patron, mais cherchait un emploi salarié pouvant lui apporter des revenus suffisants pour vivre, voire faire vivre femme et enfants : ce souci paraît clairement dans maints écrits, publics et privés, des journalistes vers 1900. Ainsi la spécificité des traditions journalistiques françaises, héritage de Renaudot et de la Révolution, de Voltaire et de Vallès, s'estompait. Des Panckoucke et des Girardins existaient aussi bien outre-Manche et outre-Atlantique. Des considérations portant sur les technologies, l'information et la publicité incitaient les directeurs de journaux ou d'agences à regarder hors des frontières. Les avancées techniques dans le traitement de l'information – sa collecte, aussi bien que sa diffusion – et dans la fabrication, production et distribution des journaux, exigeaient des investissements considérables. Corrélativement, ils tendaient à relativiser l'importance que voulaient se donner les journalistes aux yeux des chefs de service et des patrons de presse. Ces changements se produisaient à Londres comme à Paris, à New York comme à Berlin.

Chacun à sa manière, le chemin de fer, le télégraphe (optique, puis électrique), le téléphone, le linotype et la presse rotative réduisaient les barrières spatio-temporelles et transformaient les conditions de travail des journalistes en augmentant la pression dans les « usines à nouvelles ». On surveillait la concurrence en France et les confrères à l'étranger. Girardin et l'imprimeur Marinoni transposaient des progrès dans les techniques d'impression réalisées par les imprimeurs de la famille Walter, au *Times*. Dès les années 1840, l'agence Havas utilisa le télégraphe électrique (mis au point par Morse à la fin des années 1830) et, dans les années 1850, s'entendit avec ses principaux concurrents européens, pour partager l'utilisation du réseau « mondial » naissant. Les patrons de presse innovants en France se tournaient vers les pays anglo-saxons davantage, semble-t-il, que ceux-ci ne regardaient vers la France.

« C'est aux annonces de payer le journal » : en 1845, Girardin était déjà convaincu que l'annonce – concise, simple, claire et bon marché – devait pouvoir acquérir en France une importance équivalente à celle qu'elle avait en Angleterre et aux États-Unis. Cette référence anglo-américaine éclaire un autre des préceptes de Girardin : « Publicité des faits et non polémique des idées. » Le patron de *La Presse* préconisait une primauté de l'information qui paraît tout anglo-saxonne : « Les journaux rapidement et exactement instruits, qui donneront avant les autres les nouvelles, et ceux dont le cadre sera assez varié pour que l'intérêt qu'excitait une polémique puisse se reporter sur une autre partie, seront les seuls qui pourront prétendre maintenant au plus grand nombre[50]. »

« *Comment is free but facts are sacred*[51] » : en 1926, l'adage de C.P. Scott (1846-1932), directeur du *Manchester Guardian*, fera écho au précepte de Girardin. Il synthétise un credo du journalisme anglo-saxon, depuis longtemps enseigné et pratiqué outre-Manche et outre-Atlantique, avant d'être repris en France. Il aura une contrepartie, que souligneront les protagonistes de l'actualité et qui découle autant du zèle déployé par les journalistes pour faire avancer leur enquête et « sortir » leur papier que d'un souci de propagande, de « désinformation » ; Arnold Bennett (1867-1931) l'a formulée ainsi : « Les journalistes disent une chose qu'ils savent ne pas être vraie, dans l'espoir que, s'ils continuent de l'affirmer assez longtemps, elle deviendra vraie[52]. » Au cours des dernières cent cinquante années, plusieurs développements, en France comme aux États-Unis et au Royaume-Uni, viendront renforcer cette primauté accordée à l'information – sa collecte et sa diffusion, mais aussi son traitement, sa mise en forme et son « exploitation » – et au partenariat homme/machine qu'elle semblait incarner, dans des entreprises devenues « usines à nouvelles ».

---

50. Cité dans J. Pigelet, *Essai sur l'organisation intérieure de la presse périodique française*, Paris, 1911, p. 65.

51. *Manchester Guardian*, 6 mai 1926.

52. Arnold Bennett, *The Title*, t. 2.

4. Usines à nouvelles et « journalisme à l'américaine »

Le commerce de l'information

Aux États-Unis, la lutte pour vaincre les barrières du temps et de l'espace afin d'obtenir une information fiable et pertinente avait une acuité particulière. Nous l'avons déjà vu, au XVIIIe siècle, l'attente des nouvelles d'Europe, reflet d'une dépendance à la fois géopolitique et affective, incitait des journaux de la côte est à envoyer des flottes à la rencontre des paquebots venant du « vieux continent » : les nouvelles concernaient des événements vieux de quatre semaines quant à l'Angleterre, de près de deux mois quant au « continent », mais l'importance de la demande (pour le public, elles étaient « toutes fraîches ») triomphait de leur vétusté. Au début du XIXe siècle, l'importance de la presse locale et régionale dans cette nation en genèse frappera Tocqueville et d'autres observateurs français.

Daniel Boorstin, parmi les historiens américains, analyse le rôle qu'ont joué les différentes représentations de l'espace et de l'étendue du territoire dans la formation des mentalités américaines [53]. Les journalistes – à la fois reflets et témoins, ceux qui articulent, expriment la vie de la cité et l'informent de ses rapports avec d'autres – sont eux-mêmes présentés comme un élément constitutif du rêve et du mythe américain, comme des forgerons de l'identité américaine. Que de westerns où le patron de presse, imprimeur et rédacteur d'un journal au titre évocateur – le *Free Citizen*, par exemple – est, avec le shérif et quelques autres, un pilier de la communauté ! Les clichés disent souvent vrai : jeune nation en formation, *melting-pot* où s'agrégeaient des colons venus de toute l'Europe, voire du monde entier, les États-Unis, au XIXe siècle, vivaient les rapports espace/temps de manière particulière. Les grandes villes du

---

53. D. Boorstin, *The Image*, New York, Harper and Row, 1961.

Nord-Est regardaient encore, à certains égards, vers l'Europe ; mais la poussée vers l'ouest – le Far West – et vers le sud – le Texas arraché au Mexique en 1836 – tout comme l'« union », un temps chancelante, ressoudée après la victoire des *yankees* du Nord sur les sudistes de la Sécession (1861-1865), modifiaient les regards. Relier les espaces infinis : le romancier H.D. Thoreau (1817-1862) posait déjà le problème du média et du message, du fil qui les relie et de la signification du message ainsi véhiculé : « Nous nous hâtons de faire construire un télégraphe électromagnétique entre le Maine et le Texas, mais il se peut que le Maine et le Texas n'aient rien d'important à se dire [54]. » Il y a lieu de croire que ce spectateur paraissait par trop « désengagé » aux yeux des gens de presse et de l'« opinion », car au même moment les journalistes, avec d'autres acteurs de la communication (sociétés de télégraphe électrique, compagnies ferroviaires...), s'échinaient à jouer les relais, intermédiaires d'une nation à la fois en formation et en expansion.

« C'est au marché de décider » : cette rengaine des hommes d'affaires et des patrons de presse de la fin du XXᵉ siècle était déjà largement répandue dans la presse américaine du XIXᵉ. Certains ont noté que, d'emblée, la presse d'outre-Atlantique fut « mercantile ». Au XVIIIᵉ siècle, lorsque l'Amérique était encore colonie britannique, bien des imprimeurs – les patrons des journaux locaux – montrèrent peu d'empressement à compromettre leur entreprise en soutenant qui les « patriotes », qui les loyalistes, dans le conflit qui se préparait. Dès avant 1800, la presse américaine des affaires s'était montrée particulièrement « agressive » ou zélée – c'est selon – dans sa recherche d'une information rapide et fiable, en provenance notamment des marchés de Londres. Des journaux « leaders » dans les grandes agglomérations se concurrençaient, certes, mais avaient également mis très tôt en place des dispositifs communs de couverture de l'information, provenant de l'étranger ou du centre d'information politique qu'était Washington, la capitale fédérale où résidaient les correspondants attitrés des journaux des autres métropoles. New York fut

---

54. H.D. Thoreau, *Walden, or Life in the Woods*, New York, 1854.

reconnu comme la « capitale journalistique » des États-Unis dans les années 1820, au moment même où elle s'affirmait comme centre des affaires : information et commerce allaient de pair. La réification de l'information – l'information comme *commodity* : objet, agent, denrée des échanges – se renforçait dans la presse, comme dans le commerce tout court. La standardisation de son traitement – « Donnez-nous aujourd'hui notre pain quotidien », et que ce pain ne diffère, pour l'essentiel, ni de celui de la veille, ni de celui du lendemain – amenait les journaux à s'entendre sur les modalités : en 1848, des journaux de l'État de New York créèrent une coopérative, la New York Associated Press, pour collecter, traiter et distribuer un service commun d'informations, un service « omnibus » ou passe-partout, comme le qualifieraient les responsables de l'entreprise équivalente en France, l'agence Havas, fondée treize ans plus tôt.

Aux États-Unis comme en France, l'apparition de publications prisant un style et un contenu qu'on qualifierait de « populaire » peut être datée des années 1830. De même, la multiplication des quotidiens – périodicité de presse essentiellement urbaine et exerçant un effet de pôle d'attraction sur les campagnes, communes, bourgades et régions avoisinantes – s'accéléra dans les années 1830 et 1840. Les champs d'activité que couvraient ces quotidiens s'élargissaient. A côté des *penny papers* (un sou) – quotidiens populaires analogues à *La Presse* se vendant à 10 centimes le numéro –, tels le *Sun* et le *Herald*, fondés à New York en 1833 et 1835, il existait aussi une presse politique partisane focalisée sur les luttes opposant les partis démocrate (fondé en 1848) et républicain (1854) et sur les nombreux ténors d'une vie politique qui allait au-delà du bipartisme ; cette presse fut même des plus vigoureuses jusqu'aux années qui suivirent la guerre de Sécession. L'essentiel des journalistes travaillaient soit pour ces grands journaux – titres populaires ou dits « de qualité » – qui émergeaient dans les grandes métropoles, soit pour les agences de presse qui, elles aussi, se multipliaient État par État, soit encore pour l'importante presse locale. L'ensemble favorisait la circulation de la vie politique à travers le vaste territoire des États-Unis, le plus souvent grâce à un journalisme qui privilégiait à la fois le récit factuel, une approche (et accroche) fondée sur l'« intérêt humain », mais aussi un certain vedettariat des directeurs-rédacteurs en chef et autres grandes signatures, menant campagne pour ou contre telle cause promue centre d'intérêt de la vie de la cité. Les techniques qui caractérisaient ce journalisme et qui tranchaient avec les « tartines filandreuses » et ratiocinations de l'ancienne école furent appelées le « reportage » et l'« interview ».

Le reporter *made in USA*

Le reporter se déplace, il se rend sur des lieux pour rendre compte. L'évidence d'aujourd'hui parut sinon une nouveauté, au moins une pratique spécifiquement anglo-saxonne à Stendhal qui, en 1829, semble avoir été l'un des premiers auteurs français à mentionner l'existence de « reporters ». Pourtant, dans Shakespeare (1564-1616) comme dans la Bible (la traduction en langue anglaise du XVIIe siècle), on oppose déjà *good* et *false report*. Le terme *reporter* semble être d'un usage courant, dans la presse américaine comme dans la presse anglaise, dès le début du XIXe siècle. Samuel Morse, expérimentant la ligne télégraphique qu'il venait de faire construire entre Washington et Baltimore, manda le 23 mai 1844, dans l'un de ses tout premiers messages « télégraphiques » : « Demandez à un reporter d'envoyer une dépêche au *Baltimore Patriot* à deux heures de l'après-midi. » La dépêche parvint à bon port une heure et demie plus tard.

En américain, l'emploi de termes tels que *reporter*, *editor* (rédacteur), *correspondent* (correspondant), *pressman* (journaliste) et autres *stringer* (pigiste) ou *columnist* (grande signature) ne se précisera que de façon progressive au cours du XIXe siècle. Tout comme dans d'autres pays, les usages variaient selon qu'il s'agit d'un grand journal, aux emplois rédactionnels multiples, tels que le *New York Times* (fondé en 1851), d'une agence de presse telle la NYAP, qui se mua peu à peu en agence de presse nationale, regroupant en coopérative les ressources des journaux membres et abonnés, ou alors d'un petit quotidien local, aux effectifs rédactionnels modestes. C'est cependant aux États-Unis que furent fixés peu à peu bien des usages et pratiques professionnelles et une organisation hiérarchique qui, par la suite, furent sinon adoptés, du moins adaptés, par plusieurs grandes entreprises de presse en Europe. Les échanges, certes, se faisaient dans les deux sens ; et le « journalisme à l'américaine » fut longtemps perçu en France comme un modèle à ne pas suivre, avant d'être, plus tard, adulé par certains.

En 1883, des journalistes (et capitalistes) anglais et américains lancèrent à Paris un quotidien, *The Morning News*, dont l'avatar français, *Le Matin* – « journal d'informations télégraphiques, universelles et vraies » – fut présenté comme destiné à changer les formules rédactionnelles des journaux français : « C'est avec un réel intérêt qu'on assiste au développement de journaux, où le fait du jour passe avant tout et qui écartent, par système, la tartine filandreuse et le feuilleton, pour faire place au renseignement tout frais qu'apportent le télégraphe et le reporter [55]. » Paris fit de la résistance : bien des journaux français condamnaient ce journalisme à l'américaine ; Zola redoutait l'« excitation des esprits » qui résulterait du déferlement en continu des faits et des dépêches télégraphiques [56]. Mais ces pratiques s'imposaient peu à peu. Le fils de Gordon Bennett, fondateur du *New York Herald*, respecta les consignes de son père : « Le télégraphe nous apprend que les jours des articles de dix colonnes (...) sont passés [57]. » En 1887, le second Gordon Bennett (1841-1918) lança à son tour à Paris une édition européenne (en langue anglaise) du *New York Herald*. L'ignorance et la méfiance s'atténuaient quelque peu, mais dans l'ensemble, il est vrai, le courant passait moins bien entre directeurs de journaux ou journalistes français et leurs confrères américains, qu'entre *pressmen* britanniques et américains.

---

55. *New York Herald*, 9 avril 1884, cité dans *Le Matin*, 21 avril 1884. Pour un autre son de cloche, français celui-là, voir le *Gutenberg-Journal*, 5 mars 1884 : « Tous ces documents » – les dépêches d'Angleterre et les extraits des journaux londoniens et parisiens – « se trouvent entassés pêle-mêle dans *Le Matin* ; les lecteurs français n'aimeraient pas non plus qu'il ne publie pas de feuilleton ».

56. E. Zola, préface à *La Morasse*, Paris, 1888, p. III.

57. Cité dans G. Weill, *Le Journal*, Paris, La Renaissance du livre, 1934, p. 283.

Celui que l'on présente comme le Girardin de la presse anglaise, Alfred Harmsworth (1865-1922), qui révolutionna le journalisme outre-Manche, notamment en lançant en 1896 le quotidien populaire *Daily Mail*, préconisait la *news-condensation*, le style ramassé du récit de l'information réclamé par bien des patrons de presse américains. En 1901, Joseph Pulitzer (1847-1911), immigré polonais devenu l'incarnation du patron de la presse populaire d'alors, confia à Harmsworth la rédaction du numéro de son *New York World* qui « ouvrait » le XXe siècle : et Harmsworth de proposer un journal dont la une permit un tour du monde de l'actualité... en soixante secondes ; aucun papier, dans un journal tabloïde, ne devait dépasser les deux cent cinquante mots.

L'économie des mots n'excluait nullement, toutefois, l'exagération et la déformation des « faits » rapportés. Depuis les années 1830, les *penny papers* de New York pratiquaient le reportage et l'interview. Quotidiens créés pour s'attirer des lecteurs dans des villes grouillantes de vie, où les classes modestes surtout comportaient une foule d'immigrés venus des quatre coins de l'Europe et du monde et qui maniaient peu ou mal la langue de leur nouveau pays d'adoption, le *Herald* et le *Sun*, et plus encore le *World* ou le *Post* de William Randoph Hearst, au cours des années 1880 et 1890, avaient tout intérêt à exploiter l'intérêt humain, à personnaliser la copie, à souligner l'anecdote et le fait divers, en utilisant un style oral (comme dans les « propos recueillis » d'une interview) et en travaillant la mise en scène. Dès ses origines, cette *penny press* connut des dérapages. Ainsi, le *Sun* de Ben Day publia le 21 août 1835 une brève attribuant à un journal d'Edimbourg le récit de « découvertes astronomiques mirobolantes » : pendant plusieurs jours, les lecteurs du *Sun* – dont le tirage montait – se passionnèrent pour des récits rédigés par un journaliste britannique, émigré à New York en 1832, qui fournissaient moults détails de... la vie sur la lune. Locke, le journaliste, n'avoua la supercherie qu'au moment où un reporter rival lui demanda l'original des articles « parus dans la presse d'Edimbourg », afin de les reproduire. Locke ne fut pas limogé, resta journaliste au *Sun* pendant un an, avant de créer son propre journal, *New Era*, où il récidiva, lança un nouveau faux qui, cette fois-ci, fut rapidement débusqué. Autres temps, autres mœurs ? Ce n'est pas si sûr. Après avoir travaillé dans la publicité en Angleterre, David Sullivan édita en 1986 à Manchester un titre dominical, *Sunday Sport*, dont le succès fut tel qu'il fut distribué à travers toute la Grande-Bretagne dès mars 1987, avant de développer des éditions quotidiennes. Parmi les « récits-reportages » qui le rendirent célèbre, on peut trouver ceci : « Comment une fusée V2 amena Hitler sur la lune »... Autrement plus grave a été l'« affaire Jimmy » aux États-Unis dans les années 1980 : Janet Cooke, une journaliste du prestigieux *Washington Post*, reçut le prix Pulitzer pour ses reportages sur un jeune toxicomane, avant que, là aussi, on ne découvre que le reportage était « bidon », monté de toutes pièces. L'affaire a démontré qu'un dispositif de contrôle et de vérification très poussé, mis en place par des médias des plus sérieux, avec *ombudsmen*, conseils de la presse et autres codes de déontologie, ne peut empêcher toute « faute professionnelle ».

De tels « faux » peuvent faire sourire ou alors apporter de l'eau au moulin des commentateurs qui fustigent les errements de la presse. Outre-Manche, un journaliste, spécialiste de la rubrique « Échos et potins » (*Gossip column*), publia un ouvrage intitulé *Lies, Damned Lies* : on y assume d'autant plus aisément sa tare congénitale qu'il existe une tradition dans la vie publique britannique où certains personnages estiment leur réputation dans l'opinion suffisamment ancrée pour passer outre les médisances des mal-informés. On attribue à Wellington, le vainqueur de Napoléon et la coqueluche de l'opinion britannique, cette phrase : « Publiez et allez au diable ». Il est d'autres hommes politiques britanniques – John Major étant le plus récent en date – qui, au contraire, ont intenté des procès aux journaux diffamatoires, injurieux ou qui manquent autrement de respect[58] ; en 1993, la reine d'Angleterre fit de même[59].

---

58. Procès intentés en 1992 contre le *New Statesman* et *Scallywag* : ce dernier se vantait d'être publié par des journalistes « soûls et fous ».

59. En février 1993, la reine Elisabeth II demanda à ses avocats d'entamer des poursuites contre *The Sun*, qui publia, sans son autorisation, le 23 décembre 1992, le texte de l'allocution ou « message de Noël », qu'elle prononça, comme de coutume, le 25 décembre (l'affaire se régla sans procès).

Outre-Atlantique, la corporation des journalistes vit mal ces « fautes professionnelles ». Toute considération technique sur la législation en vigueur mise à part, la tradition américaine tolère mal le journaliste qui commet un faux pas. A la protection constitutionnelle garantissant la liberté de la presse s'est ajoutée une législation facilitant l'accès à l'information [60] : en contrepartie, la réflexion sur la responsabilité sociale des journalistes, sur leurs devoirs autant que sur leurs droits, est l'objet de nombreux débats, colloques et ouvrages. L'idéologie américaine, ou du moins la mentalité de ses dirigeants et de son intelligentsia, voudrait une presse à la fois « puritaine » et « professionnelle » dans son *modus operandi*, même si elle se montre tatillonne dans la défense de ses libertés et sert de vecteur à un pluralisme des idées qui heurte des sensibilités traditionalistes. Bien des journalistes sont soupçonnés d'être plus à gauche que l'opinion majoritaire aux États-Unis, soupçons dont la presse elle-même fait état notamment lors des campagnes pour les élections présidentielles. Généraliser ainsi, bien sûr, c'est prêter le flanc à des ripostes immédiates : la presse de province, elle, est dans son ensemble autrement plus conservatrice que les grands journaux de la côte Est, le *New York Times* et le *Washington Post* en tête. Watergate, où le *Post* « fit tomber », journalisme d'investigation à l'appui, le président Nixon, remonte à 1972. Les succès des médias les plus médiatisés eux-mêmes, au cours des années 1980, furent le lancement du quotidien d'informations générales à rayonnement national, *USA Today* (1982), et l'expansion des chaînes de télévision câblées lancées par Ted Turner à Atlanta depuis 1980 : aucun n'est un apôtre de l'intelligentsia libérale ; au cours de la décennie Reagan, dont il semblait être, en quelque sorte, le support papier, *USA Today* fut traité de « version Macdo de la télé couleur sur papier » ; quant à CNN, on faisait observer qu'elle délivrait « une info *fast food* ». Nul, toutefois, ne contestait le professionnalisme de ces médias – sous réserve de le contrôler lorsqu'il risquait d'en résulter un « danger » pour la moralité publique ou la cohésion sociale. En 1991, dès les débuts des opéra-

---

60. La loi sur la liberté de l'information (1966) permet aux médias et au public d'avoir accès aux archives des agences du gouvernement fédéral.

tions militaires menées dans la guerre du Golfe, des sondages ont fait apparaître que l'opinion américaine acceptait volontiers que les journalistes américains soient censurés afin de permettre la victoire de « nos gars » : l'opinion préférant les généraux aux journalistes, la majorité d'entre eux, travaillant pour les grands médias, se seraient mis au garde-à-vous[61]. Des intellectuels s'interrogeaient sur les valeurs implicites derrière le credo du « bon professionnel » ; et l'un de ces derniers – par ailleurs professeur de journalisme – constata ce paradoxe : les journalistes qui se montrent si sceptiques envers les sources et les protagonistes de l'actualité sont peu enclins à douter de leurs propres pratiques, à faire leur autocritique[62].

Le professionnalisme contre l'opinion

L'« interview » dont étaient friands les *penny papers* new-yorkais était synonyme de couleur et donnait l'illusion du « vécu », notamment par l'emploi d'un « parler » direct. En France, Édouard Lebey, dirigeant de l'agence Havas, conseillait en 1884 à son collègue de l'agence belge Delamar de prendre modèle sur *Le Matin* : « Voyez (...) les interviews publiées par ce journal et son concurrent : on exagère les descriptions pour plaire au lecteur : style des sièges, sujet de la pendule, couleurs des rideaux, etc.[63] »

Charles Chincholle, qui fut dans les années 1880 l'un des interviewers français les plus zélés, a été mis en scène par Paul Brulat, dans *Le Reporter*. Deux journalistes parlent à son sujet : « A-t-il un talent d'écrivain ? – Ah ! il se fiche bien de ça... Il a été un excellent reporter, voilà tout. »

L'interviewer brode pour plaire, et pourtant n'a pas la plume de l'écrivain : voilà la perception qui avait cours dans la presse française.

---

61. *Cf.* S. Halimi, « Des journalistes en tenue camouflée », in « Médias, mensonges et démocratie », *Le Monde diplomatique*, n° 14, février 1992 ; « Les médias dans la guerre », *Médiaspouvoirs*, n° 23, juillet-septembre 1991 ; M. Ferro, *L'Information en uniforme*, Paris, Ramsay, 1991.

62. T. Goldstein, *Killing the Messenger : 100 Years of Media Criticism*, New York, Columbia University Press, 1989, p. 12.

63. E. Lebey à Delamar, 26 septembre 1884. 5 29 A.N., cité dans M. Palmer, *op. cit.*, p. 118.

Outre-Atlantique, il est permis de penser que la vision de l'interviewer n'était pas aussi négative. Celui qui parvenait à entrer en contact avec un protagoniste de l'actualité, à poser son lot de questions-réponses, à transcrire le tout, quitte à gommer les questions, à décrire l'ambiance sur le mode du « vécu » et à communiquer ensuite la rédaction qu'il en avait faite fut, très tôt, présenté comme un « pro de l'info » exerçant un métier qui, certes, ne permettait pas de se prendre pour un rédacteur ou une grande signature, mais qui était nécessaire aux « usines à nouvelles » que se voulaient les entreprises de presse.

Les pratiques du « reportage » peuvent être envisagées différemment. « Ma plume, disait Renaudot, n'a été que greffière. » Voilà que le reporter était considéré par certains, à l'âge du télégraphe électrique, comme la nouvelle incarnation de cette plume greffière, le scribe de l'homme pressé et de la communication à distance. Un deuxième paradoxe ou contraste s'ajoute au premier : comme l'a rappelé André-Jean Tudesq, tout nouveau progrès dans la transmission de l'information tend à augmenter à la fois le volume des informations débitées et la cadence de ce débit[64]. Ce qui fut vrai au XIXᵉ siècle avec le télégraphe électrique, puis avec le téléphone, se vérifierait de nouveau avec l'ordinateur au XXᵉ : un des responsables de l'informatisation de l'Agence France Presse dans les années 1970 estimait que celle-ci représentait un gain de temps de l'ordre de 25 à 30 % ; ce temps n'était pas utilisé pour une réflexion sur les meilleurs moyens de calibrer les services et polir la rédaction de la copie déjà transmise, mais pour transmettre une copie supplémentaire, de l'ordre de 20 %...

Par ailleurs, lors de la première phase de l'utilisation d'une technique de pointe, le coût de la transmission, ainsi que ses défauts de fonctionnement incitent généralement à une concision maximum du message transmis. Il en a été ainsi du télégraphe électrique, auquel les journaux eurent recours, en général par l'intermédiaire des agences dès les années 1840, mais surtout à partir des années 1850-1860.

---

64. A.-J. Tudesq, *La Presse et l'événement*, Paris-La Haye, Mouton, 1973.

Francis Balle note que, pendant la guerre civile américaine, « ce sont les défectuosités diverses du télégraphe, en même temps que le coût de son utilisation, qui apporteront ses premières règles au journalisme américain. Ce sont elles qui imposent aux correspondants de guerre la grande concision de leur expression. Simultanément, elles les obligent à présenter un résumé succinct de chaque nouvelle, avant d'en énumérer les détails, afin de déjouer dans la mesure du possible les risques d'interruption des liaisons par télégraphe... »

Ainsi serait-on parvenu au « procédé de la pyramide renversée, qui impose la synthèse avant la présentation des détails : le respect des cinq interrogations de l'amorce, les "cinq W" – *Who ? What ? When ? Where ? Why ?* (Qui ? Quoi ? Quand ? Où ? Pourquoi ?) –, enfin la recommandation d'un style à la fois dépouillé et impersonnel. Règles qui se sont pareillement imposées à tous les journaux, plus à cause des lecteurs que des journalistes[65] ».

Rapidité de transmission et sobriété de rédaction : ce furent là en effet les consignes inlassables des responsables des premières agences d'information, desservant la presse, comme Havas et Reuter en Europe, mais aussi des hommes d'affaires et des gouvernements ; ce fut également l'injonction adressée aux États-Unis par l'Associated Press à ses correspondants et reporters – la relation de l'information devait contenter des journaux de tous les bords politiques, des grandes villes comme des petites communautés rurales. Le discours agencier sur le « fait brut » servait un intérêt commercial, aussi bien que le souci de neutralité rédactionnelle. En France, comme le raconte Balzac, les journaux pouvaient « colorer » à leur guise la matière première que leur livrait l'agence Havas : « Le public peut croire qu'il y a plusieurs journaux. Mais il n'y a en définitive qu'un seul journal... Tous les journaux de Paris ont renoncé, pour des motifs d'économie, à faire pour leur compte les dépenses auxquelles M. Havas se livre d'autant plus en grand qu'il a

---

65. F. Balle, *Et si la presse n'existait pas...*, Paris, J.-C. Lattès, 1987, p. 24-25.

maintenant un monopole, et tous les journaux, dispensés de traduire comme autrefois les journaux étrangers et d'entretenir des agents, subventionnent M. Havas par une somme mensuelle pour recevoir de lui, à heures fixes, les nouvelles de l'étranger... Comprenez-vous maintenant la pauvre uniformité des nouvelles étrangères dans tous les journaux ? Chacun teint en blanc, en vert, en rouge ou en bleu la nouvelle que lui envoie M. Havas, le Maître-Jacques de la presse. Sur ce point, il n'y a qu'un journal, fait par lui, et à la source duquel puisent tous les journaux[66]. »

Avec la pression des usines à nouvelles traitant et produisant des informations de manière sérielle, codifiée, comme le permettaient le Morse et le télégraphe électrique, cet art de la nouvelle condensée devenait un « art industriel ».

C.F. Moberly Bell, « manager » du *Times*, notera en 1892 qu'en conséquence, « les agences tendaient à "niveler" le journal ». Ce *news condensation* aux formules agencières de pyramide renversée allait connaître, en effet, un succès grandissant, que n'apprécièrent pas forcément les rares journaux, tels le *Times* en Angleterre, ou le *New York Herald* outre-Atlantique, qui disposaient de leur propre réseau important de correspondants.

Au demeurant, depuis Renaudot au moins, des journalistes s'efforçaient eux-mêmes de donner une « relation toute nue » de l'information : aux États-Unis même, avant que presse et agences n'utilisent le télégraphe électrique, les *newsletters* transmises dès l'arrivée des navires venus d'Angleterre, se caractérisaient par le souci de concilier concision et image « de dernière heure » avec l'intérêt présumé des nouvelles relatées : les données concernant les cours et les marchés se résumaient à quelques données alphanumériques. Le coût et les incertitudes qui résultaient de l'emploi du télégraphe électrique ne pouvaient ainsi que renforcer des pratiques rédactionnelles déjà en cours. D'autre part, que ce soit pendant la guerre civile pour les Américains, ou la guerre de Crimée

---

66. *Revue parisienne*, 25 août 1840, citée dans P. Frédérix, *De l'agence d'information Havas à l'Agence France-Presse*, Paris, Flammarion, 1959, pp. 25-28.

pour les Britanniques, le développement des dépêches de presse et le trafic télégraphique que favorisait la demande d'informations sur les conflits, fut accompagné de maints récits de correspondants de guerre, de témoignages de reporters sur les lieux de bataille, qui étaient souvent prolixes et rédigés d'un ton engagé ; leur aspect « choses vues » et témoignage sur le vif faisait plus penser à Fabrice del Dongo à Waterloo, avec sa vision partielle de la bataille qui faisait rage autour de lui, qu'à la distanciation du récit factuel prêtée aux agences.

La question des rapports entre agences, journaux et télégraphe électrique, et celle du style rédactionnel qui en résulta, éclaire d'autres facettes encore du journalisme. En France comme aux États-Unis, il existait des tensions entre les journalistes et leurs confrères, les agenciers. Les patrons de presse et responsables des services rédactionnels rechignaient devant la dépendance dans laquelle ils se trouvaient vis-à-vis des agences, qui fournissaient des services certes indispensables par leur étendue, leur rapidité et leur fiabilité, mais dont la rédaction par trop « sèche » déplaisait et pouvait nécessiter une réécriture. On reprochait encore aux agences de donner trop d'informations de routine, fades et sans relief, et surtout d'accorder une place excessive aux nouvelles de source gouvernementale. Cette critique apparut souvent en temps de guerre : pendant la guerre franco-prussienne (1870-1871), le correspondant parisien du *Times* estimait que les agences étaient devenues des instruments du gouvernement, des agences officielles ; pendant la guerre civile américaine, AP devint ouvertement l'agence officieuse *(semi-official)* de l'administration Lincoln. On disait des agenciers qu'ils devenaient plus fonctionnaires que journalistes, qu'ils se comportaient parfois en « ronds-de-cuir » de l'information. On fit remarquer, au XIXᵉ siècle, et la remarque garde aujourd'hui toute sa pertinence, que l'administration était la principale source d'informations dont pouvaient disposer les journalistes. L'agence de Charles-Louis Havas, à qui Balzac reprochait de vénérer les faits et de jouer le rôle de canal d'informations du régime, quelle que soit sa couleur politique, reconnaissait qu'il lui fallait vivre en bonne intelligence avec l'administration. Pouvoir traverser les aléas de la conjoncture politique, et rester un canal agréé par le pouvoir du jour pour diffuser (entre autres) des informations provenant des sources officielles, fut – et demeure – la fonction de bien des agences d'information. Les agences ont toujours souligné que le pluralisme et la diversité des tendances de leurs clients médias garantit leur recherche d'une information « neutre », aussi impartiale que possible, qui fonde leur réputation professionnelle.

Par ailleurs, en 1896, A.-E. Portalis, directeur d'un journal à sensation, soulignait l'importance de la police comme source d'informations dites générales : « Par ses communications aux journaux du matin, aux journaux du soir, aux agences télégraphiques, qui incessamment viennent se renseigner dans ses bureaux, elle grossit ou rapetisse une affaire, blanchit ou noircit un accusé à son gré. Avec le développement excessif de la partie information dans le journal moderne, la presse malheureusement ne peut plus se passer du concours de la police. » Plus tard, dépeignant les quotidiens à grand tirage des années 1930, Léon Daudet soulignera qu'en situation de crise – par exemple lors des émeutes de février 1934 à Paris – ces journaux réagissaient avec lenteur, parce que trop habitués à puiser aux sources d'information administratives, en particulier à la préfecture de police. Dans les années 1970, Claude Boris, dans *Les Tigres de papier*, tiendra des propos analogues, confirmant la dépendance dans laquelle la gendarmerie et la police tenaient les journalistes des faits divers.

Les faits, seulement les faits ?

Relevant les propos de Francis Balle, Denis Ruellan fait remarquer : « Quant à la fameuse règle des cinq W, on a coutume de considérer qu'elle fut établie par le rhéteur du premier siècle chrétien, Quintilien, redécouverte par la Renaissance européenne au XVIᵉ siècle, avant d'être baptisée *invention américaine* au XIXᵉ[67]. » Cette règle des cinq W – *Who ?*

---

67. D. Ruellan, *Le Professionnalisme du flou*, Grenoble, PUG, 1993.

What ? When ? Where ? Why ? – encore enseignée aujourd'hui dans maints manuels de journalisme, notamment les *style books* des agences de presse, serait en quelque sorte le lait nourricier d'un nombre incalculable de journalistes formés – pour aller vite – « à l'occidentale ». Elle est calquée, en effet, sur la rhétorique des circonstances – *Quis ? Quid ? Quibus auxiliis ? Quando ? Ubi ? Cur ?* – qui s'enseignait dans la Rome impériale.

Dans l'esprit de beaucoup de journalistes formés par les écoles professionnelles et/ou par les agences, les cinq W figurent parmi les dix commandements. Ils sous-tendent, structurent la rédaction d'innombrables papiers qui paraissent journellement dans la presse à travers la planète. Bien des journalistes savent cependant que cette règle ne peut être qu'un point de départ ; ils la tiennent pour une condition nécessaire, mais non pas suffisante. Il existe toujours, au départ, la question préalable du choix : dans le flux événementiel, quels sont les critères qui déterminent le tri, la sélection de ceci plutôt que de cela ? La réponse à cette question tient dans le croisement de multiples paramètres. Plus que tout autre journaliste, l'agencier, lorsqu'il sélectionne une information, choisit l'élément ou l'angle qu'il va faire ressortir, doit tenir compte à la fois des besoins de tous et des besoins de chacun : entreprises internationales, les agences ont pour abonnés des clients médias (journaux, radios, télévisions) et non-médias (banques, bourses et gouvernements). Elles proposent un service général tout en multipliant les services particuliers. D'une part, elles s'efforcent d'adopter un langage moyen, « sorte de code international » ; d'autre part, elles diversifient leur service, font du « sur-mesure », « régionalisant » leur copie pour telle aire géographique, répondant au cas par cas aux demandes précises de tel ou tel client.

Un ancien directeur-général de l'AFP, Paul-Louis Bret, relisait les philosophes grecs afin de cerner les rapports entre l'objectivité, le fait brut et le jugement : « Que la seule perception de l'objet comporte un jugement, c'est là une évidence déjà parfaitement décrite par les philosophes les plus anciens, que les modernes ont confirmée. (...) Le fait est toujours un jugement, voire une série de jugements et l'absolu en ce domaine est encore relatif... Quand on a compris que la vérité n'est pas dans l'objet (...) on voit assez que pour les faits complexes le jugement intervient à chaque instant de la perception et de la description du fait. Dire qu'il n'y a jugement que dans le choix des faits, c'est énoncer une contre-vérité, puisque le jugement intervient bien avant le choix. »

Bret, qui avait été directeur du bureau de Havas à Londres dans les années 1930, s'était débattu dans les années 1940 en tant que responsable de diverses agences françaises, avec l'emprise que la propagande exerçait sur l'information. Les agences, voulant toujours pouvoir « sourcer » leurs informations (souci professionnel tout à leur honneur, à première vue), étaient complices de la « désinformation » : « Les faits les plus importants auxquels le citoyen aurait eu droit entre les années 1935 et 1939 pour contrôler les gouvernements ne furent jamais donnés par ces gouvernements ni par les cercles dits responsables. On comprend pourquoi. Or ces faits étaient très suffisamment sûrs pour être décrits sous la responsabilité des agences d'information. Mais, dans la mesure où les agences attendaient que les indications fussent données par des "personnalités responsables" ou par des "cercles responsables", elles se vouaient à l'impuissance[68]. »

Ami de Léon Blum et auteur d'un projet de statut de l'AFP soumis à François Mitterrand, alors secrétaire d'État chargé de l'information (1949), Bret préconisait le droit au fait ; il avait proposé la création d'un institut du fait, financé par une taxe analogue à la redevance instituée pour les appareils radio. Certains de ses contemporains jugèrent ses conceptions et ses solutions quelque peu irréalistes : il en ressort en effet une vision par trop monacale du journaliste, évoquant davantage les copistes du *scriptorium* que les Rouletabilles et autres Albert Londres.

Au demeurant, la règle des cinq W n'empêche pas le journaliste d'assumer la subjectivité de « sa » part de vérité, des témoignages réunis, des « fragments de vie » qu'il donne à lire, à écouter ou à voir. À côté des réflexions portant sur l'indépendance, l'impartialité, la recherche de

---

68. P.-L. Bret, « Réhabilitation de l'information », conférence faite au groupe d'études allemandes, 8 décembre 1949. Papiers P.-L. Bret.

l'objectivité, on entend des journalistes – et ce sont parfois les mêmes – revendiquer la subjectivité de leurs reportages. Assumer sa subjectivité – voire la condition angoissée de son métier, « la part d'ombre », comme le dit Edwy Plenel, journaliste d'investigation du *Monde* – est un exercice de pratique professionnelle tout comme le respect de la règle des cinq W.

5. L'ère des médias de masse

Standardisation des pratiques et organisation de la profession

Tout comme la presse rotative pour l'impression, et le chemin de fer express pour la diffusion, le télégraphe électrique a modifié la donne : il a annoncé des mutations dans le processus rédactionnel dont l'informatisation des rédactions, réalisée au cours des vingt dernières années, est l'aboutissement provisoire.

Dès le XIXᵉ siècle, l'outil technique permit de rédiger les trois quarts de la copie d'un journal loin de son siège ou de son lieu d'impression. Écoutons le raisonnement de Jules Gros, rédacteur en chef du *Petit Comtois*, quotidien de Besançon (prix : 5 centimes) « se faisant télégraphiquement », et qui venait, en 1885, d'être élu député. Harcelé en Franche-Comté par les hommes politiques locaux, dont certains étaient actionnaires du journal, Gros pouvait grâce au télégraphe rédiger une grande partie du journal à Paris, réduisant ainsi les pressions de la politique et de la polémique. De Paris, et par télégraphe, il pourrait « en cinquante mots, indiquer à Obein [le rédacteur resté à Besançon] l'article [politique] à faire. D'autre part, les matinées seraient consacrées à la confection d'articles touchant le moins possible à la politique... rédigés sur le mode gai qui ferait de [son] journal une sorte de *Petit Figaro* régional ».

Aujourd'hui, c'est dans leur agence ou bureau parisiens que la plupart des quotidiens régionaux préparent la copie rédactionnelle non locale imprimée par la suite en province. Et ceci, qu'il s'agisse des papiers magazine et pages *features*, ou des articles traitant de l'actualité internationale et nationale dont l'essentiel arrive sur les ordinateurs en province, soit livré « clefs en main » par l'AFP ou d'autres agences, soit retravaillé par des journalistes maison. Longtemps l'agence du groupe Hersant, l'AGPI, prépara ainsi la copie pour les besoins des titres publiés à Nantes *(Presse-Océan)*, Grenoble *(Le Dauphiné libéré)*, Lyon *(Le Progrès)* ou Rouen *(Paris-Normandie)* ; des journalistes de l'AGPI travaillaient également pour les « JT » de la Cinq, lorsque Hersant en contrôlait la direction de l'information. C'est la maîtrise de l'outil technique, rendue possible par des investissements considérables qui permit à Hersant, comme un siècle plus tôt à Havas, de centraliser la copie et de la retravailler pour divers journaux à travers le pays. Havas identifia ainsi le processus en 1877-1878 : « Il est vrai que ce doit être le rédacteur local qui doit avoir la mission de faire cette unité dans le journal, mais lorsqu'un journal se fait, télégraphiquement surtout, il convient que ceux qui le font à Paris s'inspirent de l'idée qui doit y dominer et s'attachent à insister plus particulièrement sur les faits qui se rattachent à la nuance du journal[69]. »

En 1840, avant que le télégraphe électrique ne devienne opérationnel, Balzac illustra l'uniformité de l'information dans les journaux de province en évoquant l'histoire de ce voyageur qui commence la lecture d'un article dans un journal de la ville A, le poursuit dans un journal de la ville B, pour le finir dans celui de la ville C... Centralisation dite jacobine et domination par Paris du marché de l'information se relaient : le télégraphe et plus tard la transmission numérique, ne seraient que des outils qui facilitent ce processus. Les rédactions de province, dans les années 1880 comme dans les années 1980, ont vu quant à elles dans les suppressions d'emplois la contrepartie des investissements que requéraient les techniques de pointe de l'époque (informatisation des services

---

69. Lettres de la direction de Havas-Paris envoyées à ses représentants à Lyon et Marseille en 1877-1878, citées dans M. Palmer, *op. cit.*, pp. 51-53.

rédactionnels et photocomposition de l'imprimerie, dans les années 1970-1980). L'outil technique, certes, « maximise les performances » : la même information peut être traitée, complétée, formatée de mille et une manières (avec ou sans photo, infographiée, légendée ou non, etc.). Mais le nombre d'acteurs diminue, tout comme celui des agences en mesure de proposer toute la gamme de services. Après de longues années de déclin, aux États-Unis, UPI n'est plus de taille aujourd'hui à concurrencer AP comme agence d'informations généraliste ; et, en France, l'ACP disparaît, laissant l'AFP face aux « anglo-saxonnes » Reuter et AP.

Le 27 novembre 1899, le ministre des Travaux publics, Pierre Baudin, adressa une lettre à Adrien Duvand, syndic de l'Association des journalistes républicains : « Je m'empresse de vous faire savoir que, suivant le désir que je leur avais exprimé, les six grandes compagnies de chemins de fer ont consenti à accorder dorénavant, sur la demande des présidents des six associations de presse représentées par votre Comité, des permis de circulation à demi-tarif aux membres titulaires de ces associations ayant éventuellement droit à une pension de retraite... [70] »

Cette missive est un indice : les journalistes, comme d'autres métiers, professions et activités salariées, participaient à l'émergence des « groupements corporatifs, qui a caractérisé les dernières années du XIXe siècle [71] ». Il importait de défendre les intérêts communs face aux pouvoirs publics et privés. Pour ce faire, les associations syndicales et professionnelles se multiplièrent. Certaines puisaient leurs origines dans une appartenance politique, idéologique ou confessionnelle commune ; d'autres regroupaient les seuls journalistes « appointés », ou bien les propriétaires ou directeurs de journaux (les « employeurs ») ; les journalistes s'associaient encore par aire géographique – presse parisienne, départementale –, mais aussi par thème ou spécialité – presse judiciaire parisienne, journalisme parlementaire, presse coloniale, presse périodique, critique dramatique et musicale, etc.

---

70. « Facilités de circulation aux membres des groupements de presse », dossier communiqué par M. Doudrich, directeur régional SNCF (Sud-Est), en 1969.

71. H. Avenel, *La Presse française au XXe siècle*, Paris, Ernest Flammarion, 1901, p. 51.

Observateur bien renseigné, Henri Avenel pouvait écrire en 1900 : « 54 associations ou syndicats, ayant au total 840 membres en 1889, en comptent aujourd'hui un ensemble de 2 500 [72]. » Certains historiens, spécialistes de la presse de l'époque, n'accordent à ces mouvements qu'un rôle secondaire – et peu offensif – dans la constitution d'une identité collective. Ils eurent, en effet, des combats moins difficiles à mener que, par exemple, le Syndicat national des journalistes qui dut batailler ferme pour obtenir que soit votée la loi du 29 mars 1935 portant statut du journaliste professionnel. Il nous semble cependant que cette multiplication des associations de journalistes avant 1914 témoigne d'une reconnaissance institutionnelle que n'avaient pas goûtée leurs prédécesseurs. Le journalisme tenait toujours, certes, de l'auberge espagnole. Qu'y eut-il en commun, si ce n'est leur titre de journaliste, entre, par exemple, Léon Bloy (1846-1917), l'auteur du *Désespéré* (1886), Théodore Avonde (1858-1913), vice-président de la presse parlementaire, et Arthur Ranc (1831-1908), ancien compagnon de Gambetta, républicain exerçant une influence considérable dans les enceintes parlementaires de par sa plume, mais qui n'accepta qu'une seule présidence – celle, pendant vingt-huit ans, de l'association des journalistes républicains ? Mais Théodore Avonde, complètement oublié aujourd'hui, et Arthur Ranc illustrent, chacun à leur manière, cette porosité entre le journalisme et les milieux du pouvoir, qui caractérisent encore aujourd'hui la « médiaklatura » et autres « médiacratie ». L'« élite des journalistes » fréquente les « sommets de l'État ». Certains journalistes restaient, comme Ranc, hommes de plume avant tout ; d'autres surent profiter des accointances politiques et des possibilités d'ascension sociale que leur avait fournies l'exercice de leur métier...

Nonobstant l'individualisme qui caractérise les milieux journalistiques, les associations favorisaient des actions de secours-mutualiste et de « rapprochement confraternel ». Elles développaient notamment des activités de bureaux de placement, d'agences d'emploi. C'est ce que fit,

---

72. *Ibid.*, p. 51.

par exemple, le syndicat de la presse républicaine départementale (créé en 1879), à partir de 1890. Ainsi peut-on suivre la carrière – mouvementée – de Constantin Wâble : âgé de cinquante ans, il demanda en juillet 1892 depuis Angers, où il avait été rédacteur en chef du *Patriote de l'Ouest*, un nouveau poste de rédacteur en chef ; il avait déjà occupé cette fonction au *Moniteur du Puy-de-Dôme*, au *Patriote savoisien* et au *Spectateur de Langres* ; il refit ses bagages pour aller au *Petit Clermontois*, où le syndicat lui avait trouvé une place. Les carrières de certains de ses confrères soulignent l'importance des périodes électorales : on y crée des journaux, et hommes politiques comme hommes d'affaires les soutiennent financièrement. La politique restait souvent la référence mise en avant par un journaliste cherchant une place. Certains lecteurs n'hésitaient pas à contester les convictions affichées par tel ou tel journaliste. Ainsi, un « simple paysan » écrivit-il pour protester lorsqu'il vit dans *Le XIXᵉ Siècle* le nom de Théodore Avonde, présenté comme celui d'un « journaliste républicain » : « Ce nom me choque car journaliste de l'Oise, il fait dans *Le Moniteur de l'Oise* une guerre à tout ce qui est républicain, il s'attaque à nos candidats, patronne ceux des pères, des moines et des jésuites de toute robe et aussi les nationaleux. » Comme aujourd'hui, les journalistes se voyaient traités d'hommes girouettes – ainsi, en 1988, le passage d'un rédacteur en chef du *Nouvel Observateur* au *Figaro* fit-il grincer les dents à de nombreux confrères comme à beaucoup de ses (anciens) lecteurs. Mais les compétences techniques primaient déjà sur des considérations politiques. De manière générale, dans la presse quotidienne comme dans la presse périodique, des connaissances spécialisées et des capacités de gestion étaient recherchées : tel « publiciste agricole fréquentant les marchés ferait chronique, revue et bulletin concernant le commerce ou l'agriculture » ; tel « sociétaire, propriétaire d'une revue éditée à Paris (huitième année), consacrée à l'automobilisme et à l'aviation, prendrait comme collaborateur jeune membre de l'Association connaissant bien les locomotions mécaniques et les services productifs d'un journal ». La guerre de 1914-1918 approchant, un « sociétaire particulièrement compétent » annonçait sous le titre de

« petite correspondance militaire » qu'il se tenait « à la disposition de journaux désireux de répondre aux questions de leurs lecteurs ».

La presse au risque de la politique

Ainsi, comme le soulignent l'historien Marc Martin et le journaliste Thomas Ferenczi, c'est sous la Troisième République que se constitua le nouveau métier de journaliste. On pouvait cependant continuer à écrire que « le journalisme n'est pas une profession, car ce qui constitue une profession, c'est qu'on s'y prépare et que, cette préparation terminée, on l'embrasse. Or, dans le journalisme, il n'existe ni apprentissage ni diplôme ni certificat [73] ». Origine sociale et formation étaient des plus diverses : « Des métiers intellectuels les plus incertains aux grandes familles provinciales, les journalistes paraissent venir de tous les horizons sociaux, sauf de la paysannerie et du monde ouvrier [74]. » Thomas Ferenczi présente ces médiateurs, soucieux de s'intégrer eux-mêmes à l'élite de la société, ou du moins de profiter de leur plume et de leurs contacts pour grimper dans l'échelle sociale, comme des agents d'intégration sociale : la plupart des journalistes n'étaient nullement des contestataires ; ils ne critiquaient pas les fondements d'une société dont les gouvernements, bien que se dénommant radicaux, voire radicaux-socialistes, défendaient l'ordre et la propriété, la solidarité et les valeurs consensuelles. « Sa Majesté la Presse », dont certains titres tiraient à plus d'un million d'exemplaires, se glorifiait de son influence sur l'opinion et de son rôle en tant que quatrième pouvoir. Déjà, pour employer une terminologie d'aujourd'hui, l'agenda des médias déterminait les thèmes et les conditions du débat dans un espace public que la presse et le Parlement façonnaient autant que le gouvernement. Les journalistes dénonçaient les abus (les reporters comme Albert Londres dévoilant en 1923-

73. E. Charton, *Dictionnaire des professions et guide pour le choix d'un état*, Paris, 1880, cité par M. Martin, « Journalistes parisiens et notoriété vers 1830-1870 », *Revue historique*, juillet-septembre 1981.

74. M. Martin, « La grande famille : l'Association des journalistes parisiens (1885-1939) », *Revue historique*, janvier-mars 1986.

1924, par exemple, dans *Le Petit Parisien*, les conditions d'emprisonnement des bagnards en Guyane française) aussi bien que des idéologues de gauche (Gustave Hervé dans *La Guerre sociale*, qu'il lança en 1906) ou de droite tels Charles Maurras et Léon Daudet dans *L'Action française*. Mais, qu'ils relatent l'actualité ou exposent et critiquent les méfaits d'une société dont ils faisaient partie (et qui assurait tant bien que mal leur gagne-pain), les journalistes écrivaient pour des titres qui étaient à la fois journaux d'information et d'opinion, un mélange de fonctions plus habituel que ne le laisse croire la distinction courante dont Léon Daudet se fit l'écho : ces deux catégories « coexistent en fait au sein de chacun des grands journaux » depuis la fin du XIXe siècle, note Ferenczi[75]. Les journaux – les grands quotidiens surtout – devenaient en même temps des grandes entreprises industrielles, prototypes de ce qu'on appellerait bientôt les « médias de masse ». Les journalistes vivaient parfois mal leur double situation d'observateur, rapporteur et commentateur souvent critique, en toute liberté, d'une part, et, d'autre part, de rouage d'une usine à nouvelles ayant une logique de production et de diffusion sérielle, de bien de consommation intellectuel, certes, mais périssable. A quoi s'ajoutait la précarité de l'emploi – tant de feuilles mortes qui se ramassaient à la pelle : pour un journaliste en vue, tel Francisque Sarcey, critique dramatique qui fit si longtemps référence, combien de journalistes sur le pavé ou vivant chichement de leur plume[76] ?

Par ailleurs, bien des journalistes appliquaient l'adage « le journalisme mène à tout à condition d'en sortir » : beaucoup cherchaient, et parfois trouvaient, un emploi dans l'administration, grâce au soutien d'amis « bien placés » – confrères, avocats, hommes politiques, etc. D'autres connurent d'autres évolutions, les circonstances de l'actualité amenant de nombreux journalistes à se voir accuser de « tourner

---

75. T. Ferenczi, *L'Invention du journalisme en France*, Paris, Plon, 1993, p. 42.
76. Vers 1890, des éditeurs se plaignaient de la mévente des livres, les lecteurs leur préférant les journaux. Mais en période de crise économique – la France urbaine n'absorbant pas sans difficulté l'exode rural –, le chômage touchait aussi la presse périodique lors du « ralentissement des affaires » ; en revanche, la spéculation comme les élections, l'Exposition universelle comme la construction du métropolitain ou d'autres grands travaux urbains, généraient budgets de publicité, nouveaux journaux et emplois.

casaque ». Sous la Troisième République – peut-être plus encore que sous la Cinquième –, beaucoup d'hommes de presse firent profession de proférer leur opinion, dans la « bataille des idées ». Le combat politique restait vif, une fois la question du régime (républicain) réglée en principe ; d'autant que la liberté de la presse permettait non seulement le pluralisme mais la vigueur de l'expression. De la Commune à Dreyfus, et de l'anticléricalisme à l'antiparlementarisme, les journalistes prirent parti et furent pris à partie : on reprochait à certains leurs opinions antérieures quand d'autres, perçus comme étant « de gauche », étaient accusés d'avoir « mal tourné » par la suite. Ainsi, des journalistes opposants du temps du Second Empire, devenus plus tard des « républicains de gouvernement », se virent reprocher leur radicalisme d'antan. D'autres, qui s'illustrèrent en 1870-1871 – tel Rochefort, membre du gouvernement de la Défense nationale de septembre 1870, ou Alphonse Humbert *(Le Père Duchêne)*, condamné, comme Rochefort, au bagne à Nouméa pour son action communarde –, affichèrent ensuite des positions nationalistes ; lors du boulangisme et de l'affaire Dreyfus, notamment, le républicanisme cocardier amena nombre de journalistes réputés radicaux ou intransigeants à militer avec des confrères venus d'autres bords ; on peut aussi citer Gustave Hervé, né en 1871, antimilitariste et socialiste révolutionnaire, qui se convertit au nationalisme en 1914, pour revendiquer ensuite la rechristianisation de la France, un socialisme national et une République autoritaire. Certains journalistes, socialistes au temps de Jaurès voire communistes, devenus maîtres ès techniques de propagande au service d'une idéologie, changèrent ensuite de bord pour utiliser leur compétence « professionnelle » au service d'autres causes. C'est ce que fit Paul Marion (1899-1954), membre du Comité central, responsable de la section d'agitation et de propagande du PCF, passé ensuite à la SFIO et chez les néo-socialistes, et qui finit, son antisémitisme aidant, par occuper des fonctions de responsable gouvernemental de l'information et de la propagande sous le régime de Vichy. De même que bien des journalistes passèrent de gauche à droite, de nombreux titres de la presse politique, fondés aux débuts de la Troisième République et se situant initialement plutôt à gauche, ou qui affichaient leur « neutralité » en se disant surtout d'information, finirent à droite, voire à l'extrême droite, à l'exemple du quotidien *Le Matin* (1884-1944). Vichy, et l'épuration qui s'ensuivit, sont l'aboutissement de ce processus – et une leçon toujours à méditer pour les journalistes qui s'engagent activement dans la vie politique.

Après la Libération, beaucoup de journalistes collaborateurs furent emprisonnés, parfois condamnés à mort. On cite souvent l'exemple de Brasillach ; mais de manière plus générale on estime que le journalisme est la profession qui, par rapport à ses effectifs, a subi le plus de sanctions pour « faits de collaboration ». Né en 1920, Robert Hersant traîna longtemps comme un boulet le journal *Jeunes Forces*, « organe des jeunes du Maréchal », qu'il avait lancé en mars 1942 – un journal qui dura peu mais qui publia des articles aux relents d'anti-franc-maçonnerie et d'antisémitisme[77]. Condamné en 1947 à dix ans d'indignité nationale, il perdit, un temps, ses droits civiques avant de commencer, vers 1950, à édifier son « empire de presse » avec l'édition d'annuaires, de titres non politiques et du journal spécialisé *L'Auto-Journal*. D'autres journalistes tenus pour collaborateurs perdirent bien davantage en se voyant interdire tout emploi dans la presse nouvelle, dont certains titres étaient issus des journaux clandestins de la Résistance. D'anciens titres, en revanche, ne devaient plus reparaître : ainsi *Le Monde* naquit-il sur les presses de feu *Le Temps* (1861-1942).

La mise en scène de l'information

De par sa fonction même, le journaliste provoque. Pour être une banalité, la formule n'en est pourtant pas moins vraie : les journalistes ont mauvaise presse... depuis toujours. Mais cela tient à plusieurs raisons. L'antagonisme – implicite ou explicite – entre les protagonistes de l'actualité et les médiateurs de leurs faits et gestes est inévitable, à partir

---

77. *Cf.* D. Pons, *Dossier H... comme Hersant*, Paris, Alain Moreau, 1977.

du moment où le journaliste n'est plus, comme tel scribe d'autrefois, une plume servile. Un autre antagonisme semble plus complexe : il découle de cette ambivalence des médias qui donnent à l'« opinion » des visions contrastées, voire contradictoires de la « société ». Tout dire ou quoi dire ? Comment dire et pourquoi dire ? « *All human life is there* », proclamait le *News of the World*, titre dominical britannique, qui se vantait de toucher huit millions de lecteurs en 1955, et qui applique depuis le milieu du XIXe siècle une formule rédactionnelle fondée sur le crime (plutôt violent), le sexe (plus suggestif qu'explicite) et le sport. A quoi s'oppose le journal qui s'autocensure au nom du bon goût et du respect des convenances et de la vie privée : « *All news that's fit to print* », répliquait le *New York Times*, titre plutôt conservateur dans le domaine social, fondé en 1851 sur le modèle du *Times* de Londres.

On disait la société victorienne hypocrite. Mais, au milieu du XIXe siècle, à l'époque même où le *Times* faisait tressaillir les gouvernements, se développait outre-Manche une presse populaire dominicale aux tirages de plusieurs centaines de milliers d'exemplaires. Les journalistes d'une presse qu'on dirait ensuite « sérieuse », « de qualité » morigénaient les journalistes de cette presse « populaire », « à sensation », de même que les grands éditorialistes et publicistes pourfendaient la presse d'information et les reporters. Dès le tournant des années 1830, les mêmes clivages étaient apparus en France et de façon encore plus nette aux États-Unis, notamment à New York où Benjamin H. Day avait fondé le *Sun*, quotidien à un *penny* qui s'était affirmé apolitique. James Gordon Bennett (1795-1872), avec le *New York Herald*, alla plus loin : il pourfendit la classe politique et inventa, avec d'autres patrons des *penny papers*, le « concept moderne de l'information ». Le *Herald* couvrit l'actualité non plus sous le seul angle des intérêts politiques ou autres d'une élite, mais en soignant la diversité des sujets, et des approches, susceptibles de passionner le grand public. Il organisa un réseau de correspondants et de reporters qu'il rémunérait, chose plutôt nouvelle dans la presse new-yorkaise d'alors. Bennett affirma que le reporter pouvait et devait aller partout, et faire en sorte que l'espace tenu jusqu'alors pour privé puisse donner lieu à des nouvelles qui le transforment en domaine, et donc en espace, public. « Il n'a pas inventé la curiosité mais il était peut-être le premier à démontrer comment maximiser sa valeur commerciale[78]. »

Les publicistes faisaient état de leurs craintes : l'information allait détrôner l'éditorial. Et les hommes politiques, tout comme les autorités morales d'alors, vilipendaient ces journalistes pour qui « rien n'est sacré » : le sieur de va-partout, touche-à-tout et dévoile-tout[79]. Bennett et ses émules triomphèrent pourtant. Bennett parvint à attirer des ressources suffisantes, provenant de la publicité commerciale aussi bien que des ventes, pour ne pas avoir à dépendre de subsides d'origine politique, à la différence de bien d'autres journaux. Par ailleurs, il se mit lui-même en scène : *showman*, il se présentait comme le héraut et le héros d'une communauté – société civile, classe politique, hommes d'affaires et ses propres confrères et concurrents – qu'il ne laissait pas indifférente. En 1836, Bennett fut attaqué, par deux fois, dans les rues de New York par un homme d'affaires excédé par le *Herald* : il s'en sortit plutôt mal physiquement, mais mit les foules de son côté par la drôlerie du reportage qu'il en fit dans son journal. Le reporter-animateur en *showman*, Patrick Poivre d'Arvor, l'« homme d'image » de TF 1, serait un descendant de Gordon Bennett et – pour trouver un équivalent, en France –, de Léo (dit « Napoléon ») Lespès, éditorialiste, chroniqueur et homme-tronc du *Petit Journal*, le premier quotidien populaire en France, pensé comme un bien de consommation périssable[80].

L'indépendance affichée par le *Herald*, le *Times* et leurs épigones, leur liberté de ton se traduisaient souvent par un style tonitruant. Un éditorialiste du *Herald*, W.B. Phillips, présentait ainsi les motivations complexes qui animaient Bennett et pouvaient l'amener à se heurter aux hommes politiques : « Le *Herald* n'affectionne guère un parti et aime les conspuer

---

78. D. Fermer, *James Gordon Bennett and the New York Herald*, Woodbridge/New-York, The Boydell Press/St Martin Press, 1986, p. 21 (notre traduction).

79. P. Giffard, *Le Sieur de Va-Partout*, Paris, 1880.

80. Léo Lespès signait « Timothée Trimm » les chroniques qui ornaient tous les jours la une du *Petit Journal* ; il jouait à l'homme-réclame et s'attirait les badauds dans les rues de Paris..

tous, chacun à son tour... Il se veut indépendant, tout comme le *Times* de Londres, mais sa "ligne" reflète plutôt des humeurs changeantes et des sentiments personnels qu'une largesse d'esprit et des principes fermes. Pourtant, au fond, M. Bennett n'est pas dénué de patriotisme ou de sentiments généreux... Par nature, il est prêt à suivre le mouvement, ou à changer lorsqu'il croit que celui-ci va changer ; mais ceci dépend d'abord de ses intérêts commerciaux. Son commerce s'exerce parmi un (...) public qui se passionne facilement et il attire l'attention à lui et à son journal en faisant des choses inattendues ou passionnantes[81]. »

Le directeur de journal, le patron d'un média – et les journalistes qui travaillent pour eux – affecteraient donc un air de grande liberté. Ceci peut les amener à traiter les politiques « de haut », mais suppose qu'ils se gardent les faveurs du public. Du reste, les journalistes relativiseront eux-mêmes l'importance à accorder à la « ligne » rédactionnelle du journal pour lequel ils travaillent, une attitude qu'Albert Londres résumera avec cette formule : « La seule ligne que je connaisse, c'est celle du chemin de fer. »

Nous l'avons vu, dès le XIXᵉ siècle en France, on se plaignait de ces « mœurs du journalisme à l'américaine », où l'interview et le reportage faisaient florès, et de leur contagion dans la presse de l'hexagone. En 1893, *Le Journal des débats* critiqua cette évolution, comme le faisaient tant d'autres journaux de la vieille école. On reprochait au journaliste de devenir « presque un personnage politique », et surtout d'avoir compris « que son occupation pouvait devenir un négoce et son colportage de menus "potins", une denrée assez lucrative et une arme très redoutable » : « Notre besoin de commérages s'est accru et multiplié par la satisfaction même qui lui est donnée chaque jour. En nous levant le matin, nous adressons cette prière mentale aux fétiches de la publicité, les seuls envers qui nous soyons capables d'un reste de foi : donnez-nous aujourd'hui notre scandale quotidien[82]. »

---

81. W.B. Phillips à Andrew Johnson (le président des États-Unis qui succéda à Abraham Lincoln, après l'assassinat de celui-ci), 18 septembre 1866. Cité dans D. Fermer, *op. cit.*, p. 308 (notre traduction).

82. *Le Journal des débats*, 27 janvier 1893, cité dans J. Verdès-Leroux, *Scandale financier et antisémitisme catholique*, Paris, Le Centurion, 1969, p. 190, note 41.

Bennett raisonnait un peu différemment : à ses yeux, il allait de soi que les habitants de New York lisaient plus volontiers six colonnes de détails portant sur un meurtre atroce, un divorce retentissant ou le procès d'un curé « qui a failli », que six colonnes écrites par le génie le plus noble de l'époque ; de même y avait-il davantage d'argent à faire *(journalistic money)* en rendant compte des « potins dont on causait » dans les bars, les ateliers, aux courses, et dans les maisons des gens modestes, qu'en écoutant ce qui se disait dans les salons et les bibliothèques. En fait, pour lui, l'opposition entre bon goût et convenances d'un côté, presse à sensation, exploitation de l'intérêt humain, voire généralisation d'une écriture « faits divers » de l'autre, était réductrice et trompeuse. Lui-même ira pourtant trop loin : des journaux rivaux, mais aussi des comités où siégeaient divers notables de l'époque, lui firent une « guerre morale » ; on le tint responsable de divers méfaits politiques et sociaux, et même du déclenchement de la guerre civile.

Une opinion puritaine, protestante outre-Atlantique, plutôt catholique sur le continent, continuera à s'insurger périodiquement contre les dérives ou les excès de cette presse à l'américaine. Et les patrons de presse – y compris ceux des titres populaires – n'hésiteront pas à tourner avec le vent lorsqu'ils craindront d'être allés trop loin. Le même *Petit Journal* qui, en France, exploitera le fait divers et lancera une chasse à l'homme contre l'auteur d'un meurtre multiple (l'affaire Troppmann, 1869-1870), se voulait souvent plus à l'écoute, voire « suiviste » vis-à-vis de l'opinion que provocateur : il mettait sans doute du « sang à la une », mais ne voulait en aucun cas froisser son public de « petites gens ». D'où l'argument double que développa *Le Petit Journal* à propos de la place qu'il accordait aux faits divers. En 1875, analysant sa couverture des crimes commis « par la bande de Clamart, des étrangleurs de femmes », il écrivit : « Les familles des intéressés, les victimes, nous ont mis sur certaines pistes ; nos reporters ont fait le reste. Le public veut des nouvelles, nous lui en donnons. Nos confrères n'ont qu'à faire comme nous (...). Le public, que son instinct ne trompe pas, s'y intéresse, se sentant sous une menace constante (...) ; cette capture [de la bande] l'a rassuré, et (...) il veut connaître tous les détails[83] ».

Propos qu'on peut compléter par ces « instructions » à ses journalistes qu'aurait données Moïse Polydore Millaud, le « patron » du *Petit Journal* : « Pas d'extravagance... pas de tours de force. Écoutez dans les omnibus, en chemin de fer, dans les théâtres, dans la rue ; rendez-vous bien compte de l'opinion moyenne. Vous n'avez qu'à la suivre.

« Et avec ça, soyez au courant de toutes les découvertes, de toutes les inventions, vulgarisez toutes les choses qui vont s'enfouissant dans de lourdes revues. C'est le feuilleton qui me procurera le palpitant qui plaît aux masses : vous autres, donnez l'écho de l'opinion moyenne, et parlez de tout pour avoir l'air d'en savoir plus long que tout le monde[84]. »

Comme Gordon Bennett aux États-Unis, Millaud en France – et, avant lui, Girardin et Havas –, organisèrent et généralisèrent la rémunération des reporters, des journalistes payés pour collecter et traiter l'information. Ils se firent mal voir par les journalistes d'opinion et par les patrons de presse rivaux. Un siècle après le lancement de *La Presse*, Léon Daudet présentera ainsi Girardin comme « l'inventeur des feuilles d'information (...) : avec une cervelle de dix centimes, Girardin eut l'idée de la presse à un sou[85] ». Or, le même Daudet soulignera que les grands médias de son époque se devaient de rester en symbiose avec leurs publics ; lors des événements de janvier-février 1934, où l'antiparlementarisme latent conduisit à des manifestations insurrectionnelles à Paris, place de la Concorde, la presse officieuse « de grande information » dut elle-même suivre le mouvement, sous peine de voir son tirage réduit à néant. Daudet, opposé au régime, présentera la presse à grand tirage et les usines à nouvelles comme tiraillées entre leur dépendance envers les sources officielles et officieuses de l'information, et la demande d'un public lassé d'un système politique dont les tares apparaissaient en partie

---

83. *Le Petit Journal*, 28 janvier 1875.

84. Propos de Millaud en 1869, rapportés par « Jean-Jacques », *La Petite République française*, 23 novembre 1887. *Cf.* M. Palmer, *op. cit.*, pp. 29-40.

85. L. Daudet, *Bréviaire du journalisme*, Paris, Gallimard, 1936, p. 45 .

grâce au travail des journalistes. Les journalistes de sa génération, très « parisiens » d'esprit comme ceux des générations suivantes, n'incrimineront guère l'opinion mais plutôt les volte-face dont est capable la capitale. Avant que ne se développent en France les sondages d'opinion – l'Institut français de l'opinion publique (IFOP) fut créé en 1938 – et que ne se généralisent les discours portant sur la « France profonde » ou la « majorité silencieuse », les journalistes cédaient souvent à la tentation de sur-représenter le poids de Paris dans l'Hexagone (et de l'Hexagone dans le monde...). Daudet, encore : « J'eus l'occasion, en ces circonstances tragiques (de 1934), de tâter le pouls du public parisien, lequel, invariablement, diffuse de Paris vers la province... Mon vieux Paris, comme disait Drumont, est une très ancienne cité, et qui en a vu de toutes les couleurs. Elle est à la fois enthousiaste et sceptique, susceptible d'emballement (le Boulangisme), de fureur (la Commune), d'attendrissement (accueil à Doumergue le 10 février 1934). Paris se donne, oublie, se reprend avec la même facilité. Sans cesse renaissant de ses cendres, vaillant et moqueur, sans cesse remâchant ses grandes journées, Paris a, comme on dit, le temps d'attendre. »

Peu de journalistes d'aujourd'hui – à l'exception de certains chroniqueurs ou billettistes, peut-être – écriraient ainsi. Et pourtant, depuis toujours, le journaliste homme de lettres a apostrophé les lieux et les personnes...

Le journaliste en agent provocateur

En France, à l'époque de Daudet, les journalistes avaient intégré depuis longtemps le discours sur la primauté à accorder à l'information. Il se commettait pourtant des excès, liés le plus souvent à l'urgence – et une vérification insuffisante – ou à des jugements rédactionnels que l'« opinion » tiendrait pour spécieux, et la justice, parfois, pour condamnables. Cette « opinion » avait des composantes multiples : l'affaire Troppmann suscita des interventions de parlementaires outrés d'apprendre qu'un rédacteur du *Petit Journal*, « fanatique des exécutions capitales », se serait fait embaucher comme aide au bourreau pour recueillir les derniers témoignages du condamné.

Non moins négligeable sera la pression exercée par d'autres journalistes sur des confrères « qui dépassent les bornes ». Les débats sur l'éthique et sur la déontologie, au sein des sociétés de rédacteurs et de diverses assemblées de journalistes, permettront d'affiner les jugements, les appréciations : il importait de définir des codes de conduite qui pourraient guider le journaliste dans ses pratiques professionnelles, car il est des pratiques qui ne sont pas justiciables de poursuites mais que l'on tient pour répréhensibles, et qui jettent l'opprobre sur l'ensemble de la profession. Bon nombre de ces questions ou débats déontologiques continuent aujourd'hui à préoccuper la profession. Ainsi, de tout temps, des journaux ont publié des faux [86] : il importe d'avoir un dispositif de prévention et, le cas échéant, de pouvoir démontrer si les journalistes concernés étaient de bonne foi ou non. Et puis, comment réconcilier l'intrusion dans la vie privée et la recherche d'informations susceptibles d'être d'un intérêt général ? Comment définir – et justifier – cet intérêt général lorsque les personnes en cause sont des particuliers qui ne défraient pas ordinairement la chronique, ou des personnages publics dont il peut être malaisé de départager le rôle entre l'action publique et la vie privée ? D'autant que le simple particulier peut vouloir profiter de sa célébrité passagère en vendant lui-même ses mémoires, photos ou témoignages aux journalistes dont les patrons pratiquent le « journalisme du chéquier » *(cheque-book journalism)*. Ces pratiques se sont à ce point répandues dans la presse populaire ou à sensation, notamment, que la question n'est plus tellement de savoir qui est à l'origine de telle ou telle transaction, du journaliste ou du témoin/protagoniste de l'événement.

---

86. Y compris des journaux tenus pour les plus sérieux de leur époque : par exemple le *Times*, qui publia en 1887 des documents compromettants pour le leader irlandais Charles Parnell (qui se révélèrent par la suite fabriqués de toutes pièces par un faussaire) ; le *Times* récidiva en 1983 en publiant le prétendu journal d'Adolf Hitler ; *Le Monde*, en mai 1952, publia « à la une un rapport ultra-secret qui se révéla n'être, quelques jours plus tard, qu'un vulgaire article de réflexion stratégique publié un an et demi plus tôt aux États-Unis». L. Greilsamer, *Hubert Beuve-Méry*, Paris, Fayard, 1990, p. 394.

Outre-Manche, les débordements de la presse populaire, à force d'enva-hir la vie privée du simple particulier comme celle de la famille royale, pourraient amener un jour ou l'autre l'État à intervenir malgré les tradi-tions britanniques en la matière : en 1992, le rapport Calcutt, estimant que le dispositif d'autoréglementation ne suffisait plus, a proposé entre autres que soit instauré un tribunal statutaire chargé de réprimer les manquements à la déontologie professionnelle.

D'autres regards critiques peuvent être portés sur cette primauté accordée à l'information : information-divertissement *(info-tainment)* pour les uns, elle serait aussi, pour d'autres, promue comme une fin en soi. Observateurs extérieurs du monde de la presse, Nicolas Will et Yves de La Haye ont analysé, chacun à sa manière, la façon dont s'est mis en place le commerce de l'information – tel qu'il a été façonné au XIXe siècle, et dont nous sommes encore l'objet ou l'usager. De La Haye oppose les journalistes militants à la Vallès aux journalistes vulgarisateurs et modérateurs à la « Timothée Trimm » (dit aussi « Thomas Grimm ») [87] du *Petit Journal*. On trouve, dès le début du XIXe siècle, des journalistes militants aussi bien dans la presse bourgeoise que dans la presse ouvrière. Ces militants affirment « de façon pointue, aérée, les positions de la frac-tion de classe ou de la couche idéologique » que reflète leur journal. Le militant serait ainsi « un "intellectuel organique" au sens où Gramsci l'entend : il condense, explicite, dirige les intérêts de la classe ou de la couche qu'il représente ; l'identité des récepteurs et de l'émetteur est très grande [88] ».

« Trimm » ou « Grimm », quant à lui, annonce plutôt une presse populaire greffée sur « la stratégie bourgeoise en matière de communica-tion... une autre échelle de production-transformation de l'actualité ». Le stratagème du « système de Grimm » consiste à présenter un discours

---

87. T. Trimm, le pseudonyme de Léo (dit «Napoléon») Lespès, céda la place à «Thomas Grimm» – pseudonyme collectif mais dont le titulaire principal fut le rédacteur Henri Escoffier – lorsque Lespès quitta *Le Petit Journal* en 1869.

88. Y. de La Haye, *Journalisme, mode d'emploi*, Grenoble, ELLUG-Pensée sauvage, 1985, pp. 11-14.

rond, patiné, policé, construit tout à l'inverse d'un discours à la Vallès, brutal, polémique et tranchant : « Nous sommes en terrain balisé, connu, nous sommes en lieux communs. » Et de la Haye de démontrer qu'il y a une filiation directe entre les grands quotidiens populaires du XIXe siècle, ancêtres des médias grand public d'aujourd'hui, et les présentateurs actuels du « JT » : « De Grimm à R. Gicquel, toute une chaîne de rhéteurs arrondis va monter sur le tréteau de l'impartialité pour ajuster actualité et sens commun. »

Nicolas Will va plus loin encore dans la mise en rapport des logiques productivistes du système capitaliste et des flux de l'information. Il part des mêmes interrogations que de La Haye : « Pourquoi, se demande-t-il, la presse d'information fait-elle son apparition à ce moment ? Pourquoi ce qui n'était pas possible en 1850-1860 devient possible en 1880, à savoir une presse à clientèle populaire tirée à des centaines de milliers d'exemplaires ?[89] » Pour Will, la presse populaire permit d'intégrer la classe ouvrière – on dira, pour notre part, les « petites gens », à la ville comme à la campagne – à la société bourgeoise. La presse d'information « tient le discours quotidien du capital sur lui-même. La relation du fait brut, qui parut si pauvre à Zola, tend à constituer, en soi, une vision du monde ».

Cette vision est, en fait, a-historique. D'une part, le journaliste travaille les sentiments, exploite l'affect, et la mise en scène prime sur l'exposé argumenté et rationnel. D'autre part, la concurrence entre les médias – dès l'essor de la presse à grand tirage et d'information – amène chacun à insister sur sa capacité à « transcrire aussi *instantanément* que possible des faits survenant aussi loin que possible[90] ». « Le perpétuel présent et la primauté de l'espace sur le temps » renforceraient, d'une part, la réification et, d'autre part, l'absence de distanciation et de grille d'analyse critique. La mise en scène théâtralise le cri de colère – « porter la plume dans la plaie », disait Albert Londres – : le journaliste pousse à la catharsis, mais craint surtout que sa production ne tombe dans l'indifférence. En amont, bien des acteurs disposent de stratégies pour maîtri-

89. N. Will, *Essai sur la presse et le capital*, Paris, UGE, 1976, p. 100.
90. Y. de La Haye, *op. cit.*, p. 9.

ser le jeu d'un espace fait de relations publiques généralisées. Et, en aval, le journaliste redoute tout autant l'indifférence de son public que ses réactions passionnelles.

Le journaliste de l'écrit apprend cependant rapidement à ne pas se laisser troubler outre mesure par le courrier des lecteurs ; et le journaliste audiovisuel apprend, lui, à se méfier des pièges que peuvent receler l'interactif et le direct. Ils ne peuvent ignorer courbes du tirage et évolution de l'Audimat, mais ils prennent plus au sérieux les jugements que leurs patrons et leurs confrères peuvent porter sur leur travail.

Certains journalistes se disent attachés au projet rédactionnel – on n'ose plus écrire : « à la ligne politique » – du titre ou de l'émission pour lesquels ils travaillent. D'autres crient leur attachement à la liberté d'aboyer chère aux polémistes d'antan et aux journalistes indépendants qui, aujourd'hui, se disent « non asservis ». Les confrères britanniques ont intégré depuis longtemps le peu de considération accordée à leur profession par les milieux dirigeants, l'« opinion », et bon nombre de ses propres pratiquants. Jouissant d'un espace de liberté aux contours toujours fluctuants, le journaliste français, quant à lui, ignore parfois l'article XI de la Déclaration des droits de l'homme et du citoyen ou le premier article de la loi sur la liberté de la presse du 29 juillet 1881 ; mais il méconnaît rarement la portée de la clause de conscience que protège la loi du 29 mars 1935 précisant le statut professionnel du journaliste, qui lui permet de rompre son contrat avec son employeur en conservant son droit à des indemnités, lorsque son départ est justifié par un changement de nature ou d'orientation de la publication, susceptible de porter atteinte à son honneur, à sa réputation et à ses intérêts moraux. Le journaliste serait ainsi reconnu comme coresponsable et pas seulement comme employé de l'entreprise de presse. En 1993, des journalistes de titres aussi divers que le magazine *Voici* et le quotidien régional *Dernières Nouvelles d'Alsace* invoquèrent la clause de conscience.

Bien que les effectifs professionnels aient rapidement grimpé depuis 1980, les journalistes apparaissent finalement peu nombreux, si on les compare à d'autres professionnels de la communication – tels les 270 000 agents titulaires des PTT ou les innombrables « communiquants » des entreprises – ou aux autres catégories de personnel travaillant dans les mêmes médias qu'eux ; par exemple, en juillet 1993, l'une des sociétés de ce qu'il est convenu d'appeler le « groupe Hersant » se porta acquéreur des *Dernières Nouvelles d'Alsace*, qui employait alors 150 journalistes parmi ses 1 150 employés. Il n'empêche, ce sont toujours les journalistes, ces messagers emblématiques, à qui l'« opinion » fait porter le chapeau des « ratés » de la communication. En France, comme au Royaume-Uni – mais moins qu'aux États-Unis où des journalistes parviennent à en imposer davantage –, l'observateur ne peut qu'être frappé par cette disproportion « hénaurme » : les journalistes sont peu nombreux mais les mots écrits et prononcés à leur sujet, essentiellement en mal, et souvent par les journalistes eux-mêmes, sont... innombrables. Ils ne maîtrisent rien, ou si peu, de ce qui les concernent. Ils jouent les bouffons du roi, et ceux de la société tout entière ; tels l'idiot dans *Le Roi Lear*, ils lancent à d'autres, mais aussi à eux-mêmes, des vérités qui font mal. Ces médisances font partie de la condition du journaliste. Il lui faut l'assumer.

En France, beaucoup de journaux, de radios et évidemment de chaînes de télévisions ont moins d'un demi-siècle d'âge. Bien des journalistes actuellement en activité n'ont connu que les Trente Glorieuses et les années de « désenchantement » qui les ont suivies. Pourtant, depuis 1944, le paysage des médias français a souvent été chaotique. Outre le fait qu'il est de la nature des médias d'être continuellement en mouvement, de susciter les convoitises, et que bien rares sont les rentes de situation, les journalistes de l'audiovisuel en étaient encore, dans les années 1970 et 1980, à revendiquer de pouvoir enfin se comporter en professionnels, face au pouvoir politique qui, *nolens volens*, finit par accepter les règles du jeu.

Quant à la presse écrite, le long déclin de la presse quotidienne[91] se reflète dans la faiblesse des budgets rédactionnels, des ressources dispo-

---

91. En 1914, avec 309 quotidiens, la France pouvait prétendre à avoir le taux de pénétration *per capita* le plus élevé de la presse en Europe : un exemplaire pour quatre habitants. En 1990, avec 76 quotidiens, la France occupait le 27ᵉ rang mondial pour la lecture de journaux.

nibles, comparés à ceux dont bénéficient certaines entreprises de presse audiovisuelle, de la presse magazine, ou bien les entreprises de presse allemandes, britanniques et nord-américaines. Tous les jours, à Paris comme en province, dans la presse écrite et les médias audiovisuels, chefs de service et journalistes se battent pour obtenir des budgets de reportage « présentables »; lors de l'affaire du Watergate, les journalistes français ont été frappés tout autant par l'importance des moyens mis à la disposition de Woodward et Bernstein pour mener à bout leur enquête que par l'impact des informations qu'ils avaient déterrées.

Des journalistes français retroussent malgré tout les manches, font contre mauvaise fortune bon cœur, jouent les limiers, font preuve d'initiative, vérifient, procèdent aux recoupements et revérifient... quand même. « Armés » de leur serment de Théophraste, ils traquent l'information dans les zones d'ombre du système. Il en est qui paient leurs tentatives pour pratiquer le « devoir d'irrespect » dans les milieux officiels et officieux du pouvoir. Journaliste au *Monde*, Edwy Plenel enquêtait sur des affaires liées au terrorisme et à la « sécurité-défense » lorsque son téléphone fut mis sur écoutes ; des journalistes à *Libération*, Philippe Kieffer et Marie-Ève Chamard, spécialistes des médias et de la communication, connurent un sort analogue. Leurs entreprises les ont soutenus. Quinze ans auparavant, Philippe Simonnot, journaliste au *Monde*, spécialiste des affaires pétrolières, n'eut pas cette chance. En avril 1976, son journal le licencia parce qu'il avait fait publier un document confidentiel sans aviser ses chefs hiérarchiques des conditions dans lesquelles il l'avait obtenu ; en mai, le ministre de l'Économie et des Finances déposa plainte contre lui « pour vol de document et publication ayant entraîné des mouvements boursiers ». A l'époque, Philippe Simonnot rédigea un ouvrage qui pose des questions « dérangeantes » sur l'information : « Si l'information n'est pas volée, n'est-ce pas qu'elle est donnée et par qui, sinon par celui qui la détient, c'est-à-dire ici, en l'occurrence, par le pouvoir ? Et si elle est donnée, est-ce encore une information ? Ou bien une sorte de manipulation, soit le contraire de l'information. Si l'on accepte ceci, il faut aussi accepter qu'il n'y a d'informations que volées...

« Nombre d'interviews, en France tout au moins, se déroulent selon le même scénario : le journaliste ne fait pas appel de la réponse qu'on lui fait et il passe immédiatement à la question suivante comme s'il se satisfaisait de ce que l'on vient de lui dire – manque de pugnacité qui tranche avec les pratiques journalistiques anglo-saxonnes, et ici il faudrait aussi, peut-être, mettre en cause une certaine éducation française de la relation au pouvoir[92]. »

Tous les soirs, ou presque, les téléspectateurs français peuvent pourtant voir des émissions où le journaliste essaie de ne pas s'en laisser conter. Au demeurant, qu'il joue le faire-valoir, se contentant de relancer l'interviewé, ou qu'il fasse preuve de pugnacité, harcelant celui qui esquive sa question, le journaliste ne laissera indifférent ni le protagoniste de l'actualité, ni les téléspectateurs. Il apprend à assumer ce rôle médiatisé. Beaucoup même le recherchent, aspirant à monter sur scène. Formés à l'écrit, nombreux sont les jeunes journalistes qui cherchent à faire de la radio pour pouvoir accéder à la télévision, et à la notoriété.

Le Requiem du Héraut

En juillet 1993, Jean Montaldo, journaliste depuis 1961, fit paraître un ouvrage intitulé *Lettre ouverte d'un chien à François Mitterrand au nom de la liberté d'aboyer*[93]. Dès avant la fin du mois, le pamphlet fut en haut de la liste des best-sellers, où il resta tout l'été. Il renouait avec une tradition ouverte par la lettre d'Émile Zola, *Lettre au président de la République*, publiée dans *L'Aurore* en janvier 1898 et pour laquelle Clemenceau trouva le titre *J'accuse*. Zola relança l'affaire Dreyfus. Montaldo, lui, défendit les journalistes.

---

92. P. Simonnot, *Le Monde et le pouvoir*, Paris, Les Presses d'aujourd'hui, 1977. Dix-sept ans plus tard, et après que le journaliste eut connu une longue « traversée du désert », la signature de Simonnot orne de nouveau les colonnes du *Monde*.

93. Paris, Albin Michel, 1993.

« Monsieur le président,

Je ne vous aurais jamais écrit cette lettre ouverte si le discours que vous avez prononcé le 4 mai 1993 à Nevers, lors des obsèques de Pierre Bérégovoy, ne m'avait indigné. Par l'une de ces provocations dont vous êtes coutumier, vous vous êtes autorisé à insulter nos juges et à traîner dans la boue toute une profession, la mienne. Vous avez traité les journalistes de "chiens"[94]. »

Plusieurs facteurs expliqueraient le succès de cette *Lettre*. La réputation de Montaldo, polémiste au ton allègre, qui n'en était pas à son premier « coup de gueule », y était assurément pour quelque chose. Le contexte politico-médiatique aussi, mélange de fin de règne et d'état de choc ; si la fin du gouvernement de la gauche tenait de la chronique d'une mort depuis longtemps annoncée, celle de l'ancien Premier ministre troubla tout le monde, y compris les journalistes, dont certains le connaissaient depuis 1981, lorsqu'il devint secrétaire général à l'Élysée, voire avant. Apostrophant, dans ces circonstances sombres, un chef de l'État qui se voulait donneur de leçons, Jean Montaldo renouait avec les philippiques de Rochefort et de Beaumarchais, avec les pasquinades de Rome.

A circonstances exceptionnelles, journalisme exceptionnel ? Le 14 juillet 1993, lors du cérémonial habituel de la fête nationale, il y eut une passe d'armes entre le chef de l'État et l'un de ses journalistes-interviewers. En France, les rapports étaient tendus depuis longtemps entre la principale chaîne de télévision et l'Élysée – on rappellera à cet égard que la France, comparée aux États-Unis et au Royaume-Uni, n'est que depuis peu une démocratie médiatisée ; la banalisation des pratiques d'un journalisme télévisuel contradictoire *(adversarial journalism)* s'y fait peu à peu, mais non sans difficultés ni tensions. Les rapports quasi conflictuels entre le président de la République et son interviewer de journaliste, Patrick Poivre d'Arvor, n'ont en fait rien d'anormal ; certains ajouteraient qu'ils témoignent du chemin parcouru depuis les interviews télé-

---

94. Sur la réaction indignée de J.-F. Lacan, *cf. supra*, p. 15-16.

visées « pommadées » du général de Gaulle par Michel Droit. N'est pas non plus anormale la médiatisation des faits et gestes des médiateurs-journalistes-animateurs les plus en vue. La « médiaklatura » ne totalise que 150 journalistes environ sur les 30 000 professionnels en France ; mais, pour l'essentiel, ce sont les faits et gestes de ces « ténors » qui sont « donnés à voir » comme l'« image » du journalisme et des journalistes. Au titre de représentant des plus en vue de cette « médiaklatura », Patrick Poivre d'Arvor fut aussi l'un des journalistes les plus brocardés de ces dernières années. En mars 1993, un autre journaliste, Stéphane Denis, fit un exercice analogue à certains égards à celui de Montaldo : il rédigea un opuscule défendant non pas « les » journalistes, mais son ami « PPDA », devenu le journaliste emblématique de TF1.

« Sur le journalisme, j'ai des idées très nettes, mais ce ne sont que des recettes. Je n'ai pas d'idées générales. Je me garderai donc de parler d'une profession qui ne va pas bien – au train où avancent les choses, nous n'aurons bientôt plus le choix qu'entre quatre ou cinq employeurs et dix mots de vocabulaire – et qui m'a séduit précisément parce qu'elle n'exige aucun serment...

« Ce qui tranchait, dans l'affaire Poivre, c'était la personnalité du héros. Un journaliste célèbre, ombrageux, introduit, joli garçon, prêt à montrer son cœur, caricaturé en marionnette par une chaîne voisine, dans le vent et très au fait. Bref, une position comme il n'y en a pas deux en France, s'il y en a dix à Paris[95]. »

L'opuscule ne connut pas la gloire des best-sellers. Mais, soutenu par la direction de TF1, PPDA tint bon et continua à présenter le « JT » de vingt heures de cette chaîne qui a le plus fort taux d'audience. Dès les années 1860, le journaliste Léo « Napoléon » Lespès, signataire des chroniques de « Timothée Trimm » dans *Le Petit Journal*, avait dû se rendre compte que sa célébrité ne dépendait que du support, de l'entreprise de presse, pour laquelle il travaillait : sans média, ni message, ni messager-

---

95. S. Denis, *L'Affaire Poivre*, Paris, Stock, 1993, p. 14, p. 22.

médiateur. Mais la complexité des rapports entre les protagonistes de l'actualité, dont la légitimité tient du peuple-électeur-téléspectateur, et les médiateurs, tendrait encore à se renforcer. Une telle complexité, pourtant, a toujours existé. Serait-ce simplement qu'aujourd'hui, on insisterait davantage sur la difficulté d'être des journalistes... que l'on voudrait à la fois informateurs et accusateurs, vulgarisateurs et éducateurs, amuseurs public, chiens-terriers de la vérité ? On demande beaucoup aux journalistes.

Pour Françoise Berger, « la classe politico-médiatique a atteint son sommet bananier [en 1992] ... lorsque le chef de l'État a choisi, pour l'interviewer à la télévision, Christine Ockrent (A2) et Anne Sinclair (TF1), chacune compagne officielle d'un membre du nouveau gouvernement de Pierre Bérégovoy. A cette occasion, il s'est montré très critique à l'égard des médias [96] ». Pour tout journaliste, comme pour François Rabelais, « science sans conscience n'est que ruine de l'âme ».

---

96. F. Berger, *Journaux intimes*, Paris, Robert Laffont, 1992, p. 406.

Les frontières d'une vocation

Denis Ruellan, socio-anthropologue

Imposture ? Aujourd'hui comme hier, nombreux sont les journalistes qui expriment le sentiment de vivre un métier en perpétuel porte à faux. Impression d'être tout à la fois indispensable et illégitime, incontournable et hypocrite : le journaliste se sent un touche-à-tout qui se fait tour à tour professeur, savant, analyste, littérateur, observateur, défenseur, partisan, publicitaire, technicien, interprète, créateur... sans jamais assumer exclusivement ni absolument aucune de ces fonctions. Le journaliste semble condamné à se défaire de ces peaux d'emprunt aussi vite qu'il les a revêtues pour des besoins de circonstance.

Sentiments d'imposture partagés : le journaliste touche-à-tout agace ses entourages, il gêne d'autant plus qu'il est indispensable. On ne sait comment lui échapper tant sa proximité est évidente, et on lui reproche de n'être pas assez proche, de ne pas appartenir plus clairement à une fonction. Les professeurs, les scientifiques, les responsables politico-administratifs, les commerciaux, les techniciens, les créateurs... s'accordent à ne pas l'aimer parce qu'il ne sait jamais être un frère qu'à moitié. C'est un faux-frère.

I. La scène journalistique

Comme tous les groupes professionnels à un moment de leur histoire, celui des journalistes s'est efforcé de se construire une respectabilité sociale : définir son activité, imposer les règles d'accès à la profession, faire la chasse aux amateurs, prévoir l'instruction des générations futures. Mais ce qui caractérise en premier lieu ce groupe par rapport aux autres, c'est l'aspect tardif et proprement inachevé de cette structuration. Alors que les corporations d'ouvriers imprimeurs et de patrons de presse s'organisaient, indépendamment, dès le courant du XIXe siècle, les journalistes se maintinrent dans une sorte d'apesanteur jusqu'au lendemain de la Première Guerre mondiale.

Il y eut bien quelques associations, à partir de 1880. Les plus importantes furent l'Association syndicale professionnelle des journalistes républicains et l'Association des journalistes parisiens. Il exista aussi une nuée de petites unions, sortes d'amicales professionnelles : les journalistes socialistes, sportifs, économiques et financiers, médicaux, militaires, judiciaires, agricoles... Ces structures avaient pour vocation l'échange et l'entraide – limitée car les membres cotisants n'étaient guère nombreux. Mais leur impact au sein de la vie politique et sociale nationale était négligeable, et leur capacité à combattre l'hétérogénéité et l'individualisme des journalistes plus que dérisoire.

Quatre facteurs peuvent expliquer le retard pris par les journalistes sur le chemin de l'organisation professionnelle. Le contrôle politique, en premier lieu : comme l'a montré Michael Palmer dans les pages qui précèdent, les hommes de pouvoir se sont toujours méfiés de ces hommes de plume et ont veillé à en limiter l'influence.

La deuxième raison tient à la nature de la scène journalistique et de ses acteurs. Ce fait aussi est mis en évidence par Michael Palmer. Il n'y eut jamais cette unité de temps, de lieu, d'action et de personnes qui profita si bien à d'autres professions. Quand et où débuta le journalisme ? A Rome, autour du Sénat ? Dans l'Europe médiévale des marchands qui échangeaient denrées et informations, de Venise aux Flandres ? Dans les maisons nobles de la Renaissance, disant quelques poésies et écrivant les nouvelles privées pour des correspondants ? Au Pont-Neuf, ou sous les arcades du cloître des Augustins, à moins que ce ne fût dans les promenades des Tuileries ou du Palais-Royal ?

Bien malin qui saurait le dire, car la réponse tient à une autre question : qui sont les journalistes ? Ces indiscrets qui écoutent aux portes des puissants et vont vendre aux plus offrants leur moisson de ragots ? Ces gazetiers et journalistes qui emplissent leurs feuilles d'informations douteuses et de critiques littéraires peu aimables ? A moins que ce ne soit cet homme-orchestre, tout à la fois patron de presse, secrétaire de rédaction, imprimeur et publicitaire ? Ou faut-il attendre les premiers reporters de la fin du XIXe siècle pour tenir d'authentiques journalistes ?

On l'a compris, la scène journalistique se présente comme un emboîtement de poupées russes : pour dire qui sont les journalistes, encore faudrait-il définir le journalisme. Et là, autant faire son deuil. Car, dès l'origine, le journalisme est un incroyable méli-mélo de fonctions bien différentes. Il y eut les *rapportisti* et les *menanti*, ces informateurs indiscrets de l'Italie qui se répandirent dans toute l'Europe et donnèrent naissance, en France, aux nouvellistes. Plus tard vinrent les gazetiers, qui rédigeaient ces périodiques dont le rôle était de diffuser des nouvelles politiques, sociales, économiques pour un public de plus en plus avide. Puis les journalistes, littéralement ceux qui écrivaient dans les journaux – d'abord réservés à la relation des nouveautés littéraires et savantes, avant que le terme de journal ne s'étende à toute la presse. Le journaliste était une sorte de critique, un « auteur qui s'occupe à publier des extraits et des jugemens des ouvrages de Littérature, de Sciences et d'Arts, à mesure qu'ils paroissent », selon un rédacteur de l'*Encyclopédie* de Diderot (volume paru en 1765), qui ajoute, perfide : « D'où on voit qu'un homme de cette espèce ne feroit jamais rien si les autres se reposoient. »

On connut aussi les copistes, les ancêtres des secrétaires de rédaction dont la mission était de donner quelque orthographe et syntaxe aux textes des gazetiers, nouvellistes et autres journalistes (parfois peu lettrés), avant de les envoyer à l'imprimerie. Il y eut plus tard les chroniqueurs dont l'art résidait dans la capacité à parler pour ne rien dire. Les articliers qui écrivaient des moutures sur tous les sujets, pourvu qu'elles fussent longues. Et puis vinrent les reporters, les journalistes parlementaires, les éditorialistes et toute la gamme des fonctions connues aujourd'hui.

Le tableau ne serait pas complet si l'on ne parlait pas des conditions sociales et professionnelles de ces journalistes. En fait, la plupart ne vivaient pas du journalisme ; c'était assez s'ils en tiraient quelques subsides. Parfois même, la rémunération était toute symbolique, le plaisir de rapporter des nouvelles, de voir ses écrits imprimés (sans signature, le plus souvent) suffisait. Que faisaient-ils alors, ces journalistes de l'ancien jeu ? Certains s'essayaient à l'écriture, ils espéraient tout à la fois se forger un style et se faire des relations, les journaux étant des plaques tournantes où gravissaient savants, hommes de lettres et personnages influents. D'autres cherchaient une tribune politique, un espace où rassembler des partisans. Mais la plupart de ces dilettantes étaient de tous les métiers. Trois textes en témoignent. Le premier décrit l'époque révolutionnaire, très riche en journaux – éphémères : « Paris est plein de jeunes gens qui prennent quelque facilité pour du talent, de clercs, commis, avocats, militaires qui se font auteurs, meurent de faim, mendient même, et font des brochures[1]. »

Plus net encore est le témoignage de Léon-Bernard Derosne, chroniqueur des *Annales politiques et littéraires*, qui se demande, en 1888, si la notion de métier est applicable aux journalistes : « Il y a des maçons, des notaires, des boulangers, des soldats, des marchands de modes ; il y a aussi, en fait, des hommes qui gagnent leur vie en écrivant dans les journaux ; mais, socialement, il n'y a pas de journalistes[2]. »

---

1. Mallet du Pan, *Mémoires et correspondance pour servir l'histoire de la Révolution française*, 1851. Cité par B. Voyenne. : *Les Journalistes français*, Paris, CFPJ/Retz, 1985.

2. Cité par T. Ferenczi, *L'Invention du journalisme en France*, Paris, Plon, 1993.

Dans les années de l'entre-deux-guerres se constitua le premier Syndicat des journalistes dont le souci principal fut d'obtenir par la loi un statut professionnel. L'organisation se préoccupa surtout de professionnaliser le métier en excluant les pratiques amateurs. En 1930, le bulletin syndical écrivait : « A maintes reprises, l'attention du conseil d'administration a été appelée sur les dangers qui résultent pour la profession de l'intrusion dans les journaux de personnages de toutes catégories qui ne sont pas des journalistes. Les amateurs pullulent, les intrus nous submergent : aux uns et aux autres, il est temps de signifier que nous ne sommes plus disposés à les tolérer. C'est principalement en province que se produisent de tels abus (...). Commerçants, libraires, instituteurs, professeurs, secrétaires de mairie, fonctionnaires de tout ordre et de tout acabit accaparent les rubriques, les correspondances, et, considérant les profits du journalisme comme un appoint, prennent la place des professionnels. Pendant ce temps, ceux-ci vivent chichement et cherchent en vain des postes qui leur sont enlevés par des amateurs travaillant au rabais. (...) Le moment est venu de manifester notre volonté de défendre notre profession. Dans chaque journal, les amateurs doivent être mis en quarantaine. Plus de faux-nez ! Il est temps que les journaux soient faits par des journalistes[3]. »

Une troisième raison peut expliquer le caractère tardif de l'organisation des journalistes : elle tient à une sorte d'impossibilité structurelle. Les syndicalistes ont tenté dans l'entre-deux-guerres et dans une moindre mesure à la Libération d'obtenir par les lois et les accords catégoriels un statut professionnel qui leur offre une emprise sur les destinées de leur métier. Ils ont même – souvent – pensé créer un Ordre, à l'égal de ceux des médecins et des avocats. Mais il n'eurent pas gain de cause, se rendant compte eux-mêmes du risque encouru.

Car exercer une emprise sur une profession implique des règles de fonctionnement rigoureuses, des accès limités à l'exercice du métier, des

---

3. *Le Journaliste*, n° 69, novembre 1930.

structures de formation contrôlées. Toutes dispositions que les journalistes n'avaient jamais connues en France, où l'exercice journalistique était parfaitement libre (dans la limite des lois sur la presse, évidemment), les règles inexistantes et les formations non reconnues. Les journalistes ont dès lors perçu (les pouvoirs publics et les patrons de presse aussi) qu'ils avaient plus à perdre en liberté qu'à gagner en structuration. Ils ont réalisé qu'une trop rigoureuse organisation du métier ne pouvait que mettre en péril un des fonctionnements essentiels de la presse : la liberté d'expression, d'opinion et d'information. Ce qui faisait la richesse du journalisme – sa liberté de manœuvre, le droit de quiconque de prendre sa plume et d'écrire – serait perdu si des règles trop strictes venaient à s'appliquer.

En 1880, le *Dictionnaire français des professions* disait très justement : « On est ingénieur même quand on est sans place ; on est médecin, avocat, même si on n'a pas de clients. Mais on n'est journaliste que quand on écrit dans un journal ; on le devient et on cesse de l'être du jour au lendemain. Pas d'apprentissage, ni de diplôme, ni de certificat (...). Le journalisme n'est pas une profession au sens habituel du mot. » Certes, il y eut depuis la loi de 1935 portant sur le statut des journalistes professionnels dont le bénéfice fut double :

– la loi protégeait les journalistes contre leur employeur, en leur appliquant une disposition inspirée du droit des auteurs (la clause de conscience) ;

– elle établissait une distinction entre les pratiques professionnelles et les pratiques amateurs du journalisme.

Mais la loi, qui donne une définition tautologique de la profession (« Le journaliste professionnel est celui qui a pour occupation principale, régulière et rétribuée, l'exercice de sa profession dans une ou plusieurs publications quotidiennes ou périodiques ou dans une ou plusieurs agences de presse et qui en tire le principal de ses ressources. » Code du travail, art. L.761-2), n'a pas permis d'avancer sur deux points : qu'est-ce que le journalisme et qu'est-ce que le métier de journaliste ?

La jurisprudence elle-même n'a pas rendu plus évidentes les réponses à ces questions. Un récent rapport de mission sur le cadre juridique de la profession de journaliste est venu le confirmer : « Qu'on le regrette ou qu'on s'en réjouisse, il n'existe pas de statut de journaliste », conclut l'auteur[4].

Ainsi, malgré une loi spécifique à la profession – fait rare – malgré une jurisprudence établie jusqu'en Conseil d'État, malgré des instances compétentes telle la commission paritaire chargée d'attribuer la carte des journalistes professionnels, le journalisme en est toujours au point de départ, celui de la définition de son activité et de son espace.

La quatrième raison du déficit de structuration du groupe des journalistes tient à la polyvalence des profils requis aujourd'hui à l'entrée en journalisme : pas de voie royale, mais une nette préférence aux candidats les plus haut formés. Ces trente dernières années, le métier s'est révélé très ouvert, accueillant un nombre croissant de membres.

La multiplication par 2,5 en vingt ans du nombre de journalistes reconnus par la loi[5] (sans compter tous ceux qui exercent une activité journalistique sans disposer de la carte professionnelle) s'explique par le dynamisme général du secteur de l'information–communication et des médias. Seule la presse quotidienne connaît une érosion constante depuis 1918. Au contraire, l'audiovisuel, la presse magazine et la presse professionnelle ne cessent de se développer et de rechercher de nouveaux collaborateurs bien formés.

La progression démographique du secteur n'a fait qu'accroître le déficit de structures de formation professionnelle adaptées aux exigences du métier. Un effort a été entrepris depuis 1945 pour créer de nouvelles écoles, et cette politique a commencé à porter ses fruits dans les années 1970. Ainsi, le pourcentage relatif des diplômés d'écoles de journalisme dans la population totale des journalistes professionnels est passé de 6 % en 1964 à 20 % en 1973. Mais la poussée démographique s'est accrue,

---

4. J. Vistel, *Qu'est-ce qu'un journaliste ? Rapport de mission au secrétaire d'État à la Communication sur le cadre juridique de la profession de journaliste »*, ministère de la Communication–La Documentation française, 1993.

5. *Cf.* Michael Palmer, p. 114.

sans que l'effort structurel soit augmenté d'autant. Par conséquent, le pourcentage relatif des diplômés d'écoles de journalisme décroît : revenu à 17,7 % en 1983, il est tombé à 14,8 % en 1990 (contre 85 % aux États-Unis).

Le journalisme est un métier complexe, car il révèle deux exigences antagoniques en apparence, complémentaires en réalité : la culture générale et la technicité. Depuis un siècle, les pédagogues du journalisme ont souligné la nécessité d'une formation pluridisciplinaire du futur journaliste : « Il lui faudra posséder un fonds sérieux d'instruction générale ; il connaîtra l'histoire, la politique et aussi l'économie politique, à l'état rudimentaire tout au moins, il ne sera pas mauvais qu'il soit aussi un peu linguiste [6] ».

L'utilité d'une formation aux sciences de l'information-communication fut envisagée dès 1930 : « Étudier la presse comme un phénomène social, comme une manifestation de l'activité des hommes vivant en société, comme un élément de cette société elle-même, influant sur tous les autres éléments et recevant d'eux à son tour des influences [7] ».

Un peu plus tard vint la formation professionnelle proprement dite (enseignement des méthodes, techniques et autres savoir-faire). On traça d'abord les limites de son apport : « Quelque intéressant que puisse être l'enseignement professionnel du journalisme, ce n'est pas la science du journalisme ; pas plus que la formation professionnelle de l'employé de banque, voire celle de l'inspecteur des finances, n'est la science financière [8] ».

Ce n'est qu'après 1945, grâce au Centre de formation des journalistes et aux cycles universitaires notamment, que la formation s'attacha à donner aux futurs professionnels les éléments approfondis des méthodes d'enquête et d'écriture, de secrétariat de rédaction, de radio et de vidéo.

En définitive, en France, l'apprentissage des outils du journalisme fut toujours entendu comme un complément naturel et nécessaire à la

6. T. de Wogan, *Manuel des gens de lettres ; le journal, le livre, le théâtre*, Firmin Didot, 1898.

7. G. Bourdon *et al.*, *Le Journalisme d'aujourd'hui*, Firmin Didot, 1931.

8. S. Valot, « Y a-t-il une science de la presse ? », *Cahiers de la presse*, n° 1, janvier-mars 1938.

culture générale. Cette dualité d'exigences (culture et technicité) est lisible aujourd'hui dans les formes du marché de l'emploi : les jeunes accédants à la profession (moins de trente et un ans) sont presque tous formés à un niveau supérieur élevé. Les données révèlent que 71,2 % des jeunes journalistes ont au minimum un bac + 2 ; et 48,7 % ont un diplôme bac + 3, + 4, ou + 5.

Les employeurs privilégient donc clairement les candidats les plus haut formés d'un point de vue universitaire. L'absence de qualification professionnelle (écoles de journalisme), qui s'explique par le déficit de structures de formation, est donc compensé par un apprentissage dit « sur le tas ».

Cette configuration du marché de l'emploi est regrettable. Les jeunes, aux trois quarts démunis de diplôme de journalisme, sont finalement mal préparés. La formation professionnelle est sacrifiée, compensée par un apprentissage parcellaire et très finalisé, sans vision d'ensemble des enjeux sociaux et économiques de l'information, et des questions éthiques.

Or, un des enjeux majeurs de l'information d'aujourd'hui tient à la maîtrise absolue des paramètres techniques et technologiques. La rapidité des flux, la simultanéité des événements perçus, la complexité du paysage médiatique concurrentiel et l'intégration des tâches (collecte, rédaction, mise en forme de l'information, transmission) rendent plus indispensable qu'hier la parfaite maîtrise des outils et des procédures d'utilisation. Certaines dérives, ces dernières années (la « couverture » des événements de Roumanie et du Golfe, par exemple), sont directement imputables à une maîtrise imparfaite de ces paramètres. La fascination exercée par l'outil technologique et la soumission à ses exigences qui en résulte sont des facteurs de risque pour la qualité de l'information, qui ne peuvent être éliminés que par une réelle formation, professionnelle et générale. Lieu privilégié d'apprentissage et de réflexion, elle offre aux futurs journalistes le recul sur leur futur métier, l'appréhension des mécanismes économiques et politiques d'un système dont ils seront partie prenante, la conscience des aspects sociaux, éthiques et déontologiques de l'activité d'information.

La nécessité d'une formation technique complémentaire à la culture générale est aussi soulignée par les évolutions du paysage professionnel. C'est une constante historique ; au cours du siècle, le journaliste a été conduit à être, de manière croissante, un opérateur usant de technologies de plus en plus complexes : passant du crayon à la machine à écrire, il s'est progressivement emparé du téléphone, du télex, du magnétophone, de la caméra et, récemment, du clavier informatique.

Inexorablement, les opérateurs techniques spécialisés ont été repoussés par le journalisme, qui ne cesse d'étendre son domaine au détriment de métiers techniques anciens. Le journaliste-reporter d'image relègue le technicien cameraman, le journaliste posté sur écran effectue les tâches des clavistes, les rédacteurs infographistes limitent le travail de composition, les secrétaires de rédaction font la mise en page sur écran sans le concours des maquettistes...

La tendance générale est donc au déplacement des frontières dans le sens d'une « remontée » de l'atelier au niveau de la rédaction. De plus en plus, le journaliste intègre dans le processus de production quotidien des tâches techniques autrefois indépendantes de sa mission. Les gains de productivité et de souplesse expliquent ces évolutions, qui s'accomplissent sans que la nature même du métier de journaliste en soit fondamentalement modifiée.

Ces évolutions très lourdes de conséquences ne peuvent que souligner l'importance d'une formation professionnelle initiale : pour suivre ce processus d'intégration, les médias de demain feront appel aux journalistes les plus pointus sur les plans techniques, tout en conservant une grande exigence quant au niveau de culture générale.

Ainsi, le journalisme, qui peut se revendiquer du nombre restreint des vieux métiers du monde, reste à définir.

Les tentatives n'ont pas manqué jusque-là, mais elles ont toutes entrepris l'impossible : spécifier le centre de l'activité, son noyau. En pure perte probablement, car le journalisme est si varié, si polymorphe, si changeant aussi qu'il ne se laisse réduire à aucune caractérisation simple et unique.

Fi de l'improbable centre, il faut attaquer par la bande, observer les contours extérieurs, en quelque sorte explorer les marches de l'empire du journalisme. On en vient à repérer les domaines voisins – des provinces – où les pratiques journalistiques jouent un rôle marginal – mais pas pour autant négligeable. Au passage, on observe comment ces contrées voisines diffusent dans le journalisme leurs propres pratiques. A défaut de définition du centre, on peut espérer ainsi obtenir un dessin des contours, des territoires aux confins desquels le journalisme cesse progressivement d'être lui-même et devient autre.

Nous visiterons, dans les pages qui suivent, quelques-uns des territoires connexes : lettres, art, recherche, publicité, communication.

2. Le journaliste est-il un écrivain ?

Parmi les relations d'influence que le journalisme entretient avec ses marches, la littérature est le domaine le mieux assumé et le plus justement connu. Encore faut-il mettre un bémol à cette remarque, que la rigueur impose : ces dernières années, les filiations anciennes du journalisme avec l'art littéraire semblaient avoir été passablement oubliées. En témoigne ce texte de Jean-Claude Guillebaud (ancien reporter du *Monde,* actuellement au *Nouvel Observateur,* et président de l'association *Reporters sans frontières,* à ce titre observateur patenté de son propre métier), où il s'insurge contre les « trois gros soupçons » qui, selon lui, ont pesé sur le journalisme, jusque récemment : « universitaire, littéraire, idéologique ». A propos des lettres, Guillebaud affirme : « Nul n'aurait songé alors (avant que Sartre ne le fît publiquement, levant un interdit) à tenir pour digne du moindre intérêt l'*écriture* journalistique. Elle n'était, quant à elle, qu'un ersatz pittoresque de la littérature, un sous-genre négligeable. Quant au journaliste en vue, il était communément entendu qu'il n'accéderait au vrai mérite qu'en publiant son premier roman, couronné – ou non – par l'Interallié. C'était bien là une décision *a contrario*[9]. »

La remarque n'est pas totalement dénuée de fondement ; il est vrai que fréquemment des journalistes publient des œuvres littéraires, cherchant peut-être ailleurs une légitimité nouvelle ou simplement différente de celle que confère le journalisme. De là à lire dans cet état de fait un déficit de reconnaissance, il y a un pas, qu'il faudrait alors aussi franchir pour d'autres catégories professionnelles : les diplomates, les enseignants, les chercheurs, les politiques... et pourquoi pas toutes les professions. Car c'est à la capacité d'attraction de la littérature qu'il convient d'attribuer cette réalité, et non à on ne sait quel syndrome de fuite du journalisme. Les lettres ont, depuis toujours, capté des êtres de toutes conditions et origines.

En revanche, en ce qui concerne le déficit de reconnaissance de l'*écriture* de presse, l'assertion de Guillebaud est fausse. Voilà au contraire plus d'un siècle que, les usages journalistiques s'affinant et prenant de l'assurance, on réfléchit sur leurs rapports avec l'art littéraire. Pour prendre la mesure de ces réflexions, voici trois textes, d'inégale renommée sans doute, mais qui éclairent quelques-unes des facettes de la relation que journalisme entretient avec l'art, en l'espèce la littérature.

Le premier texte est d'Émile Zola. Daté de 1894, alors que l'homme est déjà un écrivain accompli et reconnu, il doit être compris dans le cheminement de quelqu'un qui a partagé sa vie professionnelle entre deux supports : la librairie et la presse. Grand journaliste, infatigable chroniqueur, auteur de milliers d'articles, Zola était aussi l'homme de lettres engagé que l'on sait, défenseur d'une littérature ancrée dans le social et écrite pour le social. Deux supports, mais un seul projet : Zola aimait la presse de son époque (c'est l'apogée de la presse populaire, des quotidiens à un sou qui pénètrent les quartiers ouvriers et les campagnes) parce qu'elle rejoint et sert son projet artistique, qui n'est autre qu'un

---

9. *Le Débat*, n° 60, mai-août 1990.

projet politique. Zola est un créateur dont l'ambition est indissociable de la conscience sociale. Il croit sincèrement à la capacité de l'écriture de transformer le monde ; un temps, il pense même pouvoir définir une méthode, analogue à la démarche scientifique, en mesure d'établir des vérités sociales indiscutables. Qu'importe le support donc, pourvu qu'il permette l'œuvre de révélation de la réalité sociale, de la façon la plus crue et la plus forte qui soit.

Dans le texte en question, Zola exprime tout le profit que l'écrivain tirera d'une collaboration assidue avec la presse. Ce qu'il ne dit pas – car il fallut le recul de l'histoire pour s'en assurer – c'est la responsabilité que les modes de production réalistes et naturalistes porteront dans l'émergence d'une pratique fondatrice du journalisme moderne : le reportage. S'appuyant sur les usages établis par les écrivains de la fin du XIXe siècle, une nouvelle race de journalistes, celle des reporters, conquit alors ses lettres de noblesse [10].

« C'est une opinion courante d'accuser la presse d'être néfaste à la littérature. Elle absorberait toutes les forces vives de la jeunesse, elle dépeuplerait le théâtre et le roman, elle rendrait impropres aux travaux littéraires ceux qui vivent d'elle, par besoin ou par circonstance. On a désiré savoir parfois ce que je pensais de cette opinion. Ma réponse est que je suis pour et avec la presse.

« Chaque fois qu'un jeune homme de province tombe chez moi pour me demander conseil, je l'engage à se jeter en pleine bataille, dans le journalisme. Il a vingt ans, il ignore l'existence, il ignore Paris surtout : que voulez-vous qu'il fasse ? s'enfermer dans la chambre d'un faubourg, rimer des vers plagiés de quelque maître, mâcher en vain le vide de ses rêves ? Il en sortira au bout de cinq ou six années aussi ignorant de la vie, ayant encore tout à apprendre, l'intelligence malade de son inaction. Combien je le préfère dans la lutte quotidienne, qui seule fait connaître les choses et les hommes ! A vingt-cinq ans, le besoin de se défendre

10. D. Ruellan, « Reporters, les disciples de Zola », *Médiaspouvoirs* n° 25, janvier 1992. Voir également *supra*, « Les héritiers de Théophraste ».

l'aura armé, il saura, il sera mûr pour la production. On dit que la presse en vide beaucoup de ces jeunes gens : sans doute, mais elle ne vide jamais que ceux qui n'ont rien dans le ventre. Les faibles ne sont pas en cause, le notariat ou l'épicerie les aurait mangés de même. Il ne peut s'agir ici que des forts, que des écrivains doués, ayant la vocation, comme on disait autrefois. Or je maintiens que pour ceux-là, le journalisme au début est un bain de force, un exercice de bataille excellent, dont ils sortent trempés, mûris, ayant Paris dans leur main.

« Je vais même jusqu'à affirmer que le style gagne à la besogne quotidienne, forcée et rapide, du journal. Je parle toujours de l'écrivain doué qui apporte son style, car le style ne s'acquiert pas : on naît avec, blond ou brun. Les articles au jour le jour, écrits sur un coin de table, gâtent la main, dit-on ; et je suis d'avis, au contraire, que rien ne saurait l'exercer davantage. Elle s'assouplit, n'a plus peur des mots, devient maîtresse de la langue. C'est le rêve, cela ; la langue doit obéir comme une esclave. Certes, je ne puis, moi, condamner le labeur des artistes qui pâlissent sur les mots : j'y ai usé ma vie. Mais j'estime que nos œuvres si travaillées suffisent, et que la génération qui nous suit gagnerait à se dégager de la phrase trop écrite. Un style simple, clair et fort, serait un bel outil pour la vérité de demain. Et c'est pourquoi il y a bénéfice à forger son style sur l'enclume toujours chaude, toujours retentissante, du journalisme. Il s'y débarrasse de l'épithète, il n'est plus que le verbe, il va au plus de sens avec le moins de mots possible. Voyez mon jeune homme de vingt ans tombant à Paris, tremblant devant la phrase, ne sachant par quel bout la prendre, se paralysant en demandant aux mots et aux virgules ce qu'ils ne peuvent donner ; et voyez-le, après quelques années de journal, sachant au moins dire ce qu'il a à dire. Encore un coup, les vrais écrivains seuls résistent à ce surmenage, s'y simplifient et s'y bronzent. Les autres y glissent au galimatias. La presse ne donne du style à personne, seulement elle est l'épreuve du feu pour ceux qui apportent un style. Nous y avons tous passé, et tous nous y avons gagné quelque chose[11]. »

11. E. Zola, *Les Annales politiques et littéraires*, 22 juillet 1894.

Faire court, faire simple, faire pur. Joli pied de nez aux vieilles croyances véhiculées par les journalistes et patrons de presse, anglo-saxons surtout, qui, au cours du XXe siècle, ont prétendu être à l'origine d'une option stylistique inédite et garante de qualité, allant jusqu'à affirmer que l'objectivité en dépendait : le style dépouillé et bref (adopté comme doctrine par les agences d'information), l'« écriture de presse » privée d'adjectifs et d'adverbes qui se répandit comme une traînée de poudre à travers les manuels de journalisme et les *style books* imposés par les journaux nord-américains à leurs rédacteurs. Ils ne connaissaient sans doute pas Zola...

Le second texte vient de duétistes – Billy et Piot – bien moins célèbres. Écrit trente ans plus tard, en 1924, il intervient dans un contexte très différent. La littérature, référent culturel majeur au XIXe siècle, a perdu du terrain, cédant le pas aux sciences, naturelles et sociales. Dans une bataille homérique qui dura près de cent ans, elle dut abandonner son privilège de révélateur des choses de la nature et de la société. Le journalisme aussi avait changé ; un genre nouveau et très prisé du public envahissait les colonnes : le grand reportage, récit coloré et pittoresque des voyages aventureux d'une poignée de « flâneurs salariés » ; le genre supplante même un classique de la presse, le feuilleton. Le vent a tourné, assez au moins pour que deux journalistes se permettent un audacieux parallèle entre littérature et journalisme, à l'occasion d'une discussion imaginaire.

« LE LITTÉRATEUR. – Vous autres, pauvres journalistes...

LE JOURNALISTE. – Pourquoi pauvres ? Le journalisme n'enrichit pas son homme, mais il me nourrit, vous savez. Je vous le demande, ai-je l'air d'un homme affamé ?

LE LITTÉRATEUR. – Vous avez bonne mine, au contraire, et je vous en fais mon compliment. Ce n'est point dans ce sens que j'entendais le mot "pauvres". Je voulais dire que vous faites un rude métier et que votre besogne est à recommencer tous les jours. Vous tracez sur le sable des signes que la marée du lendemain efface. Ce doit être décourageant.

LE JOURNALISTE. – (...) Croyez bien surtout que mon métier me donne les plus vives satisfactions.

LE LITTÉRATEUR. – Voilà justement ce que je lui reproche, ou plutôt ce que je vous reproche, à vous...

LE JOURNALISTE. – A moi ?

LE LITTÉRATEUR. – Oui, à vous qui étiez fait pour nous donner une œuvre sérieuse et durable, car je vous ai connu brillant philosophe et rêvant de vastes synthèses historiques et sociales. Je ne sais ce qu'il vous eût été donné d'en réaliser, mais l'effort qu'elles vous auraient demandé eût suffi à vous élever au-dessus de vous-même. Ce qu'il y a de beau dans l'art, c'est ce ferment qu'il met en nous et qui nous excite à nous dépasser sans cesse. La médiocrité du journalisme, c'est qu'on s'y contente à trop peu de frais.

LE JOURNALISTE. – (...) Vous vous offusquez des facilités et des négligences du journalisme, mais parlez-nous donc des romans sans style, sans vérité, sans esprit, qui paraissent chaque mois par douzaines et qu'un juste oubli engloutit plus vite que le moindre de nos faits divers ! Je cherche en vain dans l'art ainsi pratiqué ce ferment.

LE LITTÉRATEUR. – Il est dans la nature de l'art de durer. Il est dans celle du journalisme de passer.

LE JOURNALISTE. –– Toutes les œuvres de l'homme sont destinées à périr. Les vers de M. Valéry n'y échapperont pas.

LE LITTÉRATEUR. – Qui sait ?

LE JOURNALISTE. – Et qui sait quels témoignages définitifs sur notre époque les érudits des siècles à venir n'iront pas puiser dans les collections de nos journaux ?

LE LITTÉRATEUR. – Nous sommes là dans l'imprévisible.

LE JOURNALISTE. – Là comme partout.

LE LITTÉRATEUR. – Voyons, vous n'allez pas nier qu'il y ait une hiérarchie...

LE JOURNALISTE. – Des esprits ? Non, je ne le nierai pas.

LE LITTÉRATEUR. – Mais que les plus hauts esprits soient attirés par certains genres, cela ne confère-t-il pas à ces genres au moins une prééminence de fait ?

LE JOURNALISTE. – Le journalisme n'est pas un genre.

LE LITTÉRATEUR. – Je vous demande pardon, le journalisme est un genre au même titre que le roman dont les règles, à tout prendre, sont moins étroites et dont les possibilités sont plus vastes. Le journalisme est un genre puisque chaque numéro du journal est une œuvre d'art – collective, il est vrai –, où interviennent le goût, l'intelligence, l'imagination d'un chef et de ses collaborateurs. Le peintre utilise des matières grasses, des vernis ; le sculpteur, le plâtre et la pierre ; le journaliste met en forme les événements du monde.

LE JOURNALISTE. – Le journalisme est donc un art, quoique que vous ayez dit le contraire tout à l'heure.

LE LITTÉRATEUR. – Un art inférieur, un art de la déposition, de la présentation et de l'arrangement, un art d'étalagiste...

LE JOURNALISTE. – Savez-vous qu'il y a dans certains articles de certains de nos étalagistes autant de substance que dans une page de Montaigne, de Voltaire ou d'Anatole France !

LE LITTÉRATEUR. – Je vous l'accorde de confiance. Il sied donc de distinguer dans le journalisme ce qui est création de l'esprit et ce qui est simple transcription plus ou moins personnelle.

LE JOURNALISTE. – Enfin, nous allons nous entendre ! Je trouve d'ailleurs bien artificielle cette opposition du journalisme et de la littérature à laquelle on s'est complu de divers côtés ces derniers temps. Si l'art du conteur et du romancier consiste à donner l'illusion de la vie par le moyen de mots assemblés, tout bon reporter est un conteur. Tout bon reporter a en lui l'étoffe d'un bon conteur. Dois-je vous citer des noms ?

LE LITTÉRATEUR. – Inutile. Pourtant, il faut tenir compte de cette différence que le conteur travaille sur de la matière inventée, alors que le reporter se contente de mettre au net ce qu'il a vu ou ce que lui a dit le commissaire de police du coin.

LE JOURNALISTE. – Êtes-vous sûr que le conteur, le romancier travaillent toujours sur de la matière inventée ?

LE LITTÉRATEUR. – Il est vrai que le conteur, le romancier utilise souvent des matériaux, des faits, des traits de mœurs et de caractère pris dans la vie et que parfois il les transpose à peine. Il mérite alors le nom de chroniqueur, désignation essentiellement journalistique (...) [12]. »

Si le texte de Zola expliquait – avec quel détachement ! – le bénéfice que la littérature pouvait tirer d'une collaboration avec le journalisme, la tentative de Billy et Piot est plus hargneuse, car intéressée, quand elle prétend démontrer que littérature et journalisme ne sont qu'un seul tout... Sans doute est-ce le signe de l'avantage que la presse est alors en train de prendre sur la librairie dans l'échelle des valeurs culturelles.

Dans le troisième texte, paru en 1957, le renversement paraît consommé : l'auteur – un homme de presse et de lettres –- explique comment l'un de nos illustrissimes écrivains faisait du journalisme sans le savoir !

« Je mets, parfois, en doute l'existence du style journalistique proprement dit, en demandant si ce dernier ne s'approprie pas ce qu'il y a de plus vivant, de plus dense, de plus dramatique dans le style littéraire. En d'autres termes : je cherche à savoir si le style journalistique n'est pas le style littéraire libéré d'artifices, réduit en quelque sorte aux os et aux nerfs. (...)

« Quand il me fallut trouver un exemple de ce genre de style pour illustrer les leçons d'introduction à la technique du journal, je suis allé le chercher, non chez un journaliste de notre XXᵉ siècle, mais chez un écrivain, le plus universel peut-être que la France a produit au cours du siècle dernier.

« Ainsi, le premier reportage que je fis lire à mes élèves ne parut dans aucun journal. Je le trouvai dans les papiers intimes de Victor Hugo, sous le titre "Mort de Chateaubriand". N'importe quel grand reporter d'aujourd'hui signerait cette belle page de réalisme journalistique.

« Même le "lead", c'est-à-dire le premier paragraphe, est une brusque introduction au corps du sujet, où tout est résumé sans perte de

---

12. A. Billy et J. Piot, *Le Monde des journaux ; tableau de la presse contemporaine*, G. Crés et Cⁱᵉ, 1924.

mots : "M. de Chateaubriand est mort le 4 juillet 1848 à huit heures du matin. Il était depuis cinq ou six mois atteint d'une paralysie qui avait presque éteint le cerveau et, depuis cinq jours, d'une fluxion de poitrine qui éteignit brusquement la vie".

« Victor Hugo décrit ensuite l'écrivain défunt sur son lit de mort : "... La bouche et le menton étaient cachés par un mouchoir de baptiste... Il était coiffé d'un bonnet de coton qui laissait voir les cheveux gris sur les tempes..."

« Il reproduit graphiquement l'ambiance extérieure, sans en perdre un détail, mettant en relief des choses invisibles à un esprit sans curiosité et sans pouvoir d'observation : "Les volets des fenêtres donnant sur un jardin étaient fermés. Un peu de jour venait par la porte du salon entrouverte. La chambre et le visage du mort étaient éclairés par quatre cierges qui brûlaient aux coins d'une table placée près du lit. Sur cette table, un crucifix en argent et un vase plein d'eau bénite avec un goupillon. Un prêtre priait à côté. Derrière le prêtre, un haut paravent de couleur brune cachait la cheminée..."

« Le Victor Hugo journaliste n'apparaît guère dans ses textes littéraires écrits pour la presse ou dans ses articles politiques. Encore moins dans ses romans. Il est vrai qu'il y révèle, sous de lourdes parures, un pouvoir descriptif exceptionnel qui suffirait à faire la fortune d'un reporter.

« Dans *Choses vues*, le journaliste est entier, complet, armé des pieds à la tête. Dans la préface de ce livre, Paul Souchen dit : "Toute sa vie il aura fait, pour lui-même, ou en vue d'ouvrages futurs, ce que nous appelons aujourd'hui du *journalisme d'information*... On peut dire que Victor Hugo, grâce à *Choses vues*, a tenu toutes les rubriques du journalisme. Il a été, selon la terminologie actuelle de ce métier : reporter, interviewer, fait-diversier, séancier, chroniqueur judiciaire, échotier." (...)

« N'importe quelle interview d'artistes, d'orateurs, d'académiciens ou d'hommes d'État, révèle, dans ses notes, une technique propre au journaliste moderne. Mais ce qui nous impressionne le plus dans ces pages, destinées à constituer un journal à l'usage exclusif de Victor Hugo, c'est sa capacité de pouvoir s'absenter apparemment de la scène à laquelle il a participé, même intensément. C'est ainsi qu'il crée en nous cette sensation profonde d'objectivité propre au reportage, qui place les événements pratiquement à nu devant les yeux du lecteur. On supprime l'intermédiaire entre la scène et le spectateur ; quand ce dernier apparaît, c'est comme un personnage, traité objectivement, à la troisième personne.

« Le plus bel exemple de cette qualité maîtresse que le journalisme moderne accentue de plus en plus chez le reporter, c'est la narration apparemment froide de la mort de Mme Hugo et du départ de son corps.

« Ce sont là des notes impersonnelles, tout au moins superficiellement. La préoccupation de l'écrivain envers lui-même, envers son comportement en face du drame, est évidente, sinon ce ne serait pas Victor Hugo. Mais ce qui est extraordinaire, c'est qu'il parvient à se contenir dans les limites de l'impersonnalité la plus stricte, fixant impassiblement quelques détails, décrivant avec soin des circonstances secondaires, reproduisant consciemment le scénario de son propre drame. Il s'intéresse à l'événement, il le vit, il le respire, mais, en le racontant, il ne se laisse pas dominer par lui.

« Voilà la marque du bon reporter et du vrai reportage. Le roman, le conte, la poésie moderne elle-même en portent souvent la marque.

« Mais il est temps de se demander : "A quel point le style littéraire aura-t-il subi le choc du style journalistique ?"

« Il est difficile de répondre. Cependant je me permets d'affirmer que l'influence du journalisme sur la littérature doit être plus grande que l'influence de celle-ci sur celui-là, si tant est que se fasse toujours sentir l'interaction inévitable des deux styles. (...)

« Ne découvre-t-on pas, à première vue, chez des grands poètes comme García Lorca, par exemple, ou bien encore chez des Brésiliens comme Carlos Drumond de Andrade et Manuel Bandeira, la trace de l'influence journalistique ?

« Ils nous ont montré dans nombre de leurs œuvres comment on peut capter la poésie des faits divers sans s'écarter pour autant du style du reporter [13]. »

---

13. D. Jobim, *Introduction au journalisme contemporain*, Paris, Librairie Nizet, 1957.

Pour saisir la portée de cette proximité, il faut se défaire des représentations traditionnelles du journalisme et du professionnalisme. Depuis l'après-guerre en France, depuis plus d'un siècle aux États-Unis, les professionnels des médias ont imposé une vision très réductrice de leur rôle et de leur activité. En résumé, on dira qu'ils ont voulu paraître infaillibles, capables de dire la vérité sur la réalité achevée ou même en train de se faire, capables de s'extraire totalement du réel pour en donner le compte rendu objectif, dégagé de toute subjectivité.

La raison d'un tel discours est simple : il s'agissait pour les journalistes de s'affirmer en tant que groupe professionnel, de se délimiter une compétence propre, de se fabriquer une légitimité qui fût différente de celle des hommes de lettres.

Ce besoin d'une légitimité autonome a conduit les journalistes à se détacher des références littéraires (la subjectivité de l'auteur, l'esthétique des textes, le style…) et à se fabriquer, de manière croissante depuis les années 1950, une identité de technicien de l'information. On a vu alors fleurir des traités entiers de journalisme – et plus encore dans les pays anglo-saxons – qui tentaient de présenter les savoir-faire du journalisme comme d'authentiques techniques, autonomes des pratiques littéraires.

Dans les usages courants du langage, la polysémie du terme de « technique » le fait se rapprocher du domaine des technologies. Or celles-ci ont la force de l'évidence, elles s'imposent et excluent les alternatives. Dans ces conditions, le discours techniciste tend à légitimer une manière unique de faire ; il impose l'idée qu'il n'existe qu'une seule manière de faire de l'information et que, logiquement, les professionnels en sont les seuls dépositaires.

Cette logique s'inscrit essentiellement dans un rapport au public : c'est à lui qu'il faut rendre évidente l'action des journalistes, pour le maintenir dans un rapport unilatéral de production de l'information. Le médiateur dit, le public reçoit. Trop rarement la porte s'ouvre vers la « cuisine », l'atelier de production de l'information ; car on pourrait y voir ce que les médiateurs professionnels cachent à leur profit exclusif : que l'information qui va au public est d'abord partie de lui. L'accent mis sur la technique agit ainsi comme un moyen de spécifier, de légitimer et de protéger la fonction de médiation et le pouvoir qui lui est lié.

Le principal corollaire de cette conception de l'information à sens unique est le discours de l'objectivité, véhiculé en particulier depuis l'après-guerre : c'est parce qu'il est rationalisé au moyen de techniques rigoureuses que le réel parvient à être décrit de manière objective par les journalistes. L'outil légitime le travail du médiateur.

Paradoxalement, l'argument techniciste est fréquemment remis en cause par ceux-là même qui l'utilisent dans d'autres circonstances. Ainsi, les journalistes peuvent défendre un discours qui relativise cette « logique de l'outil » et qui insiste sur la variété des usages qui en sont faits. Mais dans ce cas, le savoir-faire concerné sera plutôt d'ordre intellectuel ou créatif. Par exemple, les « écritures » : audiovisuelles, photographiques, ou littéraires.

Dans les discours professionnalistes, y compris ceux qui datent déjà d'un siècle, apparaissent toujours deux niveaux d'exigence : être un journaliste compétent, c'est posséder un savoir-faire aux formes identifiables, rationnelles, c'est être en possession de techniques ; mais, pour être un bon journaliste, il faut aussi maîtriser un savoir-faire découlant de l'expérience (en ce cas, l'expérience est comprise dans un sens très large : c'est un enrichissement personnel qui passe par la rencontre de situations variées et capables de développer les compétences propres d'un individu). Le discours de la technicité du journalisme coexiste donc avec un autre niveau de légitimation, celui du « talent » (dont parlent fréquemment les manuels de journalisme depuis l'après-guerre).

Ce paradoxe s'explique de deux manières. D'une part la nécessité de cohérence entre le discours et les pratiques, les journalistes étant parfaitement conscients des limites opératoires de la technique et de l'importance des ressources personnelles (le « talent »). Contraints d'affronter la critique externe, les discours de légitimation doivent développer une gamme d'arguments en mesure de pallier les insuffisances de la technique, de répondre aux observations qui mettent en cause cette compétence technicienne : alors, le journaliste a les moyens de préciser que l'outil n'est rien sans l'homme, que la technique n'est pas sans le créateur.

Mais le dépassement de l'argument techniciste n'est pas seulement motivé par une stratégie de défense ; il répond aussi au désir de donner une image et une réalité au journalisme qui ne le ramène pas à la seule dimension d'un métier de techniciens. Une assimilation trop radicale à une représentation technicienne aurait un double effet négatif : d'abord de rapprochement – voire de confusion – avec les métiers techniques de la filière de production de l'information (les fonctions de l'atelier dans la presse écrite, celles de la régie et de la production dans l'audiovisuel) ; ensuite d'éloignement – voire de dissociation – du journalisme des cercles contigus de production créatrice, intellectuelle et artistique. Or il paraît évident que le groupe journalistique n'a rien à gagner d'une assimilation totale aux fonctions techniques et tout à perdre d'une sortie de la sphère intellectuelle, qu'il a eu une grande peine à conquérir[14].

Si la légitimité des journalistes s'est construite sur une idée fausse – l'objectivité –, elle est aussi le fruit d'une ambiguïté qui ressemble, au moins partiellement, à une usurpation – la technique journalistique. Il est incontestable que des savoir-faire ont été inventés par le journalisme. L'interview notamment, apparue aux États-Unis en 1836, et une signalétique bien particulière aux journaux, que l'on retrouve aussi dans l'audiovisuel : cet agencement de zones de textes – titres, sur-titres, « chapô », intertitres, légendes, extraits, hors-textes… – dont le rôle est de faciliter le choix du lecteur et sa compréhension. On retrouverait sans doute des similitudes importantes avec les savoir-faire des affichistes et des publicitaires, mais l'originalité de ces pratiques journalistiques ne devrait pas être remise en cause.

Il serait pourtant malhonnête de ne pas reconnaître un chaos d'influences diverses dans les autres savoir-faire. Le reportage procède évidemment des littératures réalistes et naturalistes du XIXᵉ siècle. L'information réduite à l'essentiel tient autant à la réthorique latine qu'aux

---

14. *Cf.* R. Rieffel, « Journalistes et intellectuels : une nouvelle configuration culturelle ? » *Réseaux*, n° 51, janvier-février 1992.

mœurs littéraires (Zola, Hugo, comme on vient de le voir). Les coutumes de dissociation des faits et de leur analyse, de présentation équilibrée des points de vue, de précision et d'organisation de l'argumentation sont aussi des héritages des rhéteurs latins et grecs. L'enquête est une pratique qui doit tout à la méthode en sciences sociales ; elle n'apparaît d'ailleurs que dans les dernières années du XIXᵉ siècle, en plein développement de la sociologie. La pratique angulaire elle-même (choisir un angle de vue, privilégier une manière de voir), qui peut paraître comme l'un des savoir-faire les plus originaux du journalisme, doit sans doute autant à la littérature qu'à la pratique scientifique. Nous en reparlerons plus loin.

3. Le journaliste est-il un créateur ?

La photographie est un des rares domaines (avec la littérature, comme nous venons de le voir) dont on reconnaît volontiers les accointances avec le journalisme. Cela tient sans doute – la remarque vaut aussi pour les lettres – à l'ancienneté des relations, à la communauté des outils et des supports, et à l'interpénétration des groupes professionnels. L'intérêt de ce cas paraît donc évident pour rechercher les convergences des journalistes et des créateurs artistiques.

En France, les photographes relèvent de plusieurs catégories juridiques : salariés, travailleurs artisans, artistes. Si l'exposition reste un mode apprécié, l'essentiel des revenus vient des publications : livres, brochures, journaux, affiches, produits audiovisuels. L'appartenance socioprofessionnelle tient à la nature des structures donneuses d'ordres. S'il s'agit d'entreprises de presse (médias ou agences), le statut de journaliste (salarié) est accordé, depuis la loi de 1935.

Cinq cent cinquante et un reporters-photographes titulaires de la carte professionnelle de journaliste en 1965, mille quatre cent quarante-sept en 1990, la progression du groupe suit les évolutions globales de la profession, à une notable exception : chez les journalistes dans leur ensemble, la part relative des pigistes (salariés à multiples employeurs, signe de précarisation) est passée, en vingt-cinq ans, de 7,1 % à 14,7 %, alors que celle des photographes pigistes s'accroissait de 16,5 % à 44,1 %.

Cette évolution vers la précarisation doit être liée à une réalité structurelle du métier de photographe. La plupart des professionnels, y compris ceux qui détiennent la carte de presse, ont des revenus procédant de commanditaires de nature hétérogène : entreprises de presse, bien sûr, mais aussi institutions, collectivités publiques, maisons d'éditions, sociétés diverses. Le statut de journaliste reporter-photographe « encarté » ne tient qu'à la part relative des revenus provenant des entreprises de presse proprement dites qui doit dépasser 50 %. D'apparence anodine, cette limite juridique a d'importantes conséquences sociales et symboliques ; elle trace une distinction entre les photographes qui peuvent légalement se dire journalistes professionnels et ceux qui ne le peuvent pas. Ces derniers doivent alors, indépendamment de la nature même de leur travail, se choisir une autre identité professionnelle : artiste ou artisan. Prenons un exemple : un photographe reporter travaillant pour le compte de journaux d'entreprise (il ne s'agit donc pas d'entreprises de presse au sens de la loi) se verra refuser le statut de journaliste. Au contraire, un photographe d'art publiant régulièrement ses travaux dans des journaux reconnus sera considéré comme journaliste.

Ainsi, bien que la loi ne dispose d'aucun critère objectif pour discriminer les photographes sur le fond (c'est-à-dire sur la nature même du travail), son application trace des frontières entre ceux qui relèvent du journalisme et ceux qui relèvent, peu ou prou, de l'art.

Séparés par les limites juridiques, les praticiens (journalistes et artistes) ont en commun un aspect fondamental du savoir-faire photographique : l'expérience du terrain. Comme tous ceux dont le rôle consiste, d'une manière ou d'une autre, quels que soient les outils, à exprimer la réalité (selon le mot de Balzac : « La mission de l'art n'est pas de copier la nature, mais de l'exprimer »), le photographe tire sa matière du terrain, c'est-à-dire des situations sociales. De l'intensité de la phase de collecte des éléments dépend la qualité de la restitution. Les photographes ont ceci de différent des gens de plume que leur travail de terrain est très visible. Il nécessite absolument la mise en place préalable et continue d'un accord profond avec les protagonistes des réalités observées. Ce, quels que soient le projet photographique, le support de diffusion et le statut social du praticien. Pour mettre en lumière cet aspect essentiel, nous citerons le témoignage de journalistes photographes mondialement respectés.

Jane Evelyn Atwood, photographe américaine de renommée mondiale, lauréate du prix Paris-Match, travaille principalement pour la presse [15] :« Les photos que je fais, c'est 85 % d'écoute et un peu de photographie. » Privilégiant les sujets sociaux peu étudiés, « à l'écart » (les prostituées, les malades du sida, les femmes en prison, les enfants aveugles), elle dit : « Il faut être honnête : la première raison pour laquelle je photographie ainsi, ce n'est pas pour montrer la vérité ; c'est parce que j'adore passer du temps avec ces gens, ils m'intéressent, ils me passionnent, je ne m'ennuie jamais quand je suis avec eux. Quand ils me laissent entrer dans leur vie, c'est un terrible privilège, que je peux trahir. Ma responsabilité ne s'arrête pas avec la prise de vue. Elle va jusqu'au moment de leur publication. Cela fait partie aussi de mon travail, et c'est pour cela que ce n'est pas du voyeurisme. »

Journaliste photographe brésilien de l'agence Magnum, lauréat du World Press Photo (le prix suprême en photographie), Sebastian Salgado a réalisé un immense reportage sur le travail dans le monde, achevé récemment par un livre [16] ; comme J. E. Atwood, il refuse le terme de

---

15. Roland Allard et Christian Caujolle, *Regards de femmes*, documentaire, Arte, avril 1993.
16. S. Salgado, *La Main de l'homme*, Éd. de la Martinière/Plon, 1993.

voyeurisme[17] : « Oh, les gens sont fiers de se faire photographier lorsqu'ils travaillent, et je pense que le travail est une des parties les plus nobles de l'activité humaine. J'ai mis plus de six ans à faire ce livre, et certains reportages m'ont demandé cinq à six mois. Pour la Réunion, où l'on produit des plantes à parfum, je suis resté plus de quarante jours. Comme la culture se passe loin des villes, sur les montagnes, j'ai loué une chambre chez l'habitant. J'ai passé des jours et des jours sur la récolte, je partais le matin aux champs, je revenais comme eux le soir, je parlais, j'expliquais ma démarche, je regardais la télévision avec la famille. Très vite, je ne perturbe plus. C'est une intégration étrange : il arrive un moment où ce n'est plus toi qui fais la photo, mais tu la reçois de façon très naturelle, très riche. J'ai énormément appris, en ces six ans, sur la nature humaine. »

Sebastian Salgado développait déjà cette conception de l'expérience comme un échange, à propos d'un reportage dans le Nordeste brésilien. Il parlait de « phénomène photographique[18] » : « C'est l'intégration avec les gens que l'on photographie, c'est l'acceptation de ces gens, c'est en fin de recevoir de ces gens que l'on photographie les images ; ce sont presque des cadeaux que l'on reçoit. Une chose importante : on sent une image avant de la faire, on sent qu'elle est là, que tous les éléments sont là pour qu'elle soit forte. Le problème, parfois, c'est de ne pas y parvenir tout de suite. On est dans le phénomène photographique, mais seulement dans ses lignes basses. On est là, on tourne autour, on cherche, il faut se faire une exigence suprême à soi-même, se dire : je sais que cette image est là, il faut la trouver car les éléments sont présents, les personnages sont très forts, et je ne dois pas les gâcher ; je leur dois une composition qui soit la plus complète, la plus honnête, la plus pure qui soit. »

Don McCullin, journaliste photographe salarié de grands journaux anglais, également primé par le World Press Photo, a couvert la plupart des grands conflits, depuis celui de Chypre en 1964. Photographe de

17. Interview dans *Télérama*, 5 mai 1993.
18. Sylvain Roumette, *Contact*, documentaire, La Sept, mars 1990.

guerre, il a imposé une conception très personnelle de l'image : « Tout au long de ma vie, les gens m'ont souvent lancé les premiers regards. Je ne sais pas pourquoi. J'essaie de les photographier aussi dignement que je peux et de pas les rendre plus misérables qu'ils ne sont. J'aime que l'on voie les gens comme s'ils se photographiaient eux-mêmes [19]. »

Un photographe français d'actualité, travaillant en agence, ayant lui aussi couvert de nombreux conflits meurtriers, a décidé de pousser plus loin encore cette logique relationnelle dont parlent McCullin, Atwood et Salgado. Il s'agit de Yan Morvan [20] ; il réalise des portraits d'individus ou de groupes dans leur univers quotidien ; l'engin dont il se sert est un peu désuet : une chambre photographique, choisie pour établir un rapport « égale distance » entre ses sujets et lui. Il utilise aussi les films Polaroïd ; ceux-ci lui permettent de construire les images en accord avec les sujets qui donnent leur avis, cherchent à orienter l'image. Il ne s'agit pas d'une photo sur commande ; Yan Morvan garde toute la maîtrise du résultat final : « Souvent, j'ai des conflits réels avec mes sujets, car ils souhaitent imposer leur propre image d'eux-mêmes. Moi, je souhaite dire quelque chose à travers eux, et ils n'ont pas envie de dire la même chose. Mais on finit toujours par faire la paix sur les Polaroïd ; quand on a terminé ils n'ont pas l'impression d'avoir été volés. » Quelques-uns de ses sujets (des jeunes étrangers des banlieues) disent de son travail : « Il compose, il calcule, ce n'est pas du genre vite fait. (...) C'est un peu une sorte de psychanalyste. Nous on est ses patients, il est là, on parle de nos envies et d'après cela il voit le problème à régler. (...) C'est une façon de nous reconnaître. Une image naturelle (...), on apprend à se connaître, ça raffermit les liens, entre nous et par rapport aux gens que l'on essaie d'atteindre. »

Lucide sur un métier pratiqué pendant plus de trente ans, Don McCullin souligne que l'expérience de terrain n'est pas vécue de la même façon par tous les photographes, notamment les plus jeunes : « Aujourd'hui, si j'avais à donner un conseil à un jeune photographe,

19. Interview dans *Télérama*, 31 mars 1993.
20. M. Pamart et X. Villetard, *Banlieue 93. Yan Morvan*, documentaire, Arte, avril 1993.

voici ce que je lui dirais : regarde ce qui se passe déjà dans ton propre pays. Il y a la souffrance et la misère, la pauvreté et le chômage, des gens qui souffrent, qui sont exploités. Voilà ce qu'il faut montrer. Tu n'as pas besoin d'aller en Bosnie. Mais les jeunes photographes veulent partir en Bosnie, parce que c'est plus excitant... Je le sais, j'étais comme ça... » Plus sévère encore : « Honnêtement, je crois que la plupart des reporters qui sont sur le terrain n'y sont pas pour essayer de comprendre et de faire comprendre la tragédie humaine. Ils y vont parce que c'est un genre de vie qui leur plaît. »

La réflexion de Don McCullin souligne qu'il ne suffit pas d'être sur le terrain pour développer un savoir-faire créatif, dont témoignent Atwood, Salgado, Morvan ou lui-même. Encore faut-il concevoir le projet de sa photographie. Don McCullin fait très souvent référence à Goya – dans son souci de montrer les « horreurs de la guerre », de témoigner des souffrances des siens –, il cite aussi un auteur dramatique contemporain du peintre espagnol, Rámon de la Cruz : « Il n'y a pas, il n'y a jamais eu de plus grande originalité (...) que de reproduire ce que l'on peut voir, c'est-à-dire faire le portrait des gens, rapporter leurs discours, leurs actions, leurs habitudes [21]. »

Le témoignage est évidemment le niveau le plus courant du projet, et il se rencontre chez tous les photographes, de presse et d'art. Parler du monde, l'exprimer, l'interpréter, voilà un projet universel dans lequel tous les praticiens de l'image argentique se reconnaissent.

Marianne Caron, épouse de Gilles Caron, journaliste photographe disparu au Cambodge en 1970, le raconte : « Avant toute chose, ce qu'il voulait, c'est témoigner. Il avait été très marqué par la guerre d'Algérie – vingt-huit mois comme parachutiste –, et il est sorti de là en se disant que ce qu'il avait vu ne pouvait continuer. C'est pour cela qu'il est devenu photographe, c'était sa manière de témoigner. (...) Il lisait les journaux tous les matins – ce n'était pas si courant à l'époque chez les

---

21. Cité par M. Haworth-Both, *Don McCullin, le photographe de la violence*, Unions des éditions modernes, 1983.

photographes. Quand il faisait des reportages, lors de la guerre des Six Jours, ou en Irlande, au Biafra, il connaissait le contexte politique. C'est pourquoi il réussissait des photos symboles ; ces images n'étaient pas faites en passant, elles correspondaient à quelque chose pour lui [22]. »

Pour Werner Bischof, photographe de presse suisse de l'agence Magnum, disparu accidentellement en 1954, l'expérience humaine donne un sens à la composition d'images, elle la justifie. Premier à photographier la famine en Inde, en 1951, il écrit à sa femme : « Je dois dire que ce travail a un sens pour moi car il est lié étroitement à la vie. Il apporte chaque jour de nouvelles réflexions, confronte à de nouveaux problèmes, ce qui me permet de garder ma souplesse d'esprit. La sensibilité ne doit pas forcément se perdre mais, pour sauver ce côté-là, il faut d'abord sauver l'homme. (...) J'ai vu ces femmes mourant de faim dans le miroir du Rolleiflex. C'était aussi la première fois que j'utilisais sans gêne l'appareil-photo. La situation était si dramatique. Dans un tel moment, ce n'est pas vraiment difficile de faire de bonnes photos, pour peu que l'on ait un peu le sens de la composition. Tout se jouait autour de moi. Je ne pouvais photographier cette misère que parce que je sais l'importance de révéler au monde de tels faits. » Envoyé, quelques mois après, en Corée, il s'insurge, trop conscient des limites de l'impact du témoignage : « (...) La tragédie des être humains est immense. Et si je le pouvais, je bazarderais ce travail avec la presse et j'accuserais. Mais, en tant que quoi peut-on aujourd'hui accuser ? » En Indochine (guerre coloniale française), peu de temps après : « Face à cette situation, la photographie devient de plus en plus superficielle, et le journalisme une maladie. » En octobre 1952, il écrit dans son journal personnel : « Je réfléchis beaucoup ces derniers temps. Je doute de mon travail. Je tiens beaucoup à la forme de l'essai comme le moyen le plus approprié pour exprimer ce qui se passe, et je ne cesserai jamais d'en faire [23]. »

Le projet journalistique est aussi très présent dans le travail – l'œuvre – de Sebastian Salgado. Il explique : « La photographie est une

22. M. Pamart et C. Caujolle, *Marianne Caron se souvient*, documentaire, Arte, avril 1993.
23. René Baumann et Marc Bischof, *En route*, documentaire, Arte, avril 1993.

chose curieuse. C'est une accumulation de toutes tes expériences personnelles et pas seulement l'acte d'appuyer sur un bouton. Mon militantisme vient de mon passé, de mon regard, de mon attention aux autres. J'ai mis dans ce livre (*La Main de l'homme*) quelque trois cent cinquante photos et, comme je le disais l'autre jour à Doisneau, cela représente quoi trois cent cinquante photos prises au 1/250e de seconde ? A peine un peu plus d'une seconde en tout. Pourtant, dans cette fracture du temps, il y a toute ma capacité de dialogue avec les autres, ma façon de dire : où va-t-on ? C'est peut-être ça, le style d'un photographe[24]. »

Dans le discours de Salgado, on perçoit à quel point le projet journalistique est intimement lié et régi par le projet esthétique. La coexistence de ces deux objectifs n'est pas une exclusivité du travail de l'image ; elle se trouve aussi dans le journalisme écrit. Mais la pratique photographique rend cette dualité plus évidente, plus explicite, plus concrète.

Jimmy Fox, rédacteur en chef de l'agence Magnum, dit : « Un bon document doit donner de l'information et de l'émotion. » Toute activité journalistique est en fait marquée par deux exigences majeures qui exercent sur elle une tension, comme entre deux pôles : le journalisme, c'est à la fois expliquer et exprimer ; c'est comprendre et faire comprendre ; c'est rationaliser et raconter. C'est avoir d'une part la volonté d'être précis, rigoureux, juste dans l'acte d'établir un segment de connaissance, et d'autre part, l'ambition de plaire, de séduire et de réussir une transmission par l'usage de procédés efficaces, ici de procédés esthétiques.

Dans le projet de tout photographe qui se respecte – laissons de côté les *paparazzi* et autres praticiens singuliers – il y a un double désir : celui de transmettre un message, de livrer une information, de révéler ce qui ne se donne pas de lui-même ; et celui de percevoir, d'exprimer et de faire comprendre la réalité à travers les ressorts de l'émotion, c'est-à-dire à travers des choix esthétiques. Y compris ceux des photographes qui conçoivent leur travail en interaction intime avec les sujets. Jane Evelyn

24. Interview dans *Télérama*, 5 mai 1993.

Atwood : « A partir du moment où ces gens [ses sujets] m'ont demandé ce que je fais, pourquoi je le fais, ce que je vais faire avec, c'est la confiance, la terrible confiance. Car je suis la photographe, eux n'en sont pas, ils ne sont pas là pour juger des images ; ils peuvent juger de ce qu'ils me permettent de voir et de photographier, mais pas de l'image en soi. »

Bischof souffrait de ne pas voir son talent vraiment reconnu par les médias qui recherchaient avant tout les documents à sensation et ne se préoccupaient guère de la finesse et de la sensibilité du journaliste photographe suisse ; celui-ci en concevait une amertume envers son métier : « J'ai compris que je ne suis pas un reporter de presse, je suis impuissant contre les grands journaux, je dois me prostituer et j'en ai assez. Au fond de mon cœur je suis artiste et je le resterai toujours. » A un autre moment : « J'essaie de plus en plus par la composition d'une photo de transmettre un message aussi marquant que possible. Le pire, c'est qu'avec aucun éditeur je n'arrive à un résultat satisfaisant, que c'est en premier lieu l'importance du fait qui décide et non pas comment je le vois. » Enfin, en Indochine, écœuré par les commandes que lui passent les grands magazines, il en vient à espérer de quitter le métier : « Je dois travailler de façon plus concentrée, trouver une forme qui me permette de montrer mes sentiments et mes expériences à ma manière. »

Don McCullin photographie presque exclusivement en noir et blanc ; il est un des rares photographes journalistes à effectuer lui-même ses tirages, toujours très denses, toujours très noirs : « Le meurtre, la mort, la violence, la famine, je ne peux pas les traiter avec une lumière douce. Je dois leur donner plus d'énergie et plus d'impact. (...) On peut dire que l'usage du noir et blanc est faux, artificiel, qu'il ne dit pas totalement la réalité. Mais c'est une réflexion, pas une vérité. » Et en écho, Jane Evelyn Atwood : « Pour moi, la photo la plus intéressante, c'est celle dont on ne comprend pas exactement le sens, on ne sait pas ce qui s'y passe vraiment. C'est une image qui t'accroche visuellement, parce qu'elle est intéressante, mais qui te fait te poser de plus en plus de questions. C'est ça une bonne photo. »

Pour conclure par une mise en perspective de ces conceptions photographiques de l'information, de l'esthétique, du journalisme, citons cette réflexion du philosophe Félix Guattari : « Une information résulte d'abord de la sélection et de la délimitation de l'événement. Un événement, par essence, est marqué par des dimensions affectives, traversé par des axes de valeur, toutes choses qui ne peuvent être appréciées que d'un point de vue particulier, singulier. (...) L'idée qu'il puisse y avoir un journaliste comme observateur universel – objectif – est une idée fausse par essence. (...) D'une façon assez malsaine, les journalistes masquent l'extraordinaire liberté qu'ils prennent avec l'information. Mais qu'ils l'assument, au contraire, cette liberté, en toute responsabilité ! Je ne leur reproche pas leur subjectivité, je leur reproche de ne pas la présenter comme telle. (...) L'information, ce n'est rien ! Ce qui compte, c'est justement le commentaire, la présentation, la dimension esthétique qui donne à l'information son existence et son rythme, (...) c'est-à-dire sa capacité de toucher, d'éveiller un intérêt, de déclencher un questionnement. C'est exactement le travail d'un artiste. Le journaliste devrait être davantage un artiste qu'un scientifique ! Les bons journalistes sont toujours, d'une certaine façon, des artistes [25]. »

4. Le journaliste est-il un chercheur ?

L'activité journalistique est donc marquée par deux exigences majeures qui exercent sur elle une tension : le comprendre et le faire-comprendre ; rationaliser et raconter.

Cette dualité génère des contradictions : il y a dans le journalisme autant de professionnels partisans de la préférence à l'exactitude que

---

25. Interview dans *Télérama*, 15 janvier 1992.

d'adeptes de la belle expression. Vieux débat du journalisme qui, depuis des siècles, compose son groupe social d'êtres hétérogènes, tantôt séduits par la connaissance, tantôt versés dans l'art. Mais vieille diatribe utile, car elle donne à penser que le journalisme se situerait dans un espace intellectuel en quelque sorte métis, entre recherche scientifique et démarche artistique, simultanément attiré par l'un et l'autre de ces deux pôles, au risque, souvent, de prétendre se confondre avec l'un ou l'autre.

Si les connivences entre journalisme et arts sont finalement reconnues, peu ou prou, il n'en va pas de même avec la recherche. Héritiers d'un long passé de rapports méfiants et conflictuels entre gens de presse et gens de savoir, les milieux scientifiques manifestent toujours quelques inquiétudes quand s'élaborent des problématiques visant à mieux comprendre l'état des « relations de voisinage » entre recherche et journalisme. Par corporatisme autant que par conservatisme intellectuel, ils s'opposent à ce qui leur apparaît comme des tentatives d'entretenir ou de créer de la confusion.

Or il n'existe aucune raison légitime de s'interdire une interrogation sur les relations entre recherche et journalisme. L'une et l'autre activité évoluent constamment dans leurs objets, leurs méthodes, leurs ambitions finales, et ces modifications se réalisent en fonction des évolutions de l'environnement intellectuel et social, laissant apparaître des points de convergence entre elles. En particulier, les parcours de la sociologie, de l'histoire, de la littérature et du journalisme se sont souvent croisés depuis un siècle et demi, créant des espaces de rencontre et d'échange. Nous en signalons quelques-uns, sans souci d'exhaustivité.

La première convergence se trouve dans les trajectoires. Elle se lit dans une forte concurrence entre des territoires trop voisins pour s'ignorer. Parmi les scientifiques, les spécialistes des sciences sociales ont toujours été les plus virulents à l'égard du journalisme, alors que les sciences de la terre et de la vie ne se préoccupent pas de porter un avis sur les gens de presse. Quant aux disciplines dites « exactes »...

C'est parce qu'ils sont en quelque sorte leurs frères de lait que les sociologues ne se sont jamais privés de marquer leurs différences avec les journalistes, de même qu'avec les écrivains. En effet, la sociologie a émergé à la fin du XIXe siècle dans un contexte de mutations multiples et convergentes. L'historien allemand Wolf Lepenies résume bien ce qui se passa à cette époque : « Le goût profondément enraciné des Français pour les idées générales et le brillant de la rhétorique devait faire place à un amour sans préjugés des faits et une conscience stricte de la méthode suivie. » En quelques décennies, tout bascula et fut refondu dans un même creuset. Le journalisme abandonna sa rhétorique mondaine et versa joyeusement dans le reportérisme de faits divers. La littérature, sous l'influence des écrivains réalistes (Balzac, Flaubert, les Goncourt...) et des naturalistes (Zola, Alexis, Daudet, Maupassant...) se consacra presque exclusivement au récit des faits sociaux. L'histoire inventa son « méthodisme », corps de principes qui prétendaient parvenir à une sorte d'épure de la relation des faits passés. Quant à la sociologie, elle imposa lentement l'idée (qui triompha avec Durkheim, au début XXe siècle) que la société peut être observée et analysée selon des procédures scientifiques privilégiant le recueil empirique des faits.

Chacune de ces nouvelles activités ou tendances dut se bâtir une légitimité en tentant d'écarter les pratiques les plus directement concurrentes. Les reporters s'opposèrent aux chroniqueurs, les partisans du méthodisme historique renièrent une tradition plus littéraire de l'histoire qu'incarnait Jules Michelet, et les sociologues firent tout pour se défaire des hommes de lettres. Car, pour eux, la principale concurrence venait de là. Elle devait aboutir à un divorce, dont le retentissement se prolongea jusque dans la presse.

Pour s'imposer, la sociologie dut batailler sur deux fronts au moins. Supporter les sarcasmes et les coups bas des sciences naturelles qui se moquaient de sa prétention à la scientificité. Et imposer sa légitimité contre une autre, celle des écrivains qui, à l'instar de Balzac et de Flaubert, se considéraient comme les seuls sociologues. Un double front, que W. Lepenies décrit ainsi : « Le problème de la sociologie réside dans la contradiction qui consiste à imiter les sciences de la nature sans pouvoir devenir vraiment une science naturelle du monde social. Mais si elle renonce à son orientation scientifique, elle se rapproche dangereusement de la littérature [26]. »

Pour se défaire de l'influence des écrivains, les sociologues imposèrent une ligne de partage théorique et artificielle : d'un côté, la sociologie comme discipline froidement rationnelle, cherchant à saisir, par la mesure et les lois, les mouvements de société ; de l'autre côté, la littérature, à l'intuition clairvoyante parfois, mais non fondée à décrire rationnellement le social.

Les ponts ne furent jamais coupés, malgré les diatribes. Les sociologues reconnurent que la littérature détenait une capacité de description fine des sociétés, que les outils sociologiques à leur tour pouvaient analyser. Durkheim se servit ainsi d'exemples littéraires pour opérer une classification des types de suicides, pour son œuvre la plus connue. Mais ce qui se dessinait à l'époque, c'était bien une répartition entre deux légitimités : celle de dire le social en privilégiant la rationalité, et celle qui accordait une place majeure à l'expression des émotions.

Le journalisme, acteur indirect de cet affrontement, en tira leçon pour l'adaptation de sa trajectoire. Au cours du XXᵉ siècle, alors que la littérature perdait sa place de référent intellectuel majeur au profit des sciences, les journalistes français s'éloignèrent à leur tour de leurs filiations littéraires et recherchèrent leur légitimité professionnelle dans les conceptions les plus positivistes, héritées de la sociologie d'Auguste Comte et d'Émile Durkheim. Conceptions parfaitement lisibles dans les prétentions au professionnalisme méthodique, technique et objectif, que le journalisme s'attacha à revendiquer dès l'entre-deux-guerres, et plus encore à partir de 1945.

Une deuxième convergence se rapporte à la méthode et aux objets, mettant en présence histoire et journalisme. En 1631, lançant sa *Gazette*,

---

26. W. Lepenies, *Les Trois Cultures. Entre science et littérature, l'avènement de la sociologie*, Paris, Maison des sciences de l'homme, 1990.

Théophraste Renaudot avait eu cette phrase qui résumait déjà l'ambition et les limites que se donnait le journalisme : « L'histoire est le récit des choses advenues, la *Gazette* seulement le bruit qui en court. »

Dès les origines des journaux, un partage des compétences s'est ainsi établi, que les gens de presse ont eu souci de maintenir longtemps, peut-être autant que les cercles savants. Cette répartition s'est maintenue jusqu'au XIXᵉ siècle : par précaution car, jusqu'à la loi de 1881 sur la liberté de la presse, il ne fut jamais absolument sans risque de publier certains écrits savants ou scientifiques ; par incompétence et absence de moyens matériels et intellectuels aussi, car la presse fut longtemps rétive à l'esprit de rigueur, tout simplement.

La convergence des pratiques historiennes et journalistiques ne s'est accomplie que récemment, à la faveur d'évolutions notables des valeurs et des modes de fonctionnement de chacune des deux activités, selon un mouvement simultané.

De son côté, le journalisme a considérablement élargi le spectre de ses compétences. Il ne se contente plus de livrer l'information « brute », il ne se satisfait plus d'être enfermé dans un rôle de transmetteur ; il prétend désormais ordonner les discours sur le réel, il ajoute à sa panoplie d'observateur les rôles d'auteur et d'analyste. Les raisons de cette évolution sont multiples : poids grandissant des médias dans la vie sociale et politique, meilleure formation des journalistes, demande croissante d'information à la fois précise et accessible de la part du public. Depuis 1945, les journalistes ont étendu leur champ d'activité à l'édition de livres-documents : enquêtes, reportages au long cours, récits contemporains et historiques, biographies. Le prototype de cette mutation est évidemment Jean Lacouture, créateur de la collection « L'histoire immédiate » aux Éditions du Seuil et biographe patenté. A la télévision aussi, le récit historique s'est imposé dans les productions journalistiques : pensons à l'émission conçue par Philippe Alfonsi, *Histoire d'un jour*.

Le résultat de cette mutation fut une première dépossession de l'historien, qui se voyait concurrencé – et non contesté – dans « son rôle traditionnel de grand préposé à l'ordonnancement des faits dans un récit construit, lisible et significatif[27] ». De plus, grâce aux moyens de télécommunication et de gestion informatisée des données, l'organisation du travail journalistique s'est modifiée, faisant une place croissante à la documentation et à l'exploitation des « sources », qui étaient jusqu'alors l'apanage de l'historien. Pendant longtemps, le journalisme fut privé d'un travail de rassemblement et d'analyse des sources utiles faute de pouvoir y accéder dans un laps de temps court ; les technologies ont considérablement modifié cette répartition des compétences qui se faisait hier au seul profit de l'historien.

La recherche historique a aussi profondément évolué, remettant chaque jour un peu plus en cause les principes méthodiques hérités du XIXe siècle, réhabilitant la richesse du témoignage contre la froide certitude des faits. S'inspirant du relativisme de Friedrich Hegel et de Raymond Aron, philosophes critiques de l'objectivisme en histoire, un courant a pris racine, depuis les années 1950. En substance, il estime qu'il ne peut exister d'histoire sans prise en compte de l'historien. Précurseur, Henri Marrou professait un engagement actif du sujet qui tentait d'établir une relation entre deux plans d'humanité, le passé et le présent de l'historien. Il préconisait une « communion fraternelle » du chercheur et de son objet et affirmait que la valeur de la connaissance historique est directement fonction de la richesse intérieure et de la qualité d'âme du savant[28]. Henri Marrou, qui croyait néanmoins en une capacité relative de l'histoire d'élaborer une connaissance sûre, fut suivi par Paul Veyne et par Michel de Certeau. Le premier s'insurgea contre les prétentions de scientificité de la recherche en histoire et préconisa une attitude qui visait d'abord à comprendre et à narrer, plutôt qu'à conceptualiser. La narration, centrée sur un niveau individuel (un temps, un lieu, des personnages), se concevait comme une activité créatrice nécessairement réductionniste : « Comme le roman, l'histoire trie, simplifie, organise,

---

27. J.-P. Rioux, « Histoire et journalisme. Remarques sur une rencontre », *Histoire et médias. Journalisme et journalistes français. 1950-1990*, Paris, Albin Michel, 1991.

28. Bourdé et Martin, *Les Écoles historiques*, Paris, Le Seuil, coll. « Points », 1990.

fait tenir un siècle en une page[29]. » Michel de Certeau ira plus loin encore quand il refusera aux historiens la prétention d'énoncer le réel, celui-ci restant toujours partiellement masqué et indistinct de l'illusion. Poursuivant les réflexions de Roland Barthes sur le vide que le discours historique prétend combler, Michel de Certeau mettra en évidence que le propos de l'histoire fonctionne largement à l'évidence mais ne prouve rien, bien qu'il se pare de références, notes et bibliographies[30]. Aujourd'hui, le très académique et institutionnel Georges Duby ne craint pas de se prononcer en faveur d'une histoire qui relativise « non seulement les faits, mais la sacro-sainte objectivité du positivisme[31] ». Évidemment, ces évolutions – vers plus d'humilité intellectuelle – ne font que rapprocher un peu plus le journalisme de la recherche historique.

Revenons un instant à Renaudot et à sa distinction entre les rôles de l'histoire « récit des choses advenues », et de l'information diffusée par sa *Gazette*, « seulement le bruit qui en court ». Belle leçon de modestie, et belle anticipation aussi. En effet, que nous dit aujourd'hui l'historien revenu des prétentions positivistes et des certitudes méthodiques qui devaient restituer le réel comme s'il n'avait jamais cessé d'exister ? Que l'enjeu de l'histoire de demain réside dans l'interprétation des discours sur le réel, sur le bruit qui court ; que ce bruit si longtemps tenu en suspicion par les historiens d'hier (qui se refusaient à travailler à partir des témoignages et des récits des acteurs, sous prétexte qu'ils étaient empreints de partialité et de subjectivité) est aujourd'hui considéré comme essentiel car il apprend plus, non seulement sur des événements du passé, mais aussi sur ceux qui le faisaient courir, leur culture, leur manière de penser le monde, de le concevoir, de classer les rapports sociaux, leurs espérances et craintes aussi ; que ce bruit ne dit pas moins la « vérité » d'un « fait » pensé aujourd'hui, mais en dit infiniment plus sur la manière de le penser au moment où il s'est produit. Citons encore

---

29. P. Veyne, *Comment on écrit l'histoire*, Paris, Le Seuil, 1971.
30. M. de Certeau, *L'Écriture de l'histoire*, Paris, Gallimard, 1975.
31. G. Duby, *L'Histoire continue*, Paris, Éd. Odile Jacob, 1991.

Georges Duby : « Il y a quelque vingt-cinq ans, nous avons commencé d'être gagnés par le scepticisme, ou plutôt la prudence, nous rendant compte que nos prédécesseurs avaient montré trop d'assurance dans les progrès de la science et cessant nous-mêmes d'espérer atteindre jamais la vérité. Alors, renonçant à débusquer le "fait vrai", nous contentant (...) de saisir son reflet dans l'esprit de ceux qui en ont autrefois écrit, nous avons fait du témoignage l'objet principal de notre recherche, et ceci détermine à la fois le fructueux déplacement des angles d'approche et la nécessité d'ajuster nos procédés d'analyse et de critique. »

En réhabilitant le témoignage, l'histoire a comblé une partie du fossé qui la séparait du journalisme. En évoluant à l'opposé des voies positivistes, elle a permis que sa filiation intellectuelle soit assumée par l'une et l'autre des parties. Loin de nous l'idée que les pratiques de la recherche historique et du journalisme soient équivalentes : ce dernier gardera toujours cette contrainte de rapidité, d'approximation, d'imperfection constitutive qui fait sa différence. En l'occurrence, ce qui sépare les deux genres n'est pas une question de statut, mais d'objet : le journaliste travaille sur un passé si récent et dans un laps de temps si court que la fragilité de sa production est inévitable ; l'historien qui se frotte à ces contraintes – et il sont nombreux à le faire – doit admettre cette précarité. L'affirmation d'une histoire du « temps présent », qui conduit les chercheurs à travailler sur des foyers d'événements non encore éteints ou en plein développement donne d'ailleurs aux historiens l'occasion de mesurer les contraintes du travail de presse, et de l'évaluer à une plus juste mesure.

Une dernière convergence est plus délicate à mentionner, car elle se rapporte aux conceptions de la recherche et de la science, et elle s'inscrit dans la droite ligne des réflexions actuelles sur la méthode et l'objet historique. Le problème de la plupart des disciplines scientifiques a toujours été de se fonder une légitimité par rapport au modèle de référence que constituent les sciences expérimentales, en particulier la physique. Le débat de savoir ce qu'est une science n'est pas neutre ; il est même très polémique. Récemment, la philosophe Isabelle Stengers[32] proposait : « Il est essentiel de bien repérer le domaine des sciences expérimentales (physique, chimie, biologie moléculaire) et leurs limites. En effet, c'est justement le fait de ne pas comprendre leur singularité qui encourage les autres savoirs à les mimer au lieu d'inventer d'autres types de pratiques scientifiques. Cette invention n'est pas utopique. Elle a été réussie par ce que j'appellerai les sciences d'*ascendance darwinienne.* Ces sciences ont pour problème et pour défi la *mise en récit.* Elles tentent de reconstituer, à partir du terrain, une histoire qui s'est produite une seule fois. Comme un roman policier dont on connaîtrait la fin[33]. »

Le récit est une forme de rationalisation du réel partagée par les sciences, l'art et le journalisme. Parce qu'il compose sa propre cohérence (il a un début et une fin, il se conçoit comme un isolat de sens), parce qu'il contient des capacités de simplification du complexe, parce qu'il possède des qualités de persuasion indéniables (il facilite l'identification), le récit s'est toujours imposé dans les sciences (des sciences naturelles du XVIIIᵉ siècle aux premières géographies humaines du début XXᵉ, à l'histoire événementielle ou socio-économique, à la sociologie) comme dans la littérature et le journalisme.

Le récit a des qualités de restitution. Il a aussi des capacités productives que les journalistes connaissent bien : c'est autour d'un récit, ou plutôt dans son corps, que la complexité d'une pensée s'élabore. Par le récit qu'il compose, le journaliste construit la cohérence de son propos.

La reconnaissance des vertus du récit permet de déplacer certaines conceptions sur les places séparées du travail de la réflexion et celui de la restitution. Le récit fait intervenir la restitution beaucoup plus tôt dans un processus de production qui irait de l'étape problématique à l'étape de réception. Il introduit la question de la restitution au cœur même du travail d'enquête et de réflexion, comme un élément constituant de l'acte de connaissance. En travaillant par le récit, le journaliste travaille la

32. I. Stengers et J. Schlanger, *Les Concepts scientifiques : invention et pouvoir*, Paris, La Découverte, 1989.

33. *Libération*, 4 mars 1992.

cohérence de son propos. Il n'y a pas de dichotomie entre pensée et expression. Ce que l'on appelle le travail angulaire (choisir un angle de vue pertinent en terme d'efficacité, de compréhension, de disponibilité) est très significatif de cela. En le pratiquant, le journaliste cherche à composer avec ces deux exigences simultanées que sont le comprendre et le faire-comprendre : d'une part, il ordonne la connaissance, il choisit, il hiérarchise, il ramène le particulier au général ; d'autre part, il explore les formes les plus efficaces pour rendre compte de la connaissance[34]. On trouvera souvent dans les démarches de recherche en sciences humaines une telle dualité. Plus que dans la formalisation de la présentation, elle s'exprime au niveau de la problématisation et du choix d'un objet.

Ces conceptions de la connaissance comme une mise en récit étaient très partagées au XIXe siècle, plus qu'aujourd'hui, par les premiers sociologues, les historiens et les écrivains, avant d'être appropriées par les journalistes. Il semble qu'actuellement, certaines disciplines (l'histoire en particulier) amorcent un retour à ce système de pensée comme expression du récit.

Ce qui rend difficile la mise en perspective des activités scientifiques et journalistiques tient beaucoup à l'attitude traditionnelle des milieux de la recherche qui s'acharnent à présenter la science comme une réalité stable, sûre de ses méthodes et de ses résultats, éloignée du contexte sociopolitique, presque immuable. Le journalisme, par essence imparfait, imprécis, indéfini, incontrôlé même, apparaît fragile devant ces forteresses de certitudes. Or de nouvelles perspectives s'ouvrent : le sociologue-philosophe Bruno Latour, à qui l'on doit les plus intéressants travaux sur l'activité scientifique, s'attache à montrer que si la science se prétend stable, la recherche vit et progresse dans l'instabilité permanente, dans la remise en cause perpétuelle de ses acquis, dans la confrontation avec des contraintes hétérogènes extérieures, envahie et nourrie de préoccupations matérielles, politiques et culturelles. « Si les sciences

---

34. G. Cornu et D. Ruellan, « Technicité intellectuelle et professionnalisme des journalistes », *Réseaux*, n° 62, novembre-décembre 1993.

devenaient vraiment autonomes, écrit-il, alors elles ne rassembleraient plus rien, elles seraient idéales, inexistantes, fausses ; au contraire, si elles s'accrochent à un nombre toujours plus grand d'éléments hétérogènes, alors elles deviennent réelles, robustes, exactes. Leur degré de vérité est donc lié directement à leur manque d'autonomie [35] ! »

5. Le journaliste est-il un publicitaire ?

L'argent fait partie du quotidien des médias. Dans les pays démocratiques et dans tous ceux où ils jouissent d'une relative autonomie vis-à-vis des puissances politiques, c'est une double exigence qui mène leur destin : proposer un service au public et faire du profit. Contradiction, affirment certains qui rappellent que les médias « ne sont pas des entreprises comme les autres » et ne doivent concevoir le profit que dans la perspective de la pérennité et du développement. Nécessité pour l'indépendance, répondent les autres qui pensent que la presse n'est libre que si elle a les moyens financiers de l'être. Les médias vendent un service, concluent les derniers qui soulignent que ce service est modelé par la demande de ceux qui l'achètent.

En fait, deux aspects distincts entrent en ligne de compte dans l'étude des rapports que les médias – et leurs acteurs – entretiennent avec l'argent.

Le premier est structurel. On connut avant la Première Guerre mondiale – et dans une moindre mesure dans l'entre-deux-guerres – une presse vénale, aux journalistes corrompus – parfois par nécessité – par l'argent des intérêts privés et des puissances politiques. Aussi, en 1918, le Syndicat de journalistes naissant fonda la légitimité de son action dans la défense d'une morale professionnelle : « Nous avons le dessein d'assurer

---

35. B. Latour : « La recherche ? Elle adore l'argent, la polémique et la politique », *Le Temps stratégique*, Genève, février 1992.

le respect dû à la profession de journaliste, d'augmenter, si cela n'est pas superflu, devant l'opinion publique le prestige même de la profession, en établissant parmi nous les règles de l'honneur corporatif et en garantissant que ces règles seront obéies des syndiqués[36]. » L'organisation jetait les bases d'un code de déontologie, encore en vigueur aujourd'hui et qui précise qu'un journaliste « ne touche pas d'argent dans un service public ou une entreprise privée où sa qualité de journaliste, ses influences, ses relations seraient susceptibles d'être exploitées ». On prit soin de dissocier l'information et la publicité, sans interdire formellement aux journalistes de travailler pour les deux à condition de ne pas abuser le public en utilisant leur renommée : il « ne signe pas de son nom des articles de réclame, commerciale ou financière ». Ce code ne fut pas pris en compte par la loi de 1935 qui fixa le statut particulier des journalistes, ni plus tard par la convention collective. Il n'eut donc qu'une valeur symbolique, sans grande efficacité si ce n'est celle de servir d'alibi. Nous y reviendrons.

Les journalistes espéraient, avec cette intention de moralité, limiter ou même supprimer les effets néfastes de l'intrusion de l'argent dans l'activité médiatique. Mais, rapidement, ils estimèrent que le problème était ailleurs : si vénalité il y avait, elle devait provenir de la structure même des entreprises de presse. La transparence des capitaux de presse fut une des principales préoccupations des organisations de journalistes après le second conflit mondial. Les ordonnances de 1944, qui venaient compléter la loi de 1881, répondaient à ce souci. L'argent « sale » fut traqué, mais ce ne fut pas suffisant ; les journalistes réclamaient un contrôle par le public, par l'État ou par eux-mêmes. En 1964, Jean Sénart, du *Figaro littéraire*, rapporteur au congrès du Syndicat national des journalistes, préconisait de « placer des organes d'information sous la responsabilité directe des équipes de rédaction, des travailleurs de la presse et des lecteurs ou auditeurs[37] ». Cette opinion s'inscrivait dans le courant des multiples constitutions de sociétés de rédacteurs, voulues par les

---

36. *Le Syndicat des journalistes*, n° 1, décembre 1918.
37. Cité par *Histoire générale de la presse française*, t. 5, Paris, PUF, 1976, p. 292.

journalistes comme des contre-pouvoirs au sein des journaux, de 1945 à 1975. En effet, les journalistes, percevant comme néfaste pour la liberté de l'information la double tutelle des actionnaires de la presse et de l'État qui subventionnait les journaux, sentaient s'alourdir le poids des contraintes de gestion sur les entreprises : « Il y a quelques années, l'homme clé d'un journal était le rédacteur en chef ; l'homme clé aujourd'hui est celui qui s'occupe principalement de l'aspect commercial de son fonctionnement[38] », disait Hubert Beuve-Méry, le directeur du *Monde*, en 1969.

Assez peu concentrée par le passé, la presse française a connu ces vingt dernières années une évolution considérable avec l'intégration croissante et rapide des entreprises dans le système industriel et financier. Vieillissantes, peu modernes sur les plans technique et financier, tenues à bout de bras par une génération d'hommes de presse issus de la Libération et plus préoccupés par les dimensions politiques et sociales que financières, les structures héritées de l'après-guerre ont connu une concentration rapide, dans des groupes de presse écrite intégrant des activités d'imprimerie et de publicité (comme celui de Robert Hersant avant 1984) dans un premier temps, puis dans des groupes multimédias (Hersant depuis 1985 avec ses activités radiophoniques et télévisuelles, Hachette diversifié dans le livre et la télévision), dans des groupes totalement étrangers à la presse (Bouygues, Matra), et désormais dans des empires à dimension internationale (Robert Maxwell, Rupert Murdoch, Silvio Berlusconi, Bertelsmann...). Devenus un secteur d'activité économique où les logiques de profit peuvent pleinement s'exprimer, les médias sont désormais inaccessibles aux petits entrepreneurs tellement les seuils d'investissement sont hauts.

Les journalistes assistent, comme impuissants, à ce mouvement de concentration multiforme qui n'est pas sans conséquence sur le pluralisme[39] et qui modifie leur activité. Leurs outils de travail se trouvent

---

38. *L'Écho de la presse*, 22 et 29 décembre 1969.

39. M. Palmer, « L'offensive des grands groupes », *Le Monde diplomatique*, coll. « Manières de voir », novembre 1988.

incorporés dans des stratégies qui dépassent de loin les seuls intérêts de l'information. Certes, celle-ci n'a jamais été indépendante de son marché, elle a toujours dû composer avec les exigences de ses lecteurs. Certains médias se sont ainsi fait une religion de ne jamais chercher à déranger les opinions de leurs clients. Mais désormais les actionnaires des médias, surtout quand ils sont extérieurs au monde de la communication, ont des exigences nouvelles. La rationalité économique et le profit pur deviennent des critères prépondérants, alors qu'ils étaient il y a vingt ans encore des éléments considérés comme seulement nécessaires à l'indépendance des médias. En ce sens, la presse qui longtemps tira sa légitimité de sa contribution à l'espace public, prétendant répondre à l'intérêt collectif d'information et de circulation des idées, qui avait su cohabiter avec les exigences de l'économie moderne tout en gardant son esprit spécifique, a aujourd'hui profondément basculé dans l'espace des intérêts économiques, à quelques rares exceptions près. On est loin des années 1960, quand les journalistes cherchaient à imposer dans les rédactions un pouvoir des reporters par le biais des sociétés de rédacteurs.

Le second aspect des rapports argent/journalisme concerne le financement publicitaire. Depuis que le principe fut établi au siècle dernier par son concepteur patenté, Émile de Girardin, la presse vit sur cette équation simple : plus de tirage attire plus de revenus publicitaires qui permettent un prix de vente plus bas, donc plus de lecteurs qui justifient un tirage plus important qui attire plus d'annonceurs, etc. Les médias commerciaux sont ainsi alimentés par deux sources de revenus : la vente et les recettes publicitaires. Très rares sont les médias qui subsistent sans faire appel à la publicité ; certains en ont fait un mode prépondérant de financement. 80 % des recettes du *Figaro*, 55 % de celles des *Dernières Nouvelles d'Alsace*, 46 % de celles du *Monde*, 12 % de celles de *L'Humanité*[40] proviennent de la manne publicitaire.

Outre sa profonde inégalité et ses inévitables conséquences sur le pluralisme, ce mode de financement n'a pas manqué, par le passé

---

40. En 1991. Chiffres cités par *La Presse écrite*, Paris, Éd. du CFPJ, 1993.

comme aujourd'hui, de fournir aux annonceurs un moyen de pression sur les médias pour obtenir une présentation de l'information favorable à leurs intérêts. Nombreux sont les exemples de médias qui se sont vu retirer des contrats publicitaires à la suite d'articles mettant en cause une entreprise ou un secteur d'activité. La crise qui frappe la presse écrite depuis 1991 n'a fait qu'accroître les risques.

En outre, les annonceurs ne se contentent pas des espaces réservés habituellement. Il leur faut faire paraître « leur » information dans le corps des pages rédactionnelles, sous des formes très diverses. Ce sont en premier lieu les « renvois d'ascenseur » ; sans même avoir à engager de dépense directe, l'annonceur se contente de constater que les journaux auxquels il a l'habitude d'acheter des espaces savent rendre le service en publiant, dans des pages généralement composées par une mosaïque d'articles courts, des informations sur leurs produits, sans que le label « publicité » apparaisse. Cela a l'intention de la publicité, mais ni le goût ni la couleur, et c'est gratuit[41].

Autre forme très courante, les publireportages. Il s'agit tout simplement d'articles commandés par les annonceurs qui, généralement, paient l'espace (pages) et un supplément pour la fabrication particulière de ce type de publicité. La majoration des tarifs est variable, de 20 000 à 50 000 francs par page ; ces chiffres comprennent surtout les salaires de journalistes (en fonction de la notoriété de la « signature », de 1 000 à 10 000 francs la page d'un magazine...), des photographes, des maquettistes, la marge du journal[42].

La pratique n'est certes pas nouvelle. Adolphe Brisson expliquait déjà, en 1895, le fonctionnement d'une rédaction : « Elle se sectionne en deux parts. Il y a la rédaction qui coûte, et celle qui rapporte. La première constitue la « façade » du journal et assure son succès auprès du public. Chroniqueurs, romanciers, poètes, humoristes, reporters livrent

---

41. J. Savary, « Le publirédactionnel : se cacher pour mieux se montrer est un art », *Presse-Actualité,* n° 192, avril 1985.

42. Données citées par E. Leroy et A. de Chambord, « Publireportages : le journalisme en trompe-l'œil », *Médiaspouvoirs,* n° 13, janvier 1989.

leur copie, reçoivent leurs émoluments. Donnant, donnant. Rien n'est plus correct. Il ne trempent (du moins pour la plupart) dans aucune combinaison malhonnête. Ce sont des artistes qui écoulent leur œuvres : tel un peintre vend ses tableaux, un dramaturge fait jouer ses pièces sans se mêler aux tripotages des directeurs de théâtre et des brocanteurs... La rédaction qui rapporte est d'un autre acabit. D'abord, elle est presque toujours anonyme ou déguisée, et grouille dans la coulisse. Elle se compose de rabatteurs, de courtiers, qui cherchent des coups à faire et qui viennent les proposer à M. le Directeur. M. Le Directeur se laisse souvent tenter. Quand son journal est prospère et se suffit à soi-même, il se montre prudent et n'accepte que les transactions à peu près honnêtes et qui ne l'exposent à aucun désagrément. Il vend sa publicité sans avoir l'air de la vendre, je veux dire qu'il glisse, parmi les articles de littérature, des articles payés où la réclame se dissimule ainsi que le serpent sous les fleurs. Cette pratique est admise dans les feuilles les plus graves et je ne crois pas qu'il soit utile de s'en indigner[43]. »

On ne s'indigne pas plus aujourd'hui de la pérennité et du développement de ces pratiques. Sont concernés au premier chef les journaux féminins, la presse automobile et sportive, les magazines de loisir, de cinéma... La presse médicale n'échappe pas à ce fléau. D'aucuns affirment qu'il n'existe guère plus d'article sur un nouveau produit ou une nouvelle technique qui ne soit en fait une publicité déguisée. La presse financière n'est pas à l'abri, bien qu'elle soit encore peu développée en France. Les quotidiens y viennent plus timidement, on commence à trouver régulièrement des publireportages concernant le bâtiment, l'architecture, des expositions, des collectivités locales et territoriales. L'importance de ces formes de publicité augmente rapidement ; le journal *Marie-Claire* a consacré 58 pages au « publi » en 1985 et 130 en 1988 ; *Cosmopolitan* est passé de 49 pages en 1985 à 150 en 1988. En 1988, près de 7 % de la surface publicitaire de *Elle* était consacré aux publireportages[44].

---

43. *Annales politiques et littéraires*, 24 mars 1895.
44. Leroy et de Chambord, *op. cit.*

Si le publireportage est une forme rédactionnelle qui ne laisse au journaliste pratiquement aucune marge de manœuvre, les publi-dossiers sont, en théorie, plus indépendants. Il s'agit alors d'opérations pilotées par les services de publicité en accord avec les rédactions, qui, sur un thème plus large (un secteur d'activité, une région, un pays, une profession...), cherchent des annonceurs et alternent dans la mise en page articles et espaces publicitaires. Mais bien évidemment les articles, s'ils ne peuvent être assimilés à de la publicité, ne peuvent pas non plus être très critiques. Les journaux qui se prêtent à ces publi-dossiers négocient leur crédibilité rédactionnelle pour attirer plus d'annonceurs. On retrouve dans cette forme des *news magazines* et des journaux économiques comme *Le Point, L'Express, L'Expansion, Le Nouvel Économiste, Le Nouvel Observateur*, ainsi que les quotidiens nationaux. La pratique de ces publi-dossiers y est d'ailleurs plus ancienne et mieux codifiée que celle des publireportages d'aujourd'hui. J. Sauvageot, directeur administratif et cogérant du *Monde* avec J. Fauvet de 1969 à 1981, expliquait en 1972 à *Presse-Actualité* : « Les suppléments publiés dans le *Monde* ne sont-ils pas davantage conçus pour recevoir de la publicité que pour informer les lecteurs ? Cette supposition n'est vraie pour aucun des suppléments permanents : Monde des livres, des loisirs, des spectacles, de l'économie... Elle est davantage justifiée pour les suppléments exceptionnels sur une région, un pays, une industrie. A cette époque où la vie du *Monde* était précaire, ces suppléments ont fourni de précieux compléments de recettes, depuis toujours la rédaction a été associée à leur réalisation et désormais la plupart de ces suppléments sont composés à son initiative. » A ce sujet, J. Fauvet ajoutait qu'il existe une « règle du jeu très précise et toujours respectée, à savoir que la rédaction reste libre de son contenu et que la publicité (...) est séparée de la rédaction[45] ». Pourtant, ces suppléments se gardent toujours d'être polémiques. Ainsi des dossiers ont pu décrire comme doux à vivre des pays tels la Tunisie ou la Libye, à des époques où la répression politique était assez sévère...

45. Cité par J. Padioleau, *Le Monde et le Washington Post,* Paris, PUF, 1985.

L'affirmation de Fauvet renforce donc l'hypothèse d'une autocensure, les journalistes qui participent à ces suppléments acceptant au départ de ne pas « remuer le fumier ».

Ces pratiques, qui n'épargnent aucun média, ne manquent pas de poser de nouveaux problèmes aux journalistes. Généralement, c'est pour des raisons financières que ceux-ci acceptent ce type de travaux. A ceux qui leur en font la remarque, ils répondent que le mouvement n'a pu être lancé que par les journalistes les plus connus, les « stars » de la télévision en particulier, qui ont une gamme très diversifiée de prestations payantes à proposer : publirédactionnel, bien sûr, mais aussi animation de déjeuners et de débats, présentations de spectacles et autres inaugurations[46]. Les développements de l'affaire Botton (homme d'affaires, gendre du député-maire de Lyon, Michel Noir) ont mis en lumière l'incroyable méli-mélo des collusions en tout genre impliquant des journalistes de toute obédience et ayant en commun une forte notoriété.

Au sein des rédactions, il règne une confusion certaine, chaque journal adoptant une conduite différente : les uns préfèrent contrôler de près ces publicités déguisées et demandent à voir les copies avant publication ; d'autres s'y refusent mais doivent constater avec retard que ces publirédactionnels cherchent à imiter l'apparence des vraies pages d'information pour que la confusion soit totale ; depuis 1986, les éditeurs ont obligation de signaler ces formes publicitaires par les mentions « publicité » ou « communiqué », mais il faut le plus souvent au lecteur (qui ne connaît rien à ces subtilités juridiques) beaucoup d'attention pour ne pas se laisser abuser. Certains journaux interdisent à leurs propres journalistes de signer ces publicités, mais ils se font rares. Ce que recherchent les annonceurs, c'est justement l'illusion totale, pouvoir acheter l'espace, la notoriété du titre et la signature d'un journaliste du cru. Des exigences aujourd'hui acceptées par la plupart des journaux, à l'exception de quelques titres phares qui, récemment, ont tenu à mettre

---

46. L'hebdomadaire satirique *Le Canard enchaîné* se fait souvent l'écho de ces pratiques.

bon ordre dans ces pratiques *(Ouest-France, La Nouvelle République du Centre-Ouest, Libération, Le Monde)*[47].

Un argument est souvent avancé, très significatif de ce malaise qui s'étend dans la profession : les journalistes ne seraient que partiellement responsables de leur manquement à l'éthique professionnelle, les pressions des employeurs et surtout leurs faibles niveaux de rémunération seraient davantage à incriminer. Jean-Claude Hazera, rédacteur en chef adjoint du *Nouvel Économiste* et membre de l'Association des journalistes économiques et financiers (AJEF), a rédigé pour le compte de cette association un projet de charte professionnelle. Ce texte explique que « les entreprises de presse qui ne payent pas correctement leurs journalistes sont en partie responsables de ce que certains sont obligés de faire pour gagner leur vie. Les journalistes qui sont convenablement rémunérés sont particulièrement sans excuse quand ils donnent le mauvais exemple[48]. »

L'argument est faible, car s'il est évident que l'éthique d'un individu plonge ses racines dans ses conditions socio-économiques d'existence et d'activité, elle dépend aussi d'une attitude personnelle. De plus, dans leur grande majorité, les journalistes salariés ne sont pas si mal rémunérés ni issus de milieux socioprofessionnels si défavorisés qu'ils ne puissent pas compter sur des appuis bien placés et des rentes d'héritage[49]... Par contre, la responsabilité des patrons de presse rejoint évidemment celle des journalistes à propos des pratiques vénales que nouent les journaux et leurs sources.

Les « communiquants » des organisations (on regroupe sous cette expression les spécialistes de la stratégie publicitaire et des relations publiques des entreprises, institutions, administrations, associations, partis, structures gouvernementales...) sont passés maîtres pour tisser des

---

47. *Télérama*, 20 janvier 1993.

48. J.-C. Hazera, « Projet de charte des journalistes », *Médiaspouvoirs*, n° 13, janvier 1989.

49. Selon la Commission de la carte professionnelle, les journalistes ont des origines sociales élevées ; la profession du père : 20 % professions libérales et cadres supérieurs, 9,9 % cadre moyens, 7,3 % journalistes, 1,6 % industriels, 10,2 % artisans et commerçants. Données citées par *Presse-Actualité* n° 187, novembre 1984.

relations durables avec la presse et les journalistes. Il suffit de parcourir un quelconque manuel de techniques de communication d'entreprise pour se convaincre que les journalistes ne sont pas à l'abri des pressions. On y apprend comment les communiquants doivent savoir prendre le journaliste : une espèce animale légèrement farouche, parfois bougonne ou hautaine, mais qui recherche l'affection et cède facilement aux petites gâteries. Pour ne citer que quelques extraits : « On communique avec des journalistes et non des organes de presse. (...) Les journalistes étant des gens de communication doivent avoir des relations humaines et personnalisées, et ceci sans attendre obligatoirement l'événement. » Le travail des responsables des services de presse est de « rechercher l'information susceptible d'intéresser les journalistes ». Parmi les techniques recommandées, le voyage de presse est un « moyen de faire participer concrètement des journalistes à un événement ». Il faut « considérer tous les journalistes comme des hôtes de marque ». On doit éviter « de surcharger les journalistes en documentation : seules quelques notes d'information, au fur et à mesure des étapes, devraient être nécessaires pour compléter le dossier de presse ». On n'oubliera pas de « distribuer aux journalistes en déplacement des journaux, et, si possible, le leur. (...) Après le voyage, d'envoyer à chacun des participants un *press-book*, les photos et des remerciements pour leur présence ».

Le fait a été décrit maintes fois : il y a, *a priori*, un malentendu entre les professionnels de la presse et les relations publiques. Le premier est salarié pour publier de l'information ; le second veut voir étalée une information au profit de l'entreprise pour laquelle il travaille. Le premier ne veut entendre du second que ce qui l'intéresse ; et le second veut se servir du premier. Les deux intentions ne sont pas compatibles, elles vont chercher à cohabiter, vont souvent se déchirer, à moins que... A moins que les règles soient changées, que les intérêts convergent, que journaux et journalistes trouvent avantage à ces invitations...

Rien n'entretient mieux l'amitié que les petits cadeaux et les fausses attentions. Les journalistes des titres les plus en vue ont pris l'habitude de trouver en toute occasion de petits cadeaux, lors des fêtes de fin d'année, pour un événement heureux, ou pour une campagne de promotion. Ainsi les rédacteurs peuvent-ils recevoir des disques, des livres, des montres, des chaussures ou des couches-culottes, ils sont supposés s'intéresser à tout ! Les présents sont généralement spontanés, on ne leur demande rien... si ce n'est un article favorable. Rien ne les incite à se plier à cette douce sollicitation, si ce n'est la perspective d'autres attentions. Les supérieurs hiérarchiques sont mieux fournis encore car ils peuvent imposer à leurs rédacteurs subordonnés de faire le travail à leur place. Les plus corrompus peuvent se faire prêter une voiture pendant plusieurs mois ou se faire payer des vacances. Il s'en trouve même qui devancent les communiquants en proposant de « faire l'article » si on leur offre le produit en question. Quand il s'agit non plus d'une couche-culotte mais d'un micro-ordinateur portable, comme cela s'est vu, la vénalité est avérée.

6. Le journaliste est-il un communiquant ?

Si les journalistes ne répondent pas tous ni toujours aux sollicitations des publicitaires, ne serait-ce que par manque de temps, ils échappent de plus en plus difficilement aux puissants moyens dont disposent les communiquants pour leur imposer des « manières de voir ». La dépendance des reporters à l'égard des sources commence avec le manque de moyens financiers et logistiques pour réaliser reportages et enquêtes. Or, s'il veut bouger, circuler, voyager, rencontrer de nouvelles situations, bref faire du reportage, le journaliste d'aujourd'hui doit trop souvent trouver à l'extérieur de son entreprise les moyens nécessaires, même s'il sait qu'il perd du même coup une partie de son indépendance. « Les journaux ne font rien de leur propre initiative. Les journalistes sont baladés partout, aux frais de ceux sur qui nous devons écrire », témoigne une chef de service d'un quotidien du soir. Jugement sans doute exagéré, mais il est certain que, à l'exception des « coups », c'est-à dire-des événements qui peuvent apporter une forte audience, les médias, y compris les plus grands, ne s'obligent plus à aller sur le terrain avec leurs propres moyens. D'où une indiscutable ouverture à tous les « mécènes » du reportage, entreprises, partis, pays, organisations privées, toujours prêts à « rendre service » pourvu que l'on parle d'eux en positif. La pratique devient si courante qu'elle atteint les titres les plus en vue, ceux que l'on croyait à l'abri de ces tentations. Au *Monde*, on estime ne pas être en mesure de les refuser, on souhaite seulement ne pas céder aux pressions de services de presse, pour au contraire se servir d'eux : « La décision appartient à la conscience professionnelle de chaque rédacteur et de son chef de service. On ne peut pas toujours refuser les voyages, car cela permet à des rédacteurs et rédactrices de sortir [du siège du journal] [50] ».

Les conséquences de ces pratiques répétées sont graves pour la qualité de l'information et sa crédibilité. Elles conduisent en effet à un transfert des charges de recherche de l'information vers les « fournisseurs ou prescripteurs de contenus [51] ». Philippe Thureau-Dangin, journaliste, ancien secrétaire général d'un hebdomadaire médical, estime que « la distinction entre la grande presse et la presse spécialisée, entre la presse sérieuse et celle qui ne le serait pas, perd de sa pertinence. En revanche, il est possible de distinguer une communication "normale", entièrement programmée et téléguidée par les communiquants, et une communication de crise, lorsque l'actualité, pour une raison ou une autre (événements graves, décès, conflits d'intérêts), oblige les acteurs à improviser. Pendant les crises, certaines barrières sautent. Des liens de silence entre les communiquants sont rompus. Le journaliste joue alors son rôle : il confronte les sources, avive les luttes, monte les auteurs les uns contre les autres, remonte les

---

50. Débats de la société des rédacteurs, 1979. Rapportés par J. Padioleau, *op. cit.*

51. J. Martin, « Indépendance de l'information et dépendances économiques », communication au congrès de la Ligue des droits de l'homme, 1988.

filières. Des langues, d'habitude muettes, se délient, des secrets sont levés. Bref, une enquête est possible, au moins tant que dure la crise[52]. »

Cette fragilité des communiquants qui les fait s'effacer devant la crise n'est que de courte durée, d'autant plus qu'ils se forment désormais à la « communication de crise », c'est-à-dire à des techniques parfaitement adaptées pour satisfaire toutes les interrogations avant même qu'elles soient formulées par le public et les journalistes. Des scénarios sont préconçus, des réponses variables selon l'événement imaginé sont mises au point, l'assurance de la cohérence des discours est obtenue par le verrouillage des circuits d'information.

Les communiquants seraient ainsi en mesure de piloter à distance l'activité des médias, comme le montre bien l'exemple de la diplomatie nord-américaine. On sait que le gouvernement de Washington développe des moyens colossaux pour fournir aux médias du monde entier – comme nous l'avons vu au moment de la guerre du Golfe – des informations en tout point conformes à ses intérêts. D'aucuns estiment même que ces subsides et dispositifs divers seraient plus importants que tous les moyens d'investigation des grands médias nord-américains réunis. Dans le cadre diplomatique, l'accroissement de ces moyens s'explique par l'accélération et la médiatisation nouvelles des activités de relations internationales. Les limites du secret diplomatique ont été largement repoussées et la mise en place de structures et de procédures de travail visant à la maîtrise des phénomènes de médiatisation a été rendue nécessaire par cette intrusion des médias dans le champ diplomatique. Mais les administrations centrales ont aussi perçu tout l'intérêt qu'elles pouvaient tirer de cette médiatisation et surtout de son organisation. La planification de séances de *briefing* et de conférences de presse permet ainsi une relative maîtrise des sommaires de journaux, les rédactions tendant à privilégier les informations les plus disponibles, d'autant plus si elles revêtent un caractère institutionnel ou politique ; la fourniture d'informations soigneusement sélectionnées (diffusion de dossiers, orga-

52. P. Thureau-Dangin, « Journalistes sous influence », *Médiaspouvoirs,* n° 13, janvier 1989.

nisation de pseudo-événements, mise à disposition de voyages de presse, activation des réflexes de concurrence entre médias par la distillation de faveurs sous forme d'interviews exclusives ou de confidences...) a pour effet de satisfaire la demande des médias à bon compte et de détourner leurs équipes de velléités d'investigations autonomes. L'organisation de « fuites » est elle-même tout un art, et elle est désormais si courante qu'elle fit dire un jour à un chroniqueur que le gouvernement nord-américain était le seul vaisseau au monde « à fuir par le pont supérieur[53] ». La « fuite » permet de détourner l'attention et de calmer les ardeurs des enquêteurs ; elle est utilisée aussi pour tester les réactions de l'opinion, intérieure et internationale, avant le lancement d'opérations jugées risquées ; c'est ce qui fut fait avant l'invasion de l'île de la Grenade en 1983 et lors d'affrontements avec le Nicaragua et la Libye en 1986.

La « fuite » est devenue un authentique outil de gouvernement et d'action ; son usage est courant désormais en France, en particulier dans le domaine judiciaire. Comme l'ont montré de très nombreuses « affaires » criminelles ou de corruption, de l'assassinat de petit Grégory Villemin au match de football truqué entre les clubs de Valenciennes et de Marseille, la violation permanente du secret des instructions, qu'elle soit le fait des magistrats, des avocats, des accusés, des plaignants, ou même des acteurs politiques ou sociaux, a pour objet de modifier le cours de l'action de la justice. Tel magistrat ne peut obtenir les réponses d'un témoin, il le jette en pâture à l'opinion par le canal de la presse. Tel accusé veut contraindre un juge de prendre en considération un fait, il agit par le biais des médias. Tel homme politique s'inquiète de la tournure d'une affaire, il fait le détour par une conférence de presse pour bien faire passer son message à ceux à qui il le destine. Dans la plupart des cas, des experts en stratégie de relations publiques conseillent les protagonistes sur la manière d'utiliser les médias.

Ces exemples soulignent que l'essentiel dans l'information réside dans la maîtrise de la source. Pierre Desgraupes aimait rappeler à ses

---

53. C. Colonna. et P. Faure, « La diplomatie bousculée par les médias », *Médiaspouvoirs* n° 3, juin 1986.

confrères qu'ils travaillent tous aux mêmes sources : celles du pouvoir politique et des principaux groupes de pression, économiques et sociaux. Seuls diffèrent les commentaires et les analyses critiques qui peuvent être faits de cette information, toujours fournie par les mêmes voies. De tout temps, les sources les plus puissantes (d'une part, celles disposant des plus importants moyens financiers et logistiques de collecte, de sélection, de mise en forme et de diffusion de l'information ; et, d'autre part, celles revêtant le caractère le plus institutionnel ou possédant les marques de la légitimité sociale les plus en vue) ont su imposer aux médias non seulement leur analyse de l'information, mais le choix même de l'information. L'intervention récente des communiquants, techniciens spécialistes de la mobilisation des ressources de séduction, d'orientation et de persuasion, n'a fait qu'accroître cette réalité lourde et ancienne. Marc Paillet a prononcé cette phrase qui semble bien résumer l'activité journalistique : « Le fait est fils de la critique, la critique est fille du fait [54]. » Soit, mais que vaut la critique si le fait doit être choisi par des mains expertes en manipulation, si peu soucieuses de ce qui relève de l'intérêt collectif et moins encore de l'exactitude ?

Il existait, il y a encore une dizaine d'années, une distinction entre trois activités, autonomes les unes des autres bien que liées par de nombreuses activités professionnelles : la publicité, la relation publique et le journalisme. Absorbant au passage les fonctions d'attaché de presse et s'autoproclamant dans celles de conseil en ressources humaines, les publicitaires ont opéré un déplacement sémantique qui ne faisait qu'entériner un état de fait largement admis. Ainsi, en 1988, l'Association des agences-conseils en publicité s'est métamorphosée en Association des agences-conseils en communication, ce que nous appelons les « communiquants ». « En s'appropriant le vocable "communication", explique Armand Mattelart, l'industrie publicitaire signale l'élasticité de son nouveau champ professionnel. La publicité n'est en effet plus ce

54. M. Paillet, *Le Journalisme, le quatrième pouvoir*, Paris, Denoël-Gonthier, 1976.

qu'elle était. (...) Du même coup, l'industrie publicitaire se découpe un territoire à la dimension de la société tout entière. La publicité y gagne ses galons de technologie de la gestion sociale. La communication comme mode d'organiser les rapports entre les hommes. Partout où ceux-ci « communiquent » entre eux, ses professionnels ont leur mot à dire et leur expertise à appliquer[55]. »

Sans mettre en doute la validité de ces prétentions, on peut observer que le développement des activités de communication des organisations, amorcé depuis un vingtaine d'années, interroge de façon nouvelle le statut même des journalistes.

Qui, des communiquants des entreprises et des salariés de la presse, peut désormais le plus se prétendre journaliste, au sens de celui qui recherche une information aux sources premières et sait les synthétiser ? Question iconoclaste assurément, mais que des communiquants peuvent être tentés de poser – et certains ne s'en privent pas. Patrick d'Humières, dirigeant d'une agence-conseil en communication, explique : « [Une] donnée qui complique encore la définition des rôles, c'est la complémentarité entre l'économie publicitaire, dictée par les annonceurs, et l'économie de l'audience, dictée par les médias. C'est le même marketing au service de deux objectifs différents. Dans un contexte culturel nouveau qui place l'entrepreneur, l'innovation et la réussite au cœur des valeurs sociales, le "nouvel attaché de presse" pourrait donc avoir toutes les raisons de se prendre pour le journaliste, s'il n'intègre pas bien la différence des rôles des fonctions. Et, de fait, les méthodes de travail se sont confondues : les mêmes capacités d'investigation et d'analyse sont nécessaires, le même savoir-faire indispensable de communication au grand public et la même contrainte d'adaptation permanente à l'actualité relient le métier de journaliste à celui d'attaché de presse[56]. »

La différence des fonctions tend effectivement à s'estomper, notamment dans le cadre des médias d'organisation, qui ont connu un fort

55. A. Mattelart, *La Publicité,* Paris, La Découverte, coll. « Repères », 1990.

56. P. d'Humières, « On n'attache pas la presse », *Médiaspouvoirs,* n° 13, janvier 1989.

développement : journaux d'entreprise, gazettes municipales et feuilles de quartier gratuits à l'intention de la clientèle, périodiques associatifs..., innombrables sont aujourd'hui les supports qui, peu ou prou, diffusent de l'information. Dite de « service » (produits culturels, permanences de santé, horaires d'ouverture des administrations, dates des manifestations, données pratiques), de nature publicitaire (information des clientèles et correspondants sur l'actualité des organisations), ou à intention critique, sociale et pédagogique (analyses, points de vue civiques), l'hétérogénéité de cette information, proposée par des organisations qui ne rentrent pas dans le cadre des entreprises de presse telles qu'elles sont définie par la loi, rend très difficile la distinction. De fait, la jurisprudence dans les affaires concernant l'attribution des cartes professionnelles de journaliste souligne bien la difficulté contemporaine de définition des rôles.

Comme le remarque le récent rapport de J. Vistel, « aucune décision de justice ne paraît à ce jour avoir éclairé ce point et surtout décidé que l'exclusion des professionnels de la publicité ou des relations publiques de la catégorie des journalistes professionnels était conforme à l'article L. 762-2 » de la loi portant sur le statut des journalistes. Il remarque aussi que la portée juridique de la carte professionnelle « est fort limitée puisque ni les administrations, ni le Conseil d'État, ni la Cour de cassation ne subordonnent la qualité de journaliste professionnel à la délivrance de la carte ou n'induisent automatiquement de cette délivrance la qualité de journaliste[57] ». La jurisprudence, établie progressivement, est pour le moins ambiguë. Elle interdit aux agents de l'État, de collectivités territoriales et d'institutions de caractère public de prétendre au statut de journaliste professionnel : les rédacteurs des revues municipales, régionales ou départementales sont donc exclus, quelle que soit la qualité de leurs publications, parfois très bonne, souvent meilleure que certains quotidiens et périodiques locaux qui, souffrant de difficultés économiques, disposent de moins de moyens et ont recours très fréquemment aux ficelles du publireportage. De même, le rédacteur en chef de la revue

---

57. J. Vistel, *op. cit.*

50 Millions de consommateurs, éditée par l'Institut national de la consommation, s'est vu refuser la carte professionnelle au motif qu'il est agent de l'État. Le ridicule le dispute au grotesque. Les journalistes d'entreprises privées sont aussi mis à l'écart, sans distinction tenant compte par exemple de la qualité des publications. Encore que l'on ait vu un rédacteur du *Journal de Carrefour*, support publicitaire de la société de même nom, obtenir la sacro-sainte carte...

Si les instances professionnelles semblent vouloir toujours plus limiter l'accès à la profession par la délivrance restrictive de la carte, elles acceptent depuis près de soixante ans une situation sociale pour le moins suspecte, pour ne pas dire injuste : les correspondants locaux de la presse régionale. Des milliers de personnes – retraités, étudiants, employés municipaux, commerçants, agriculteurs – remplissent quotidiennement une tâche énorme et indispensable. Pilotés de loin par des équipes de journalistes qui centralisent et organisent leur travail, les correspondants assurent souvent les trois quarts de la copie des journaux régionaux. Pour un salaire dérisoire, et un statut de travailleur indépendant précaire et pour le moins discutable, ces travailleurs remplissent souvent une véritable fonction de journaliste : traquant l'information, multipliant enquêtes et reportages, ils rendent possible et réel ce journalisme de terrain et de proximité qui fait la force de la presse régionale. Leur contribution est si essentielle que, bien souvent, leur copie n'est pas vérifiée ni même relue par les journalistes patentés. Si ce n'est l'exiguïté de leur zone géographique, rien ne distingue ces correspondants des authentiques journalistes ; leur maintien dans ce statut aberrant (confirmé en 1987) n'est dû qu'à une sainte alliance des organisations de journalistes (qui craignent pour leurs emplois) et des patrons de presse (qui ne veulent payer ni cotisations, ni salaires décents).

Dans certaines occasions, la distinction entre correspondant et journaliste paraît justifiée : il s'agit des cas où, manifestement, les agents locaux ne font aucun travail critique, s'attachant au contraire à défendre les intérêts des pouvoirs politiques et économiques en place. Mais si on tient à cette distinction dans ces conditions, deux questions s'imposent : quel nouveau statut donner aux milliers de journalistes qui, de la presse régionale aux périodiques professionnels, versent quotidiennement dans le publireportage et le communiqué « brosse à reluire » ? Quel statut pour ces journaux régionaux qui publient, à longueur de colonnes et sans aucune critique, les informations de ces correspondants bien dociles ?

Il est probable que les questions sur le statut des personnels communiquants travaillant aux marges des médias et du journalisme ne trouveront pas de réponses si l'on ne se charge pas, simultanément, d'observer de manière critique toutes les facettes possibles de l'activité journalistique dite professionnelle. Il est dérisoire parce que non crédible et totalement sans effet de vouloir interdire aux publicitaires de se proclamer journalistes tant que les salariés de la presse continueront à tremper dans les usages du publireportage. Les journalistes locaux resteront marqués par une appréciation globalement négative (« la voix de son maire », pour simplifier) tant qu'ils n'auront pas fait une vraie distinction entre les correspondants locaux (fournisseurs d'information pouvant être assimilés à des personnels de relation publique ou de publicité, bref des communiquants) et les authentiques journalistes (collecteurs et critiques de l'information, agissant de façon indépendante). De même, tous les journalistes regagneront en légitimité quand ils auront su faire reculer les spécialistes des relations publiques dans leur rôle de facilitation du travail journalistique et non d'ordonnateur de l'actualité des médias.

Il dépend des journalistes essentiellement de redéfinir des catégories, réellement opérationnelles, en laissant de côté les critères dépassés qui n'ont jamais prouvé, depuis 1935, que leur faible efficacité et leur injustice.

De ce voyage aux confins du journalisme, tirons quelques leçons, nécessairement provisoires tant l'entreprise de définition de ce métier polymorphe est complexe.

– Nombreux sont les champs d'activité en échange permanent avec le journalisme. Nous en avons évoqué quelques-uns, bien d'autres seraient à prendre en compte : le spectacle (voir la prégnance de l'animation à la télévision et la participation croissante de journalistes à fonction de présentation des émissions de divertissement), l'éducation (la constante guerre faite aux médias par les pédagogues souligne bien qu'il existe une concurrence, donc des terrains d'échange), la pensée (la fonction expert, la participation aux débats sont largement l'apanage des médias et des médiateurs), la technologie (à travers la maîtrise des outils), la fonction publique même (quand les médias prétendent à la fonction de surveillance des libertés). Aucun de ces domaines n'est en lui-même identifiable au journalisme, mais tous y contribuent par l'échange mutuel de conceptions, de méthodes de travail, d'objets parfois, de fonctions même.

– On ne peut donc pas voir le journalisme comme un objet figé, immuable, défini à jamais. C'est au contraire une sorte d'auberge espagnole, ouverte à tous, enrichie perpétuellement des ingrédients de pratiques hétérogènes, mais complémentaires à la soupe en train de se faire. Pétri de tant d'influences, le journalisme ne cesse d'évoluer. Il est, selon les époques et les lieux, plus littéraire, plus « positiviste », plus marchand, plus divertissant, plus politique, plus engagé... La culture de la société dans laquelle il se meut, les valeurs du temps, les contraintes économiques, les évolutions technologiques, tout le façonne. Sans oublier les trajectoires, personnelles et collectives, de ceux qui le pratiquent.

– La nature et l'importance des échanges du journalisme avec ses champs voisins tiennent beaucoup aux intérêts catégoriels. Dans les années 1920-1930, les journalistes souffraient d'un lourd déficit de légitimité, tant morale (vis-à-vis de l'opinion publique) que professionnelle (au sein des entreprises de presse, dans les rapports avec le patronat). Mû par quelques convaincus très acharnés, le Syndicat des journalistes se mit en tête de régenter la profession ; l'entreprise passa par l'exclusion radicale des concurrences : les hommes politiques, les enseignants, les « amateurs » et d'une manière générale tous les collaborateurs occasionnels furent priés de dégager le champ, de gré ou par la loi (de 1935). Dans le même esprit, après la Libération, le discours techniciste de journalistes inspirés par le modèle des *news-magazines* américains et la montée des valeurs de l'économie vint justifier l'exclusion des pratiques littéraires du journalisme. Aujourd'hui, les journalistes sont très attentifs à ne pas laisser s'introduire de confusion entre les tâches de secrétariat de rédaction et celles de montage des maquettes ; ils craignent en effet que les évolutions technologiques (presse assistée par ordinateur), dont le coût social est essentiellement porté par les métiers techniques de l'imprimerie, se traduisent par des baisses d'effectifs de journalistes ; marquer sa différence est alors une nécessité de survie.

– Les intérêts catégoriels évoluent, le journalisme avec. Si, il y a un demi-siècle, le groupe des journalistes se préoccupait avant tout de tracer les frontières de son espace et d'exclure les pratiques périphériques et jugées déloyales, il semble avoir décidé pour l'heure, implicitement, de mener une stratégie intégratrice : communication, lettres, arts, politique, spectacle, éducation... Le journalisme ne paraît guère inquiet des concurrences et les intègre volontiers.

La raison de cette stratégie est évidente : amalgamer permet de réduire les antagonismes et de continuer à contrôler le champ journalistique alors que celui-ci est en expansion rapide (croissance accélérée des journalistes « encartés », sans compter tous ceux qui se dispensent de la carte professionnelle pour exercer de nouvelles formes de l'activité, telle le journalisme institutionnel). En effet, une attitude trop dure, trop ferme risquerait de réduire le groupe à la dimension d'un simple constituant du champ, une sorte de secte dont les principes ne seraient reconnus que par une fraction de plus en plus marginale. L'attitude intégratrice lui permet, au contraire, de conserver son influence.

– Le risque est celui d'une désagrégation par l'intérieur : l'amalgame pourrait aussi conduire à une dissolution ; rien ne permet de dire que cette hypothèse est proche. Dans l'attente, le journalisme a tout intérêt à entretenir l'ambiguïté – sur son statut, son activité et son espace professionnel – car celle-ci lui confère une position sociale exceptionnelle (variée, changeante au gré du temps, des valeurs et des personnalités), quitte à supporter parfois un sentiment d'imposture, une curieuse sensation de ne jamais être parfaitement à sa place.

———————

Bibliographie

ACHARD G., *La Communication à Rome*, Paris, Les Belles Lettres, 1991.

ALBERT P., *La Presse française*, Paris, La Documentation française, 1990.

ASSOULINE P., *Albert Londres*, Paris, Balland, 1989.

AVENEL H., *La Presse française au XXᵉ siècle*, Paris, Ernest Flammarion, 1901.

AYERST D., *Guardian*, Londres, Collins, 1971.

BALLE F., *Et si la presse n'existait pas...*, Paris, J.-C. Lattès, 1987.

BALZAC H. DE, *Illusions perdues*, Paris, 1837-1843, Gallimard, coll. « Folio », 1972.

BARRÈS M., *Les Déracinés*, Paris, Plon, 1897.

BELLANGER Cl. *et al.*, *Histoire générale de la presse française*, 5 tomes, Paris, PUF, 1969-1976.

BELLET R., *Jules Vallès journaliste*, Paris, Les Éditeurs français réunis, 1977.

BERENGER H. *et al.*, *Les Prolétaires intellectuels en France*, Paris, 1901.

BERGER F., *Journaux intimes*, Paris, Robert Laffont, 1992.

BIRNBAUM P., *Les Sommets de l'État*, Paris, Le Seuil, 1977.

BOORSTIN D., *The Image*, New York, Harper and Row, 1961.

BORIS C., *Les Tigres de papier*, Paris, Le Seuil, 1975.

BOUVIER J., *Les Deux Scandales de Panama*, Paris, Julliard, 1964.

BOYD-BARRETT O., PALMER M., *Le Trafic des nouvelles*, Paris, Alain Moreau, 1981.

BRAUDEL F., *La Méditerranée et le monde méditerranéen à l'époque de Philippe II*, Paris, Armand Colin, 1966 et 1990.

BRET P.-L., « Réhabilitation de l'information », conférence faite au Groupe d'études allemandes, 8 décembre 1949. Papiers P.-L. Bret.

BROWN L., *Victorian News and Newspapers*, Oxford, Clarendon Press, 1985.

BRULAT P., *Le Reporter, roman contemporain*, Paris, Perrin et Cie, 1898.

CHAMPAGNE P., *Faire l'opinion*, Paris, Éditions de Minuit, 1990.

CHARON J.-M., *Cartes de presse*, Paris, Stock, 1993.

CHOLLET R., *Balzac journaliste. Le tournant de 1830*, Paris, Klincksieck, 1983.

CORNU G., RUELLAN D., « Technicité intellectuelle et professionnalisme des journalistes », *Réseaux*, n° 62, novembre-décembre 1993.

DARNTON R., *L'Aventure de l'Encyclopédie*, Paris, Librairie académique Perrin, 1982.

DAUDET L., *Bréviaire du journalisme*, Paris, Gallimard, 1936.

DELISLE DE SALES J.B.C., *Essai sur le journalisme depuis 1735 jusqu'à 1800*, Paris, Colas, 1811.

DENIS S., *L'Affaire Poivre*, Paris, Stock, 1993.

DU ROY A., *Le Serment de Théophraste*, Paris, Flammarion, 1992.

ESCOFFIER H., *Troppmann, l'assassin de la famille Kinck*, Paris, 1888.

FERENCZI T., *L'Invention du journalisme en France*, Paris, Plon, 1993.

FERMER D., *James Gordon Bennett and the New York Herald*, Woodbridge/New York, The Royal Historical Society, The Boydell Press/St. Martin Press, 1986.

FERRO M., *L'Information en uniforme*, Paris, Ramsay, 1991.

FUNCK-BRENTANO F., *Figaro et ses devanciers*, Paris, Hachette, 1909.

GREILSAMER L., *Hubert Beuve-Méry*, Paris, Fayard, 1990.

HABERMAS J., *L'Espace public*, Paris, Payot, 1961.

HALIMI S., « Des journalistes en tenue camouflée », in « Médias, mensonges et démocratie », *Le Monde diplomatique*, n° 14, février 1992.

HATIN E., *Histoire de la presse*, Paris, 1859.

HAYE Y. DE LA, *Journalisme, mode d'emploi*, Grenoble, ELLUG/Pensée sauvage, 1985.

HESS S., *The Washington Reporters*, Washington D.C., Brookings, 1981.

IFP, *Les Journalistes français en 1990, radiographie d'une profession*, La Documentation française-SJTI-CCIJP, Paris, 1992.

INGHAM B., *Kill the Messenger*, Londres, Harper Collins, 1991.

JEANNENEY J.-N., *L'Argent caché*, Paris, Fayard, 1981, Le Seuil, 1984.

JULIEN C., *Le Devoir d'irrespect*, Paris, Alain Moreau, 1979.

KEANE J., *The Media and Democracy*, Cambridge, Polity Press, 1991.

KOSS S., *The Rise and the Fall of the Political Press in Britain*, 2 tomes, Londres, Hamish Hamilton, 1981-1984.

LEE A.J., *The History of the Times*, Londres, Printing House Square, 5 tomes, 1935-1952.

LEE A.J., *The Origins of the Popular Press*, 1855-1914, Londres, Croom Helm, 1976.

LENDVAI P., *The Bureaucracy of Truth*, Londres, Burnett/André Deutsch, 1981.

« Les médias dans la guerre », *Médiaspouvoirs*, n° 23, juillet-septembre 1991.

MARTIN M., « La grande famille : l'Association des journalistes parisiens (1885-1939) », *Revue historique*, janvier-mars 1986.

MARTIN M., « Les journalistes », *L'Histoire*, avril 1993.

MARTIN M., « Les journalistes, retraités de la République (1880-1930) », *Bulletin du Centre historique de la France contemporaine*, n° 7, 1986.

MARTIN M., *Histoire et médias*, Paris, Albin Michel, 1991.

MARTIN M., *Trois Siècles de publicité en France*, Paris, Odile Jacob, 1992.

MATTELART A., *La Communication-monde*, Paris, La Découverte, 1992.

MEYER A., *Ce que mes yeux ont vu*, Paris, Plon, 1913.

MOLINA M., *Les Journalistes*, Paris, Victoires-éditions, 1989.

MOLLIER J.-Y., *Le Scandale de Panama*, Paris, Fayard, 1991.

MONTALDO J., *Lettre ouverte d'un chien à François Mitterrand au nom de la liberté d'aboyer*, Paris, Albin Michel, 1993.

MORIENVAL J., *Les Créateurs de la grande presse en France*, Paris, Spes, 1934.

MOTT F.L., *American Journalism*, New York, MacMillan, 1962.

O'BOYLE, « The image of the journalist in England, France and Germany, 1815-1848 », *Comparative Studies in Society and History*, 1968.

PAILLET M., *Le Journalisme*, Paris, Denoël, 1974.

PALMER M., « Daniel Wilson and the decorations scandal of 1887 », *Modern and Contemporary France*, Londres, Longman, 1993.

PALMER M., « Grande-Bretagne : la presse aux basques », *Le Monde des débats*, mars 1993.

PALMER M., *Des petits journaux aux grandes agences*, Paris, Aubier, 1983.

PIGELET J., *Essai sur l'organisation intérieure de la presse périodique française*, Paris, 1911.

PLENEL E., *La Part d'ombre*, Paris, Stock, 1992.

POIVRE D'ARVOR P., *L'Homme d'image*, Paris, Flammarion, 1992.

PONS D., *Dossier H… comme Hersant*, Paris, Alain Moreau, 1977.

PORTALIS A.E., *Un guet-apens judiciaire*, Paris, Savine, 1896.

PORTER H., *Lies, Damned Lies and Some Exclusives*, Londres, Chatto and Windus, The Hogarth Press, 1984.

POTTIER P.« Professions et métiers, les journalistes », *L'Action populaire*, n° 145, 1907.

POUND R., HARMSWORTH G., *Northcliffe*, Londres, Cassel, 1959.

RANC, *Souvenirs-Correspondance 1831-1908*, Paris, E. Cornely, 1913.

RECLUS M., *Émile de Girardin*, Paris, Hachette, 1934.

Reporters sans frontières, *Les Journalistes sont-ils crédibles?* Les éditions reporters sans frontières, 1991.

Reporters sans frontières, *Rapport annuel-La liberté de la presse dans le monde*, Les éditions reporters sans frontières, 1991.

RIEFFEL R., *L'Élite des journalistes*, Paris, PUF, 1984.

ROCHEFORT H., *La Lanterne*, Paris, J.-J. Pauvert, 1966.

ROUCAUTE Y., *Splendeurs et misères des journalistes*, Paris, Calmann-Lévy, 1991.

RUELLAN D., *Le Professionnalisme du flou. Identité et savoir-faire des journalistes français*, Grenoble, PUG, 1993.

RUELLAN D., *Reporters, le voyage Afghanistan*, Paris, Syros, 1992.

SAUVAGE C., *Journaliste, une passion, des métiers*, Paris, CFPJ, 1988.

SCHUDSON M., *Discovering the News*, New York, Basic Books, 1978.

SCHUDSON M., *Was There Over a Public Sphere ?* manuscrit, Dept of Communications, University of California, San Diego, décembre 1989.

SCHWARZLOSE R., *The Nation's Newsbroker*, Evanston, Northwestern University Press, 2 tomes, 1989-1990.

SGARD J. (dir.), *Dictionnaire des journaux, 1600-1789*, 2 tomes, Paris, Universitas, 1991.

SIMONNOT P., *Le Monde et le pouvoir*, Paris, Les Presses d'aujourd'hui, 1977.

The History of the Times, Londres, Printing House Square, 5 tomes, 1935-1952.

« Théophraste Renaudot : l'homme, le médecin, le journaliste, 1586-1986 », *Cahiers de l'Institut français de presse*, n° 1, septembre 1987.

THOREAU M.D., *Walden, or Life in the Woods*, New York, 1854.

TÖNNIES F., *Kritik der öffentlichen Meinung*, Berlin, 1922.

TUCOO-CHALA S., *Charles-Joseph Panckoucke et la librairie française, 1736-1798*, Pau, Marinpowey, Paris, Touzot, 1985.

TUDESQ A.-J., *La Presse et l'événement*, Paris-La Haye, Mouton, 1973.

VERDES-LEROUX J., *Scandale financier et antisémitisme catholique ; le krach de l'Union générale*, Paris, Le Centurion, 1969.

VOYENNE B., *Les Journalistes français*, Paris, CFPJ-Retz, 1985.

WARTELLE J.-C., *Édouard Portalis (1845-1918), patron de presse à l'américaine*, Paris, Henri Veyrier et Kronos, 1990.

WEILL G., *Le Journal*, Paris, La Renaissance du livre, 1934.

WILL N., *Essai sur la presse et le capital*, Paris, UGE, 1976.

WOLGENSINGER, *L'Histoire à la une*, Paris, Gallimard, coll. « Découvertes », 1989.

ZOLA E., *Carnets d'enquête*, présentés par H. Mitterand, Paris, Plon, 1986.

ZOLA E., *L'Argent*, 1891, Paris, Fasquelle-Le Livre de poche, 1968.

ZOLA E., préface à *La Morasse*, Paris, 1888.

Impression
Imprimerie du Corrézien,
19460 NAVES
Dépôt légal 1er trimestre 1994
N° d'édition : 1133